LE SECRET
DE SOCRATE POUR
CHANGER LA VIE

FRANÇOIS ROUSTANG

LE SECRET
DE SOCRATE POUR
CHANGER LA VIE

Odile
Jacob

poches

© ODILE JACOB 2009, SEPTEMBRE 2011
15, RUE SOUFFLOT, 75005 PARIS

www.odilejacob.fr

ISBN : 978-2-7381-2693-1
ISSN : 1621-0654

DE SOCRATE, PERSONNE NE VEUT

Si Socrate a été condamné à mort et exécuté, on pense que ce ne peut être que par l'effet d'un malentendu. Il l'estimait d'ailleurs lui-même puisqu'il expliquait aux jurés que, si on lui avait accordé plus de temps, il aurait pu les persuader de son innocence. Il n'en est rien. Tout le monde avait des raisons, peut-être pas de le mettre à mort, surtout aujourd'hui que cette peine a été abolie, mais du moins de le faire disparaître et en tout cas de le faire taire. Là est en effet le point crucial. On aurait supporté qu'il reste dans son coin ou sur le seuil de quelque maison en cherchant à résoudre un problème. Comme il avait promis qu'il refuserait de se soumettre si on lui proposait la grâce à condition qu'on ne l'entende plus, son sort était scellé.

Oui, tout le monde avait des raisons, et pas seulement Aristophane. Alors que Socrate, à 46 ans, était au faîte de sa notoriété, il avait pu le caricaturer en le montrant suspendu au-dessus de la scène parce que ses recherches lui auraient prouvé que, dans les hauteurs, l'air était plus intelligent, ou bien encore devenu directeur d'une école d'escroquerie apprenant à ses élèves comment faire passer le faux pour le vrai. La pièce avait été un succès. Qu'est-ce

qu'Aristophane ne pouvait supporter, lorsqu'il voyait
Socrate déambuler dans les rues d'Athènes avec la majesté
d'un héron (*Nuées*, 362 et *Banquet* Platon, 221 b) ? De quoi
était-il jaloux, de quoi avait-il envie de se venger ?

Tout le monde avait des raisons de le faire taire.
Platon lui-même de façon autrement retorse. Au cours du
développement de son œuvre, il a fait peu à peu disparaître le Socrate historique au profit d'une figure qui lui res-
semblait de plus en plus, au point que les spécialistes ont
bien du mal à les distinguer. Platon a progressivement
dépouillé Socrate de son caractère propre. Il l'a absorbé,
en le faisant complice et soutien de sa propre doctrine, utilisant ce nom prestigieux comme un porte-parole au service de ce que, lui, Platon était en train d'inventer. Ainsi lui
a-t-il attribué la théorie des idées, la distinction entre intelligible et sensible ou même celle entre âme et corps. Et, de
plus, entre le Socrate questionneur impénitent et le Socrate
promoteur de la définition universellement valable, on
n'est plus censé faire la différence. Ou bien, alors que
Socrate interroge sans relâche en vue d'obtenir la reddi-
tion de l'interlocuteur et de le faire goûter au non-savoir,
Platon lui, en philosophe, est à la recherche de la vérité.
On sait que le dialogue aporétique, c'est-à-dire qui n'abou-
tit à aucune conclusion, est une marque reconnue de la
manière de Socrate. Or non seulement cette forme littéraire tend à disparaître ou devient factice au cours du
développement de l'œuvre de Platon, mais il arrive qu'elle
soit attribuée aux sophistes[1], les adversaires de Socrate. Il
serait ridicule de laisser entendre que Platon a voulu,
comme beaucoup d'autres, faire disparaître Socrate. Mais
la question ne se pose pas : il l'a fait disparaître au point
que le lecteur se demande à la fin, non pas seulement s'il
faut renoncer à les distinguer, mais si par hasard Socrate
ne serait pas la créature de Platon.

Qu'est-ce que Platon ne peut laisser intact ? Qu'est-ce qu'il doit tenter d'effacer sous peine de compromettre son propre projet ? Tout d'abord, il doit mettre un terme aux ravages de l'aporétique. Il sait bien que l'interrogation qui fait perdre la tête joue le même rôle que le chant et la danse dans les rites d'initiation (*Euthydème*, 277 d). Comment construire une théorie ou une doctrine si l'on ne peut et, bien plus encore, si l'on ne doit jamais conclure et affirmer ? L'impossibilité, répétée avec insistance par Socrate, d'enseigner la vertu était elle aussi, pour Platon, insupportable. Il a montré, dans ses écrits, et dans les faits lors de ses séjours en Sicile, que l'on devait pouvoir former des hommes politiques et que seules des circonstances malheureuses s'y opposaient. Comment ne pas devoir cacher aussi la tendance de Socrate à négliger les différences : la variété des vertus réduite à une seule ou le savoir assimilé à la vertu ? Pour toutes ces raisons, il était inévitable que Platon, à tout le moins, prenne ses distances à l'égard de Socrate et qu'il aille jusqu'à faire des dires de ce personnage ce que bon lui semblait.

Xénophon a usé d'une tout autre tactique pour s'en débarrasser : il a surprotégé son image en effaçant son originalité. Socrate allait répétant qu'il ne savait rien, c'était devenu son logo. Xénophon a senti le danger. On risquait de prendre Socrate pour un ignorant. Alors, il a affirmé qu'il savait beaucoup de choses. L'ennui, c'est qu'à cette profession d'ignorance tout un cortège de caractéristiques se trouvaient liées. C'est parce qu'il ne sait pas que Socrate interroge inlassablement. Avec Xénophon, on n'a plus affaire à un dialogueur, mais à un professeur qui enseigne la vertu et, loin de troubler ses auditeurs, les rassure et leur donne de bons conseils. On se demande vraiment comment ce Socrate inoffensif et sans aspérité a pu tant faire parler de lui et comment il a pu devenir pour ses contemporains

un problème embarrassant. Si, à l'encontre de ce que
Xénophon nous en transmet, il n'avait pas eu une réputation sulfureuse évidente, l'historien n'aurait rien eu à en
dire et rien à contredire. Sans le tranchant socratique qu'il
veut à tout prix émousser, Xénophon n'aurait pas écrit sur
ce sujet. C'est bien l'indice que lui non plus n'a pas très
bien supporté les excentricités de Socrate. Il nous en donne
une preuve complémentaire en se laissant aller de temps en
temps à raconter des anecdotes et des dialogues où l'on voit
son héros parler et se comporter de façon plus crue que sa
légende ne l'autoriserait. Comme si Xénophon n'avait pas
réussi à mener jusqu'au bout son travail de neutralisation.

C'est avec Aristote que l'on voit le plus clairement où se
situent les points névralgiques de l'opposition à Socrate qui
sont dans le même temps ceux qui le spécifient. Aristote ne
s'embarrasse pas de circonlocutions ; il n'enveloppe pas ses
prises de position dans des formes littéraires contournées. Il
va droit au but. Il désigne telle ou telle affirmation et souligne son désaccord. Si Socrate dit, par exemple, que la vertu
est raison, « il ne parle pas correctement » ; s'il fait des vertus des sciences, « il n'a pas de la sorte traité des vertus correctement ». Lorsque Socrate prétend que l'on ne peut choisir volontairement l'injustice, Aristote lui rétorque que, s'il
en est ainsi, on ne choisit pas volontairement la justice.
Autrement dit, on ne choisit jamais et on tomberait donc
avec Socrate dans le déterminisme intégral. Il aurait donc
privé l'être humain de sa liberté. Il aurait fait la même chose
en prétendant que le manque de maîtrise de soi n'existe pas.

Comment, sur tous ces points, ne pas donner raison à
Aristote et rejoindre le chœur des scandalisés ? Il nous est
impossible de penser autrement, tout d'abord parce que ce
sont Aristote et ses successeurs qui ont formé notre
manière de penser et de nous exprimer sur ces questions.
Ils nous ont appris à sagement distinguer, par exemple, la

partie rationnelle de l'âme et la partie irrationnelle. Ce n'est donc pas que nous ayons à nous débarrasser de Socrate ; c'est que, de lui, depuis longtemps notre aire a été balayée. *Ce que l'on a pu faire de mieux pour ne plus être troublé par le message de Socrate, c'est de le trouver admirable, tellement admirable qu'il est totalement hors de notre portée.* Mais nous devrions admettre dans le même temps que l'intelligence de ses dires nous échappe.

Aristote continue son chemin en écartant Socrate. Mais il n'entretient à son égard aucune trace d'animosité. Preuve en est qu'il le prend comme modèle pour dresser le portrait du magnanime. De plus, il nous met sur la voie pour nous faire entrer dans le monde de Socrate : comparer la vertu acquise à la connaissance achevée d'un art. Mais c'est immédiatement pour regretter que ne soit pas indiqué le moyen de l'acquérir. Or exprimer ce regret, on le verra, c'est prouver que l'on est sorti de la perspective propre à Socrate.

Bien qu'il n'ait pas le même statut que le témoignage de ces grands écrivains, celui d'Alcibiade, dans le *Banquet* de Platon, est sans doute à sa manière le plus précieux parce qu'il nous met en rapport avec l'embarras que cause Socrate à ses contemporains. Si Alcibiade dit, à sa façon, mais dans le fond comme les autres, qu'il « aurait plaisir à ne plus le voir en ce monde » (216 c), il en donne la raison : impossible de demeurer en présence de Socrate sans être contraint de prendre soin de soi, c'est-à-dire en l'occurrence de changer de vie. Donc, ce qui heurte les Athéniens, ce n'est pas qu'il invite à la discussion, car il y en a bien d'autres sur la place qui sont aussi doués pour la dispute, c'est que *les paroles de Socrate atteignent les auditeurs et bousculent leur position dans l'existence.*

L'éloge d'Alcibiade est encore précieux à un autre titre : il replace l'effet produit par Socrate dans la tradition mystico-religieuse. Sans les chants et sans la danse, mais

avec les seules paroles, Socrate fait de ses interlocuteurs
des possédés. Ils semblent perdre la maîtrise d'eux-mêmes,
mais, et c'est là une des originalités de l'entreprise, c'est
pour mieux les situer dans leur existence et pour mieux les
faire entrer en correspondance avec leur entourage sans
avoir à le décider. Cela, Alcibiade ne le supporte pas, c'est
pourquoi il promet de ne pas rester plus longtemps dans la
compagnie de cet individu trop exigeant.

Si tout ce beau monde a cherché soit à neutraliser
Socrate, soit à s'en débarrasser, soit à s'en éloigner, ferions-
nous mieux si nous le rencontrions aujourd'hui ? Il est de
bon ton de représenter Socrate comme un être exceptionnel et comme l'initiateur de notre philosophie. Sans doute
est-il moins dangereux d'en faire l'éloge que de s'y frotter.
Que ferions-nous s'il nous était proposé une petite séance
du genre de celle que mettait en œuvre cet Athénien hors
norme ? Sans doute à bon escient prendrions-nous la fuite.
Il est justement possible de tester nos réactions à la simple
lecture de ce qui est en cause.

Tous ces refus ou rejets de ses contemporains dessinent en creux l'originalité ou l'excentricité de Socrate. On
peut en reprendre les différents traits et montrer leur cohérence. Le premier et le plus incontestable à partir duquel
tous les autres doivent être déduits, c'est une manière spécifique de dialoguer. Si les discussions peuvent être sans fin
concernant le Socrate historique, sur ce point la contesta-
tion est impossible. « Non seulement ces manières d'agir ne
sont attribuées à aucun autre personnage du temps de
Socrate, mais elles sont profondément novatrices et représentent quelque chose d'unique dont on ne peut pas douter
qu'elles appartiennent au Socrate en chair et en os[2]. »

Quelles sont donc les caractéristiques de cette manière
de dialoguer ? Tout d'abord, il s'agit de dialogue, ce qui veut

dire que Socrate s'adresse à un seul individu et non pas à un groupe ou à la foule, même si ces derniers sont présents durant l'échange. Ensuite, Socrate demande à l'interlocuteur de parler en son nom et de dire ce que lui-même pense. Si ce n'est pas le cas, il est rappelé à l'ordre. Il peut éventuellement se référer aux dires d'un autre, mais à condition qu'il les présente comme sa propre opinion. Même si l'on débat d'une thèse quelconque, c'est toujours sur fond d'engagement personnel. On retire à la thèse quelque chose de son abstraction. C'est toi, dit Socrate, qui le dis et, en le disant, tu es supposé le penser. Pas question de dispute philosophique, mais de confrontation compromettante.

Ensuite, la forme prise par le flux de paroles accentue la même orientation. Le dialogueur impose au dialogué de n'utiliser que des phrases courtes et même souvent de se contenter d'un acquiescement. Ce qui met le dialogué dans une position de dépendance ou de soumission. Il est proprement manipulé par le dialogueur. S'il était laissé au dialogué la possibilité de tenir un long discours, il retrouverait son propre sol. Or il s'agit avant tout de le déconcerter.

Ou encore, ce qui va dans le même sens, le dialogue est mené tambour battant pour que le dialogué n'ait pas la possibilité de réfléchir et par là de se reprendre. Il faut qu'il perde pied. Ce à quoi contribue également la réfutation permanente. Quel que soit le propos tenu, il est immédiatement contredit. En particulier chaque fois que le dialogué émet une objection en donnant un exemple, le dialogueur lui propose un contre-exemple dont la légitimité pourrait être contestée. Mais cela importe peu. Le sujet peut être d'importance et donc mériter quelques égards de rectitude. Seulement, ce n'est pas cela qui compte, c'est l'embarras du dialogué, son rougissement ou sa honte, pour que, à la fin, il ne sache plus que dire et que, s'il parle, il ne sache plus ce qu'il dit. À l'issue de l'entretien, il doit être submergé et

ne plus pouvoir penser. La parole de Socrate est un narcotique qui assoupit parce que lui-même s'est laissé assoupir
(*è narkè autè narkôsa, Ménon*, 80 c).

Le but du dialogue est donc non pas la recherche de la
vérité – c'est Platon qui a voulu faire croire cela –, *mais
l'expérience du non-savoir*. Ne pas penser pour pouvoir penser, ne pas penser pour pouvoir agir en pensant. Il s'agit
d'obtenir un *désancrage des habitudes de penser et d'agir*
liées à des visées ou à des circonstances qui ne sont plus de
mise. Mais, pour que soit obtenue cette défaite du savoir et
de la vertu, il faut que celui qui mène le dialogue ne soit
plus preneur de la relation. Socrate abandonne son interlocuteur à son désarroi. Il ne peut plus rien pour lui, il ne
peut pas lui venir en aide ; il ne peut surtout pas de quelque
façon prendre sa place, ni même l'accompagner. Il s'en va
parce qu'il n'est plus responsable de quoi que ce soit.

Le non-savoir est certes un passage vers d'autres
savoirs et d'autres pratiques sans cesse à mettre à jour et à
renouveler. Mais il est aussi un lieu et un milieu. Si l'on s'y
place, on entre dans un perpétuel mouvement où s'échan-
gent les perceptions qui viennent de partout à la fois et qui
réclament des réactions intelligentes jamais tout à fait adé-
quates. On n'a plus à produire des pensées qui seraient
antérieures à l'action, on n'a plus à agir en fonction de pensées qui auraient été élaborées à distance. *La pensée est
dans l'action même* ; elle se forme en fonction du milieu
que l'on connaît parce que l'on y agit.

C'est alors que s'effectue la fameuse équivalence du
savoir et de la vertu, laquelle déroute nos manières habi-
tuelles de comprendre et d'agir. Pour y accéder, il n'y a pas
de moyen, car l'utilisation du moyen en vue de la fin nous
ferait sortir du lieu qui est au milieu des choses et des événements. On n'y accède donc pas à l'issue d'un apprentissage, mais par un saut toujours improbable et toujours

imprévisible, car il dépend à la fois du milieu et de notre capacité à nous laisser poser dans notre lieu. Sauter veut dire qu'il y a solution de continuité entre l'état dans lequel nous étions avant le saut et celui qui vient après le saut ; cela veut dire aussi que nous ne savons pas avant de le faire ce qu'implique ce geste et quelles en seront les conséquences. Le saut est nécessaire pour nous faire passer de l'extérieur à l'intérieur de l'accord qui nous précède. On ne peut même pas dire qu'on peut le faire. Il n'est même pas sûr que l'on puisse s'y préparer. Mais on peut certainement s'intéresser à cette opération envisageable.

C'est un lieu où tout problème est résolu par avance ou dès le premier contact, car il n'y a plus de problème puisque l'on est à l'aise dans la situation sans chercher à la faire autre qu'elle n'est. Il y a problème lorsque l'on situe de travers les tenants et aboutissants d'une situation ou bien lorsqu'on ne reconnaît pas ce que cette dernière nous présente ou que l'on n'y adhère pas. Un problème, c'est quelque chose qui s'exclut du mouvement d'ensemble ou de l'influence des proximités. La labilité de Socrate à l'égard des événements a pour effet qu'il n'a plus de problème, puisqu'il prend tout comme il est, parce qu'être ivre ou ne rien boire sont des épisodes sans différence de valeur. Il n'y a plus de valeur, parce qu'il n'y a plus de jugement, mais seulement des places en rapport varié les unes vis-à-vis des autres.

Si l'*akrasia* ou l'*akrateia* n'est pas possible, c'est-à-dire si la maîtrise de soi ne fait pas défaut, comme le prétend Socrate, c'est qu'elle est déjà incluse dans la position qui répond à l'événement. On n'a pas à se maîtriser puisque l'on est accordé à ce qui arrive à l'intérieur et à l'extérieur. Il en va de même de la certitude que nul ne fait le mal volontairement. Faire le mal volontairement supposerait que le « volontairement » s'ajoute au « faire » comme un ingrédient qui lui manquerait et que le mal existe détaché

du milieu où s'inscrit l'action. Or cela n'a aucun sens pour
Socrate ou pour qui se prête au jeu proposé, c'est-à-dire
celui de l'investissement du lieu. Mais, bien sûr, ces fameux
adages socratiques ne sont pas des principes ou des vérités
qui vaudraient universellement. Ils sont valables uniquement et restrictivement pour ceux qui se sont laissé posséder en vue de pouvoir prendre soin d'eux-mêmes.

Dans cette perspective, on comprend pourquoi l'art de
l'artisan a été pris comme modèle. Aristote a souligné que
Socrate laissait de côté l'apprentissage pour ne s'intéresser
qu'à la pratique de l'artisan telle qu'elle apparaît lorsque la
compétence est arrivée à sa perfection. L'artisan accompli
n'a plus de problème et plus d'hésitation[3] ; la pleine intelligence de son métier est passée dans sa pratique et, pour lui
donc, le savoir et la vertu ne peuvent demeurer à distance
l'un de l'autre. Tant que l'apprenti est en train d'apprendre,
il est sous le régime des essais et erreurs, donc, dans son
domaine, sous le régime du bien et du mal. Il y a pour lui
une morale qui lui indique ce qu'il faut faire et ce qu'il ne
faut pas faire. L'artisan qui est un maître ne tombe pas
sous le coup de ce genre de distinction. Il pense ce qu'il fait
et fait ce qu'il pense ; sa pensée est introduite dans ce qu'il
fait et dans la manière de le faire. Grâce à ce modèle, on
peut donc se dispenser de recourir à la morale qui a besoin
de la distinction du bien et du mal. Raison supplémentaire
d'éliminer Socrate comme subversif, car comment une
société pourrait-elle fonctionner si elle n'avait plus à affirmer ce qu'il faut faire et ce qu'il ne faut pas faire ?

Autre éclairage apporté par ce modèle : pourquoi est-il
facile de pratiquer la vertu ? Parce que, s'il est difficile de
devenir vertueux, il est facile de l'être. Propos intolérables,
car tout le monde sait bien qu'il faut faire des efforts et
faire usage de la volonté pour se maintenir dans le droit
chemin. Et pourtant s'il est vrai que l'apprenti se fatigue en

effet beaucoup pour réaliser convenablement ce que l'on
attend de lui, à l'opposé l'artisan accompli peut garder ses
forces intactes tout en produisant des objets parfaits. La
seule question qui demeure est de savoir comment il est
possible de passer de l'image fournie par l'artisanat à la
réalité de l'univers humain.

Cette question n'a plus lieu d'être si l'on envisage
comme possible ce qui a été décrit plus haut, à savoir
l'entrée dans son lieu en fonction de son milieu. Ce point
névralgique est traité de deux manières par Socrate, l'une
théorique et l'autre pratique. Il suffit en théorie de poser
que l'être humain est accompli, c'est-à-dire que la compétence d'être humain lui est donnée, qu'il n'a donc pas à
l'acquérir et qu'il suffit qu'il la laisse exister et se développer. Cela est facile et ne demande aucun effort puisque
c'est déjà accordé. Un être humain sait d'entrée de jeu ce
qu'est, peut-être pas la justice, mais la justesse qui établit
les rapports convenables, c'est-à-dire convenant aux circonstances, et les modifie sans cesse pour qu'ils le restent.

Mais comment la justesse s'établit-elle et comment
peut-elle demeurer toujours changeante et toujours adéquate ? Autrement dit, comment, dans la pratique, une
pareille théorie peut-elle devenir effective ? Socrate répond
pour lui-même en geste : par le retrait sur le seuil d'une
maison. Il répond pour ses interlocuteurs : par la possession, effet du langage du dialogueur, qui tient lieu de chant
et de danse, à condition que le dialogué se laisse submerger
par des paroles qui n'ont plus de sens. Il le fallait, parce
que c'est le non-savoir qui introduit l'être humain à ce qu'il
est. La pratique effectue alors la théorie et une fois de plus
la vertu devient savoir.

Pour cela, il faut supposer que le dialogueur a commencé à ne pas savoir, ce que Socrate dit à Ménon, sans
quoi il ne pourrait induire la chose chez le dialogué. Ne pas

savoir pour le premier est l'exercice constant par lequel il
va entrer en mouvement par rapport au rôle que joue son
lieu dans le milieu ambiant. Il ne peut y avoir aucun préalable, aucun présupposé, aucune préparation à l'établisse-
ment des correspondances. Même si les composants du
passé entrent en jeu, puisqu'ils entrent dans un système de
relations nouveau, ils sont eux-mêmes nouveaux à chaque
instant.

Qui souhaiterait aujourd'hui se livrer à l'expérience qui
vient d'être décrite sur les indications de Socrate ? Personne n'en veut parce qu'elle menacerait notre culture en
proposant un lieu ou un état où les problèmes seraient
résolus. Car on est bien obligé de distinguer les moyens et
la fin, et puis, comment agir si on ne sait pas ce que l'on
vise ? De plus une solution ne peut être trouvée que si on la
cherche ; elle n'est pas donnée d'emblée ou sans effort, car
ce serait de la magie.

*La figure de Socrate qui vient d'être brièvement dessinée,
est le fruit d'une enquête dont les résultats sont présentés par la
suite. Elle est doublement intempestive, d'une part parce que
Socrate n'y est plus un philosophe, d'autre part parce que la
voie qu'il propose est inintelligible pour des gens raisonnables.*

CHAPITRE PREMIER

LES EXCENTRICITÉS DE SOCRATE

Faire l'éloge de Socrate, nous dit Alcibiade à la fin du *Banquet*, c'est dresser l'inventaire de ses excentricités[1] (*tèn sèn atopian katarithmèsai*). Mais comment cette extravagance, universellement reconnue, peut-elle se combiner avec la place éminente accordée à cette figure dans l'histoire de la philosophie ? Existe-t-il un rapport entre la pensée de Socrate et la bizarrerie de ses comportements ? En tout cas, la tentation est grande de ne pas laisser ces deux traits dans leur proximité et donc de bien distinguer, jusqu'à les séparer, l'étrangeté du personnage et la pertinence de ses dires. Pourtant, son style, aussi bien que le contenu de ses discours, est lui-même frappé du sceau de l'étrangeté : l'interrogation permanente, les doutes, la revendication d'ignorance, le suspens qui termine les discussions donnent à la pensée une allure inquiétante. Tout cela n'est guère compatible avec le sérieux d'une philosophie qui fonde et qui affirme. Du coup, on peut déceler chez les interprètes diverses stratégies pour rendre hommage à l'originalité de Socrate tout en réduisant les excentricités à des proportions supportables. À commencer par Platon qui, au fil des dialogues, efface les aspérités des positions socratiques, en fait le

porte-parole de ses propres théories et use des excentricités
à seule fin de mise en scène[2]. Les bizarreries de comportement sont rapportées, mais elles devraient ne pas déteindre
sur les affirmations du discours.

Il en va tout autrement pour Aristote. Socrate n'est pas
pour lui un maître, il est seulement un de ses devanciers. À
ce titre, il doit être situé, interprété et éventuellement criti-
qué. Aristote a pu être impressionné, comme bien d'autres,
par cette figure d'exception, mais cela n'avait pas à entrer
en ligne de compte. Si, par hasard, le comportement de
Socrate était pris en exemple, il devait perdre tout caractère d'étrangeté. L'anecdote n'est pas absente des écrits
d'Aristote, mais elle ne sort pas des limites de l'illustration.
Quant à la pensée de Socrate, sa place dans l'histoire intellectuelle de la Grèce d'alors, sa valeur intrinsèque, elles
seront jugées sans ménagement[3]. Il n'est ici question que de
vérité et de propos compatibles ou non avec le rationnel.

Curieusement, on va voir que ce qui paraît aller de soi
n'est pas sans soulever des questions radicales. Alors que le
comportement de Socrate et sa place dans l'histoire des
idées sont ramenés sous la plume d'Aristote à d'honnêtes
proportions, ses thèses concernant l'éthique sont fustigées
et revêtent, ce faisant, un caractère de bizarrerie. Elles sont
à proprement parler extravagantes. C'est parce que Aristote
n'a pas pris Socrate pour un original et qu'il l'a discuté avec
précision et logique qu'il fait saillir son illogisme. On le
verra : parce qu'il l'a compris, il manifeste qu'il ne l'a pas
compris et qu'il ne pouvait pas le comprendre. Aristote fait
preuve d'une perspicacité hors pair pour cerner exactement
la position originale de Socrate et en même temps d'une
cécité presque parfaite qui lui interdit de saisir en quoi
consiste cette originalité.

Et d'abord le personnage. Le Socrate que nous présente
Aristote à travers les quelques passages[4] qu'il lui consacre

est une figure sympathique qui ne se prend pas au sérieux. Premier exemple, son attitude amène ou sereine sert d'argument à Aristippe pour faire taire Platon dans l'une de leurs querelles ; querelle entre disciples à laquelle on met fin en faisant réapparaître la figure du maître : « Ou bien comme Aristippe répliquant à Platon qui lui parlait, à son avis, d'une manière plutôt présomptueuse : "À coup sûr, dit-il, notre compagnon, lui, n'a jamais parlé de la sorte", faisant allusion à Socrate. » (*Rhétorique*, B, 23, 1398 b, 29-31.)

Autre exemple, Socrate fait partie de ces gens qui, lorsqu'ils entendent l'éloge de leurs qualités, ont tendance à les minimiser. Ce serait cela un des sens à donner à son ironie. Nul besoin de se mettre en avant, nul besoin de s'affirmer aux yeux des autres. « De leur côté, les "ironiques" (*eirônes*) se tiennent en deçà de la vérité. Ils montrent de ce chef un caractère plus gracieux (*kariesteroi*) : car ce n'est pas en vue d'un gain, semble-t-il, qu'ils parlent ainsi, mais pour éviter l'ostentation. Et ce sont surtout les qualités honorables que ces personnes nient posséder : ainsi faisait Socrate. » (*Éthique à Nicomaque*, Δ, 13, 1127 b, 22-26.)

Aristote va plus loin en faisant de Socrate un modèle de la magnanimité : « Soit par exemple si nous cherchons ce qu'est la magnanimité, nous observerons quelques hommes connus comme magnanimes pour voir ce qu'ils ont d'identique tous en tant que tels. Ainsi si Alcibiade est magnanime ou Achille et Ajax, quel est chez eux l'élément unique qui leur vaut ce titre ? C'est de ne pas supporter l'injure. L'un en effet entra en guerre, l'autre se mit en colère, le troisième se tua. Cela fait, examinons d'autres hommes, comme Lysandre et Socrate. Si l'on trouve qu'ils furent magnanimes en ce qu'ils étaient indifférents (*adiaphoroi*[5]) à la bonne et à la mauvaise fortune, retenant ces deux traits je regarde ce qui est identique dans le fait de rester impassible (*apatheia*) devant le sort et de ne pas souf-

frir d'être méprisé. Si je ne trouve rien, c'est qu'il y a deux
espèces de magnanimité. » (*Seconds Analytiques*, B, 13,
97 b, 15-25.) Ce texte est extrait des *Seconds Analytiques*.
Aristote y traite un problème de logique et il utilise un
exemple qui doit illustrer chacun des points de la règle de
la définition. S'il évoque le personnage de Socrate, c'est
indirectement. Il n'éprouve donc nul besoin de justifier
pour quelle raison il choisit Socrate comme illustration
d'un type de magnanimité. Cela devait aller de soi dans
l'Athènes de son temps. Il y a tout lieu de penser que l'opinion commune devait se représenter Socrate de cette façon.

Thomas Deman suggère que le portrait qui est fait du
magnanime dans l'*Éthique à Nicomaque* (IV, 3-4, 1124 *sq*)
aurait été inspiré par l'image de Socrate transmise par la
tradition[6]. Ce qui est plus remarquable ici, c'est qu'Aristote,
en plaçant Socrate parmi les modestes, les ironiques ou les
magnanimes « impassibles devant le sort », gomme l'arête
de ses excentricités. Il en fait un personnage de bon aloi,
peut-être exceptionnel dans sa fermeté à l'égard de la
bonne ou de la mauvaise fortune, mais nullement un original inquiétant, un farfelu de grande pointure, tel que le
peint, par exemple, Xénophon dans son *Banquet*, un individu que l'on regarde de travers et qui, tel qu'il se montrera
dans son procès, finit par se rendre insupportable[7].

Il se pourrait cependant que la magnanimité, prise
dans son sens le plus fort, suffise à rendre compte des
conceptions éthiques qu'Aristote va reprocher à Socrate. Si
ce dernier pense que la vertu est science ou que la science
est vertu, c'est que l'indifférence au sort lui donne accès à
une position qui est l'intelligence en acte. S'il affirme que la
vertu n'a pas besoin de commencer, mais qu'elle est toujours à sa fin, c'est que lui-même n'est plus dans la lutte ou
dans l'effort. S'il affirme que l'incontinence, c'est-à-dire la
non-maîtrise de soi n'existe pas, c'est qu'il se situe au

niveau de la compétence ou de la capacité. Tout cela devra
être éclairé par la suite.

Aristote rapporte encore un autre trait qui semble ne
pas relever du domaine de l'éthique, mais qui se révélera
plus tard comme son fondement, du moins à la manière
socratique, par le biais du non-savoir. Aristote s'attaque
aux sophistes qui, à l'aide de faux raisonnements, font
mine d'avoir la connaissance de ce dont ils parlent. Ils ont
confondu, par exemple, l'art d'interroger et celui d'établir
ou de défendre une thèse. De cela Socrate s'est bien gardé.
C'est pour avoir maintenu cette distinction, « c'est aussi
bien pour cette raison que Socrate posait des questions
mais ne faisait pas de réponses : il confessait en effet ne
rien savoir ». (*Réfutations sophistiques*, 34, 183 b, 6-8.)

Ces phrases apparaissent comme des propositions
valables en général : Socrate ne faisait que poser des questions et ne donnait jamais de réponses. Il confessait ne rien
savoir. De tels propos ne semblent pas faire problème à
Aristote. Il nous invite à les prendre au sérieux et à voir en
eux quelque chose de l'originalité de Socrate. Mais qui
donc est ce questionneur impénitent ? Comment concilier
cette absence d'affirmation, ce non-souci de dire la vérité
sur quoi que ce soit et le rôle de maître à penser ? Comment un maître, comment un homme peut-il se contenter
d'être toujours en recherche et ne jamais connaître de
résultat, à moins que le fait de ne pas avoir de réponse à la
question posée fonde une liberté pratique ? Après tout, cela
ne ferait que recouper le caractère aporétique de maints
dialogues, ceux que l'on considère comme plus socratiques
que platoniciens[8].

Il est remarquable qu'Aristote ne s'offusque nullement
du fait que Socrate affirme ne rien savoir. Puisqu'il question-
nait sans donner de réponse, il s'ensuivait qu'il ne savait pas
et il avait bien raison de le confesser. Nul besoin d'en appeler

à l'ironie, nul besoin d'interpréter ce non-savoir comme une feinte ou comme le désir de tromper l'interlocuteur pour le faire réfléchir. Socrate ne savait pas et il avait raison de faire profession de ne pas savoir puisqu'il était primordial pour lui de se maintenir dans l'interrogation, de ne jamais sortir du questionnement, de ne jamais s'arrêter de chercher, comme si la solution n'existait pas, si ce n'est comme un leurre susceptible seulement d'entretenir la recherche. Ce devait être pour lui tout naturel, puisque nulle proposition n'était véritablement valable et qu'aucune ne répondait à la question. Il faudra cependant expliquer comment une telle absence de certitude est possible, comment un être humain peut subsister s'il ne sait rien, s'il ne croit en rien, s'il n'a rien de solide sur quoi il puisse s'appuyer. En tout cas, cela ne fait pas problème pour Aristote. Et on a vu en particulier qu'il plaçait l'ironie tout autrement que les philosophes ou les commentateurs qui sont venus après lui : l'ironie n'est qu'une manière de modestie, ce n'est pas du tout une astuce pour faire croire qu'il ne sait pas[9].

Un autre passage, cette fois tiré de la *Rhétorique*, confirme cette visée d'Aristote sur Socrate. C'est un extrait du chapitre sur l'interrogation. Socrate y apparaît comme un maître dans l'art de ne pas répondre à une question et d'éviter le piège tendu par l'interrogateur.

« Tel Socrate. Mélétos disant qu'il ne croyait pas aux dieux, il lui demanda s'il affirmait, lui, Socrate, l'existence d'une nature démonique. Mélétos en convint. Sur quoi il l'interrogea pour savoir si les démons ne sont pas enfants des dieux ou d'une nature divine. Et comme Mélétos l'accordait : "Y a-t-il donc quelqu'un au monde, dit-il, qui admette l'existence d'enfants des dieux mais non celle des dieux ?" » (*Rhétorique*, Γ, 18, 1419 a 8-12.)

Aristote ne pouvait pas ignorer que l'exemple qu'il avait choisi était extrait du procès intenté à Socrate et que

Mélétos était l'accusateur qui avait ouvert la voie à une condamnation (*Apologie*, 27 c-e). À l'approche de la mort, Socrate se comporte, comme il l'a toujours fait, en questionneur qui ne se laisse pas intimider et qui renvoie le prétendu défenseur de la justice à son inconséquence ou à sa sottise. Il préserve habilement son rapport à son démon, sans avoir à en justifier la nature. Pour éviter d'affirmer qu'il croit aux dieux, ce qui l'entraînerait sans doute à des distinctions scabreuses, il oblige Mélétos à reconnaître qu'il ne peut pas affirmer que Socrate ne croit pas aux dieux. Comme si, pour lui, c'était là la question !

Voilà ce qu'il en est du personnage et de ses divers comportements. Qu'en est-il de sa pensée et de sa genèse ? Trois textes extraits des *Métaphysiques* précisent la manière dont Aristote situait Socrate :

« Socrate de son côté s'appliqua à l'étude des choses morales mais resta étranger à celles de la nature dans son ensemble. En ce domaine cependant il s'enquit de l'universel et le premier fixa la pensée sur les définitions. [Platon] reçut son enseignement et sous l'influence de sa première éducation conçut que l'universel existe en d'autres réalités mais non pas dans les choses sensibles. » (A, 6, 987 b, 1-6.)

« Ces philosophes estimaient que les réalités particulières dans le monde sensible s'écoulaient et qu'aucune d'elles ne demeurait stable, mais que l'universel existait en dehors d'elles et comme quelque chose de différent. À cette conception, comme nous l'avons dit précédemment, Socrate donna l'impulsion par ses définitions : toutefois, il ne séparait pas [l'universel] des réalités individuelles. Et il avait raison de ne pas [le] séparer. » (M, 9, 1086 a 37-b 5.)

« Socrate s'appliqua à l'étude des vertus morales et en ces matières s'enquit le premier de la définition universelle[10]. Parmi les physiciens, en effet, Démocrite ne l'entreprit que sur un champ limité et défini de quelque

manière le chaud et le froid ; avant lui les pythagoriciens de
leur côté l'avaient fait pour un petit nombre de choses dont
ils rapportaient les notions aux nombres, définissant ainsi
l'occasion, le juste, le mariage. Pour Socrate, il était bien
raisonnable qu'il s'enquît de l'essence des choses : car il
cherchait à syllogiser et le principe du syllogisme consiste
en cette détermination de ce qu'est la chose. La force dialectique alors n'était pas telle en effet qu'on pût considérer
les contraires même indépendamment de l'essence et voir si
c'est la même science qui traite des contraires. Car il y a
deux choses que l'on peut de bon droit attribuer à Socrate :
les discours inductifs et la définition universelle ; ils
concernent en effet l'un et l'autre le point de départ de la
science. Mais Socrate ne séparait ni les universels ni les
définitions. Ces philosophes au contraire les séparèrent, et
ce sont les réalités ainsi posées qu'ils appelèrent idées. »
(M, 4, 1078 b 17-32.)

Dans ces textes, Aristote ne traite pas directement de la
pensée de Socrate. C'est la théorie des idées qu'il se propose
de situer dans l'histoire et de critiquer. Socrate aurait joué
un rôle dans la formation de cette théorie parce qu'il
« s'enquit de l'universel et fixa la pensée sur les définitions », mais il n'est pas allé jusqu'à affirmer que l'universel
ne pouvait pas exister « dans les choses sensibles ». Socrate
est donc gratifié par Aristote de s'être arrêté à temps, de
n'avoir pas fait le saut fatal. On peut se soucier de définir et
de généraliser sans pour autant recourir à une séparation
de l'universel et du sensible. Cette manière socratique constante de ne pas séparer, on la retrouvera bientôt sous
d'autres formes, mais elles plairont beaucoup moins à
Aristote. Car la non-séparation pourrait bien à ses yeux ressembler à la confusion.

Ces textes nous intéressent à un autre titre parce qu'ils
lèvent quelque peu le voile sur l'itinéraire intellectuel de

Socrate. Tout en s'inscrivant dans l'histoire de la philosophie, il en aurait changé l'orientation. Ce serait là son originalité et c'est par là qu'il resterait pour l'Occident une
figure à part. Il a eu des prédécesseurs[11]. Cratyle et
Héraclite, cités plus haut dans le premier passage, les physiciens et les pythagoriciens avaient déjà cherché des définitions, mais c'était sur un petit nombre de choses. Socrate,
tout en portant attention aux définitions et à l'universel, en
changeait radicalement l'objet : il s'intéressait, non plus à
l'étude de la nature, mais à celle des choses morales.

Un texte, *Des parties des animaux*, souligne ce changement de cap : « La raison pour laquelle les anciens n'ont
pas envisagé les choses de cette manière[12], c'est qu'on
n'avait pas dégagé la nature constitutive et qu'on ne définis-
sait pas l'essence. Démocrite y toucha le premier, non qu'il
crût la définition nécessaire à la spéculation physique, mais
parce que porté à cela par son sujet même. Au temps de
Socrate, cette méthode s'affermit, mais on cessa d'étudier la
nature, et c'est vers la vertu utile et la politique que les philosophes détournèrent leurs recherches. » (A, 1, 642 a 24-31.)

On ne peut pas s'empêcher de se demander ce qui a pu
se passer pour que du temps de Socrate (*épi Socratous*) ou
à la suite de lui un pareil tournant ait été pris. La façon
dont Aristote le situe ne signifie pas qu'il aurait tout
d'abord étudié la nature et inventé sa méthode de définition
dans ce domaine avant de l'appliquer aux questions de
morale. Mais de nombreux commentateurs ne se sont pas
interdit d'en faire l'hypothèse. Sans doute parce que l'on ne
sait rien de ce qui a présidé à la formation de Socrate et
que le moindre indice éveille la curiosité. Deman renvoie à
ce propos à Aristophane qui, dans les *Nuées*, caricature
Socrate comme physicien demandant « combien de fois
une puce saute la longueur de ses pattes » ou si « le bour-
donnement des moustiques vient de la trompe ou du der-

rière ». Il est présenté aussi comme « observant le cours de
la lune et ses révolutions[13] ».

De ces premières recherches, le *Phédon* (96 a-100 a)
fournirait un autre indice. C'est Socrate qui parle ou c'est
du moins ce que Platon lui fait dire : « Sache que, lorsque
j'étais jeune, c'était merveille, Cébès, le zèle que j'avais pour
ce savoir auquel on donne le nom de Connaissance de la
Nature ! Je trouvais en effet splendide ce savoir des causes
de chaque chose, de la raison qui fait que chaque chose
commence d'exister, de la raison pour laquelle elle cesse
d'exister, de la raison enfin pour laquelle elle existe...
Résultat final : je me jugeai moi-même inapte, incompara-
blement inapte, à l'égard de cette recherche ! Or je vais t'en
donner une preuve suffisante. Il y avait en effet des choses
que, même avant, je savais de façon sûre, de mon propre
avis comme de celui des autres ; eh bien ! par l'effet de
cette recherche, j'avais été si radicalement aveuglé que j'en
venais à désapprendre, même les choses qu'auparavant je
me figurais savoir sur quantité de sujets. »

Que la recherche aboutisse au non-savoir, cela sent
son Socrate à plein nez. Mais peut-être justement est-ce
trop beau pour être vrai ? Comme le discours en vient à
donner comme explication finale de tous les phénomènes
« la notion de l'existence en soi et par soi d'un Beau, d'un
Bon, d'un Grand et de tout le reste » (100 b), ce qui est
franchement l'affaire de Platon, on est en droit de se méfier
et de ne pas retenir comme authentique ce trait de la bio-
graphie de Socrate, si ce n'est comme une construction
dont avait besoin Platon pour donner plus de saveur à son
exposé.

Il n'empêche. Ce changement éventuel de direction
dans l'itinéraire de Socrate pousse les commentateurs à
s'interroger sur sa raison. Ils se demandent ce qui a bien pu
arriver à Socrate pour qu'il s'adonne aux questions morales

ou, comme le dit Aristote, pour qu'il ait suscité un mouvement ou qu'il ait représenté un mouvement qui cesse d'étudier la nature pour s'intéresser à la vertu utile et à la politique. L'impulsion d'une vie nouvelle aurait sa source dans la
mission reçue du dieu par l'intermédiaire de l'ami qui avait
été consulté à Delphes. Deman cite plusieurs grands
hellénistes[14]. A. E. Taylor met en valeur la matière historique des *Nuées* et souligne le caractère à la fois scientifique
et religieux de l'activité de Socrate dans les commencements
de sa notoriété athénienne. Pour W. D. Ross, « Aristote
n'exclut nullement que Socrate se soit jadis intéressé à des
questions physiques ou métaphysiques ; il dit seulement
que, lorsque Platon le prit pour maître, son étude était
exclusivement morale, ce qui s'accorde bien avec l'idée que
l'oracle de Chéréphon, tenu pour antérieur à la guerre du
Péloponnèse (*i. e.* en 431) aurait déterminé le changement
décisif de l'orientation intellectuelle de Socrate ».

Ces extraits de l'œuvre d'Aristote nous intéressent donc
parce qu'ils attirent notre attention sur un changement de
direction dans l'itinéraire de Socrate[15] et par ricochet posent
la question de savoir ce qui a pu provoquer ce changement.
Si l'on prend appui sur le récit qui en est fait dans l'*Apologie
de Socrate*, son existence aurait basculé parce qu'un compagnon de sa jeunesse aurait eu l'idée saugrenue, en voyage à
Delphes, de demander à l'oracle s'il existait un homme plus
sage que Socrate (*Apologie*, 21 a). Mais cette histoire d'oracle
pourrait bien être aussi un subtil montage[16] pour le disculper
de toute prétention : un autre, mais pas lui, a interrogé de
lui-même l'oracle et il a été contraint, vu l'incongruité de
l'affirmation, de se mettre en quête de la vérifier. Socrate
veut rester un ironiste au sens qu'Aristote a donné à ce mot.
Ce qui ne l'empêche pas de défendre sa cause avec, dans le
sens que le mot revêt aujourd'hui, une ironie mordante et un
humour exaspérant.

En tout cas, si du moins on veut s'attarder à comprendre quelque chose de l'étrangeté de Socrate, la question est
posée : d'où peut-il bien tirer ce qu'il est devenu, car il ne
vient pas de nulle part ? On n'aura sans doute jamais de
réponse certaine, mais il y aurait peut-être intérêt à en
chercher une. Il se pourrait que la source de l'originalité de
Socrate puisse éclairer les rapports que la philosophie
entretient avec lui.

Pour l'instant, il faut encore écouter Aristote nous parler de Socrate. Il a quelque chose de plus à nous en dire. En
effet, si Aristote pense qu'il a été, dans l'histoire de la pensée, l'initiateur de la recherche de la définition (*to ti esti, to
ekaston esti*), il affirme à maintes reprises son complet
désaccord avec l'opinion de Socrate sur l'identité de la
science (*épistémè*) et de la vertu (*arétè*). Voici quelques passages qui traitent de cette question :

« Après lui [Pythagore] vint Socrate. Il parla mieux et
plus complètement des vertus, quoique non correctement
lui non plus. Des vertus en effet il faisait des sciences : or
c'est là chose impossible. » (*Grandes Morales*[17], A, 1, 1182 a,
15-23.)

« De sorte qu'il est manifeste que ces dispositions de la
partie non rationnelle de l'âme sont à la fois prudentes et
bonnes. Le dire socratique est juste, selon lequel rien n'est
plus fort que la prudence (*phronesis*). Mais quand il dit
qu'elle est science (*éspistémè*), il se trompe. » (*Éthique à
Eudème*, θ, 1 (H, 13), 1246 b, 32-36.)

« Ce n'est pas à juste raison non plus que Socrate, des
vertus, faisait des sciences. Il croyait en effet que rien ne
doit être vain. Or, du fait que les vertus sont des sciences, il
en résultait que les vertus pour lui sont en vain. » (*Grandes
Morales*, A, 1, 1183 b 8-11.)

Pour commencer, on peut reprendre l'argument qui est
développé dans l'*Éthique à Eudème* et qui s'attaque directe-

ment à la position de Socrate. Si Aristote avait voulu ridiculiser Socrate, il ne s'y serait pas pris autrement. La science ne peut être identifiée à la vertu, parce que l'on peut utiliser la science « soit de manière vraie, soit de manière erronée » (1246 a, 30). Par exemple, lorsque l'on « écrit volontairement de manière incorrecte ». Utiliser les connaissances à l'envers, c'est faire comme les danseuses qui se servent du pied comme d'une main, et inversement. En d'autres termes, qui dit connaissance ne dit pas encore bon usage ou usage vertueux de la connaissance. « Si donc toutes les vertus sont des sciences, on pourra aussi se servir de la justice comme si c'était l'injustice : on commettra donc des injustices, grâce à la justice, en faisant des actes injustes, tout comme on fait des actes d'ignorance grâce à la science. Mais si c'est impossible, il est clair que les vertus ne peuvent être des sciences » (1246 a-1246 b).

Autre argument : si la science est vertu, on n'aura affaire qu'à une seule sorte de vertu. Or il n'en est pas ainsi, sauf à supprimer toutes les différences.

« D'où il ressort que la vertu morale de chacun de ceux que nous avons nommés (à savoir l'esclave, la femme et l'enfant) lui est propre à lui-même. La tempérance de la femme n'est pas la même que celle de l'homme, ni le courage ni la justice, comme le croyait Socrate, mais d'un côté l'on a le courage de commandement, de l'autre le courage d'exécution, et semblablement pour les autres vertus. » (*Politiques*, A, 13, 1260 a, 20-24.)

Aristote veut éviter à tout prix les confusions qui sont engendrées par l'identification de la science et de la vertu. Ici la raison prend la place de la science. Qu'il puisse y avoir une science de la vertu, cela va de soi. De même, la raison est nécessaire à l'accomplissement des actions courageuses ou justes, mais cela n'entraîne pas que raison soit vertu.

La critique va plus loin encore, car l'opinion de Socrate, si on en tire les conséquences, apparaît comme franchement inquiétante. Pour que soit justifiée l'identité de science et vertu, ou de raison et vertu, il faudrait que seule existe la partie intellectuelle de l'âme et que l'âme n'ait rien d'irrationnel. On aboutirait à une conséquence absurde : il n'y aurait plus ni passion ni morale. Conclusion étonnante pour un Socrate universellement reconnu comme un maître ès morale.

Sommes-nous contraints alors d'affirmer que « ce fondateur de la morale ne connaît pas ce que nous appelons aujourd'hui précisément le moral[18] » ? Nul doute qu'il est inévitable de se poser cette question. Mais alors quelle peut bien être cette morale fondée par Socrate qui se passerait du *pathos* et de l'*ethos* ? De même si « aucun esprit sensé n'admet que Socrate a expressément nié le *pathos* et l'*alogon* », il faudra expliquer ce qu'Aristote veut dire par ces mots. Il se pourrait que, de fait, Socrate et Aristote ne parlent pas de la même morale, et peut-être même que le mot ne conviendrait pas à tous les deux. En tout cas, les commentateurs se trouvent en grande difficulté, car ils ne réussissent ni à justifier la position de Socrate ni à la défendre des critiques d'Aristote.

Que, selon Socrate, savoir ou science soit vertu, nul ne conteste que ce soit bien là le reflet de la doctrine socratique. Mais comment comprendre cette identité ? Voici la réponse que propose Deman : « Socrate s'est consacré à la recherche morale, mais il a apporté à cette recherche une préoccupation strictement scientifique. On a pu hésiter sur la conciliation exacte de l'une et de l'autre affirmation. Zeller insiste à bon droit sur ce que Socrate "ne saurait avoir été ce philosophe exclusivement moraliste et sans valeur scientifique pour lequel il a longtemps passé. La connaissance a pour lui un prix, une importance, qu'elle n'aurait pu avoir dans cette hypothèse". Mais cet historien refuse en outre que la connaissance n'ait été pour Socrate que le moyen de la moralité. Oui, si l'on assignait par ce mot de moyen un rang subalterne à la connaissance. Mais c'est par rapport au seul objet moral que Socrate estimait opportun de cultiver la science. Celle-ci détient aux yeux de Socrate une valeur propre et elle n'est pas subordonnée à la pratique ; elle n'est rien d'autre cependant que la science de l'action et du bien[19]. » Cette formulation est sans doute acceptable, mais elle n'évite pas de parler en termes de dualité alors qu'une identité serait nécessaire pour que Socrate puisse la signer.

Les interprètes, qui ne contestent pas l'exactitude avec laquelle Aristote rend compte de la pensée de Socrate, n'en prétendent pas moins que ses formulations étranges sont porteuses « d'une haute signification ». Mais, pour l'illustrer, ils ne dépassent guère le stade de l'affirmation invariablement répétée. Ils ne parviennent jamais à expliquer. Si la science est vertu, on concédera volontiers que la connaissance ne peut être un moyen subordonné à la pratique. Mais qu'est-elle alors ? Dire qu'elle est science de l'action, c'est déjà battre en retraite devant la difficulté, car on est loin de penser par là que l'action est science, que la pratique est science. On ne sauve pas non plus Socrate en estimant, comme il est dit quelques lignes plus loin, qu'Aristote « nous invite plutôt à mettre le soin de la vertu et l'inspiration proprement morale au principe de l'activité intellectuelle de Socrate ». Car il y a loin de ces formules détournées à la pure et simple identification de la science et de la vertu. Deman le reconnaît un peu plus loin en concédant que nous sommes incapables de rejoindre la radicalité des affirmations socratiques : « Au fond l'originalité de Socrate consiste en ce que s'unifièrent pour lui la science et la vertu, que *nous tenons invinciblement pour deux valeurs distinctes.* » C'est bien cela : nous les tenons invinciblement pour deux valeurs distinctes. Ne serait-ce pas par hasard parce que Aristote serait passé par là ? Il nous a inoculé le virus de certaines distinctions : par exemple, entre la raison et l'irrationnel, entre la connaissance et l'action, entre le *logos* et le *pathos*. Or, ce virus, nous sommes devenus incapables de l'éliminer. En un mot, Aristote a raison de dire que, pour Socrate, la science et la vertu ne font qu'un, car c'est un fait historique, et il a encore raison de dire que Socrate a tort de le penser. Mais peut-être veut-il dire que, si Socrate a tort, il a surtout tort de ne pas être aristotélicien. Car c'est bien Aristote qui a forgé l'opinion commune qui nous colle à l'esprit et qui tient invinciblement pour vrai que science et vertu sont des « valeurs distinctes ».

Pour le redire encore une fois, Aristote et Socrate ne peuvent avoir raison tous les deux. Les commentateurs qui le voudraient ne peuvent trouver pour s'en sortir que des formulations négatives : « La vertu n'était pour lui ni une conséquence de la science ni un but qu'il fallait poursuivre à l'aide de la science, elle était immédiatement en elle-même une science[20]. » Mais on aura beau affirmer et réaffirmer l'adage, on provoquera peut-être l'incantation, on ne pourra pas en extraire un sens. Nous sommes renvoyés à la même question : qu'est-ce que peut bien signifier que vertu est science ? Aristote nous mettra tout à l'heure sur la voie d'une réponse. Mais, avant d'y accéder, il faut encore rapporter un cas extrême où, pour Aristote, Socrate est dans l'erreur.

C'est le fameux argument de l'inexistence de l'absence de maîtrise de soi qui devrait conduire à la négation de la liberté et à l'affirmation du déterminisme : « Il faut examiner après cela s'il est possible ou non d'acquérir la vertu. Mais, comme disait Socrate, il ne dépend pas de nous d'être vertueux ou vicieux. Que l'on interroge quelque homme que ce soit, disait-il, pour savoir s'il veut être juste ou injuste, personne ne choisira l'injustice. Semblablement pour le courage, la lâcheté et ainsi de suite toujours pour les autres vertus. Il est manifeste que si certains sont vicieux, ils ne le seraient pas volontairement. Il est donc manifeste que les vertueux ne le sont pas non plus volontairement. » (*Grandes Morales*, A, 9, 1187 a, 5-13.)

Le raisonnement d'Aristote est limpide : si personne ne choisit l'injustice, c'est qu'il faut considérer que personne ne choisit, donc il ne choisit pas non plus la justice. S'il n'y a pas de délibération, il n'y a pas non plus de liberté. Là encore il s'agit de sauver Socrate d'une affirmation aberrante. Mais comment s'y prendre ? Deman, à la suite de bien d'autres, explique ce propos de Socrate par sa croyance en « la droiture foncière de la volonté[21] ». Selon son aspiration naturelle, elle se porte vers le bien ; si elle choisit le mal, ce ne peut être que par ignorance. Il continue : « La position ici rappelée est celle qui fonde en dernier ressort la thèse de la vertu comme science et la négation de la continence. Elle est au cœur de la morale socratique. » Ensuite le commentateur développe ce thème en pensant réfuter Aristote : « Le choix du mal représente une déviation de la volonté écartée de sa vraie nature. Ce qui emporte que l'on est vertueux par conformité à la nature vraie de la volonté. Rien n'est plus volontaire que la vertu. » Il est tout de même curieux que la nature foncière de la volonté ait besoin de la connaissance pour s'effectuer. Cela voudrait donc dire qu'elle n'est pas si foncière que cela. Et, si elle était si foncière, comment la connaissance aurait-elle la force de corriger ses déviations ? Dès lors que l'on a accepté la séparation de la volonté et de la connaissance ou, comme Aristote après Platon, la partie rationnelle et la partie irrationnelle de l'âme, la position de Socrate devient intenable. C'est Aristote qui a raison et il est faux de prétendre qu'Aristote n'a pas compris Socrate. S'il n'a pas compris Socrate, ce ne peut être parce qu'il n'admet pas que la connaissance puisse venir en aide à la volonté, car il admet une position semblable lorsqu'il affirme que le *logos* est indispensable à la vertu. S'il n'a pas compris Socrate, c'est qu'il a établi des distinctions ; si nous ne pouvons pas comprendre Socrate, c'est que les distinctions aristotéliciennes nous sont devenues familières, qu'elles sont pour nous des évidences. *Socrate ne séparait pas l'intelligence de la volonté, pas plus qu'il ne séparait les idées du sensible. S'il avait été aristotélicien, il aurait évité beaucoup d'ennuis. Mais il n'y aurait pas eu de Socrate.*

Le commentateur l'admet, mais l'image d'un Socrate penseur est quelque peu écornée : « Sa pensée est par trop sommaire » ou bien « ces analyses n'ont pas été faites par Socrate. Et l'état non analysé de sa pensée a offert une prise à l'interprétation déterministe (on est vicieux ou vertueux involontairement) que nous constatons ici ». Il reste cependant une lueur d'espoir de sauver Socrate de la faillite : « Socrate se tenait à un plan où il ne se posait pas la question de la liberté ; notre texte [Aristote] le tire, pour ainsi dire, au plan psychologique, où il lui fait dire qu'il n'y a pas de liberté[22]. » Remarque en passant comme une défense ultime, mais qui ne peut pas être développée. Là est pourtant le point capital. Il faudra donc se demander quel est ce plan où se situe Socrate pour que le problème de la liberté ne se pose plus à lui.

Avant d'en venir là, voici encore quelques passages qui aggravent le cas de Socrate.

« On peut être arrêté par la question de savoir comment un homme dont le jugement est droit verse dans l'incontinence (absence de maîtrise de soi, *akrateia*). Celui qui sait du moins, certains disent qu'il n'est pas en état de la commettre ; car il serait étonnant, ainsi pensait Socrate, là où est la science, qu'autre chose régnât en maître et l'entraînât en

tous sens comme un esclave. Socrate en effet combattait
sans réserve une telle manière de voir, persuadé qu'il n'y a
pas d'incontinence ; personne, disait-il, exerçant son jugement, n'agit à l'encontre du meilleur ; on n'agit ainsi que par
ignorance. [...] Certains sont d'accord sur de tels points, non
sur les autres. Qu'il n'y ait rien de supérieur à la science, ils
en conviennent. Mais que personne n'agisse à l'encontre de
ce qu'il a estimé le meilleur, ils n'en conviennent pas. » (*Éthique à Nicomaque* H, 2, 1145, 21-27, 31-34, 3,1147 b, 14-17.)

Le malentendu ne peut pas être plus complet. Aristote
s'obstine à lire les propos de Socrate, mais pouvait-il faire
autrement, avec les distinctions et les catégories qui ont fait
de lui un maître à penser pour des générations et ce n'est
sans doute pas fini. Dire, ce qui consonne parfaitement
avec l'identité de science et de vertu, à savoir que le manque de maîtrise n'existe pas ou que nul ne peut choisir
l'injustice est tellement contraire à l'évidence que l'on peut
se demander si Socrate n'était pas particulièrement fêlé, en
tout cas que c'est bien là une de ces excentricités avec les-
quelles on a bien raison de le caractériser.

Aristote ne peut suivre Socrate sur ce terrain. Et pourtant, il existe un passage de l'*Éthique à Eudème* où il montre qu'il a tout compris et que sa perspicacité situe exactement l'originalité de Socrate. Dans ce passage, Aristote se
demande quelles raisons on peut avoir de souhaiter vivre et
en quoi consiste le bonheur. La vertu et la sagesse peuvent-
elles y concourir ? La figure de Socrate s'impose alors pour
commencer de répondre.

« Socrate l'ancien croyait donc que la connaissance de
la vertu avait rang de fin, et il s'enquérait de savoir ce
qu'est la justice, ce qu'est le courage et chacune des parties
de la vertu. Il était bien fondé à le faire ainsi. Car toutes les
vertus, il croyait qu'elles étaient des sciences, en sorte que
connaître la justice, c'était en même temps pour lui être

juste. Une fois en effet que nous avons achevé d'apprendre
la géométrie et l'architecture, nous sommes par le fait
même architectes et géomètres. C'est pourquoi précisément
il s'enquérait de ce qu'est la vertu, mais non de savoir comment on l'acquiert ni à partir de quoi. » (*Éthique à Eudème*,
A 5, 1216 b, 2-10.)

Ici Aristote n'adresse aucune objection à Socrate. Non
seulement il admet sa position, mais il en rend compte.
Pourquoi admet-il ici une identité qu'il a jugée impossible ?
C'est qu'il a rangé cette fameuse thèse dans un certain type
de sciences. Le texte qui vient d'être cité se poursuit en
effet de la sorte : « Mais ceci vaut pour les sciences théoré-
tiques (en effet rien d'autre n'existe pour l'astronomie, ou la
science de la nature ou la géométrie que de connaître et
d'étudier la nature des objets de ces sciences) » (1216 b, 12-
16). Donc, si Socrate veut que la science soit vertu, c'est
que la science de la vertu est du même genre que l'astronomie ou la géométrie. En quel sens peut-on soutenir pareille
affirmation ? Il suffit de se reporter un peu plus haut où se
trouve rapportée une réplique d'Anaxagore : « À qui lui
demandait pour quelle raison on choisirait de naître plutôt
que de ne pas naître : "pour connaître, dit-il, le ciel et
l'ordre de l'univers entier" » (1216 a, 15). Avec la science
théorétique, on se trouve dans un rapport singulier à
l'objet. Il est le support indispensable de l'existence. Car si
on pratique cette sorte de science, c'est que l'on a choisi de
naître plutôt que de ne pas naître et, si on poursuit dans
cette voie, c'est que l'on reste situé à ce point crucial. Il n'y
a plus de distance : étudier et exister sont une seule et
même chose.

En ces quelques phrases, Aristote est au plus près du
Socrate que par ailleurs il critique vertement. *Science et
vertu, et pourquoi pas bonheur, peuvent être identifiés si l'on
s'assimile au point de vue de la fin*[23]. Cette remarque fulgu-

rante nous met sur la voie d'une compréhension de l'originalité de Socrate et va faire de l'excentricité de la formule la description la moins mauvaise d'une certaine expérience. *La vertu est comme le ciel et l'univers, il suffit d'y entrer pour le savoir.*

Que veut dire encore adopter le point de vue de la fin ? Aristote illustre son propos en reprenant un lieu commun de la tradition socratique : la comparaison avec l'apprentissage d'un art. Socrate avait usé sans pudeur de ce modèle, quitte à exaspérer ses interlocuteurs[24]. Il en connaissait les limites et savait l'abandonner à temps lorsqu'il abordait la « conduite de la vie ». Mais elle est suffisante pour l'heure et Aristote l'accepte : un géomètre ou un architecte accompli ne sait plus distinguer entre son savoir et sa pratique. Pour lui, la vertu est bien science.

Mais pourquoi Socrate s'enquérait-il de ce qu'est la vertu et non pas de savoir comment on l'acquiert ni à partir de quoi ? Pourquoi n'atteindra-t-on jamais la vertu, pourquoi ne deviendra-t-elle jamais connaissance si on s'enquiert des moyens de l'acquérir ? C'est que l'on y est ou que l'on n'y est pas. Cela s'obtient par un saut, non par un chemin balisé avec l'indication d'un but. Tant que l'on est à la recherche des moyens et de la meilleure façon de les mettre en œuvre, on est à distance et on accentue même cette distance. On reste enfermé dans un cercle vicieux, incapable de s'en extraire. Tous les efforts que l'on fait nous y confinent un peu plus, car ils soulignent notre éloignement.

Alors liberté ou déterminisme, la question ne se pose plus : les deux ne font qu'un parce qu'elles sont issues d'une compétence, donc d'une capacité, de quelque chose qui est toujours en puissance et qui peut s'exercer sans délai. Le délai relevant lui de la délibération[25] qui n'est que l'ombre de la liberté. Or c'est au lieu de la capacité que se situe Socrate, c'est pourquoi il est libre sans éprouver le besoin

de s'en expliquer[26]. Géométrie ou architecture sont bien le
fruit d'un apprentissage. Une *technè* s'apprend, ce n'est pas
contestable. Mais tant que l'on est dans l'apprentissage, on
ne possède pas cet art. Si on le possède, on n'a plus à
l'apprendre et on a même oublié le chemin qui nous y a
conduits. Cela ne veut pas dire que l'on n'aura pas à réap-
prendre sans cesse cet art ; cela veut dire qu'il y a une distance infinie entre chercher à savoir ou à faire et tout simplement savoir et pouvoir. La compétence n'est pas un
moyen, elle se place au point de vue de la fin. Elle est
savoir qui est déjà action. Il n'y a plus une connaissance
qui précéderait ou qui surplomberait la vertu. Peut-être
Socrate a-t-il oublié les étapes qu'il a traversées. Il n'en est
plus à apprendre, il n'en est même plus à se souvenir de ce
par quoi il est passé, il a oublié le chemin et les moyens
d'atteindre le but, il n'a plus envie d'expliquer, il en est
même incapable. Et puis, à quoi bon expliquer à qui ne
peut entendre ? Là est sans doute pour Socrate la source de
toutes les incompréhensions et de tous les ennuis.

En paraissant affirmer avec obstination que science et
vertu sont identiques, qu'il n'y a qu'une seule sorte de vertu,
que l'incontinence n'existe pas, Socrate ne déroge-t-il pas à
sa prétention de ne rien savoir ? Ses prises de position
sont-elles véritablement des thèses, que l'on pourrait discuter ou même réfuter avec les armes de la logique ? S'il en
était ainsi, Aristote aurait raison contre Socrate et l'affaire
devrait être classée. Mais, il n'en est rien et Socrate, à
l'issue du combat, ne semble pas seulement indemne, il est
plus grand et plus fort. C'est qu'Aristote a manqué sa cible.
Socrate n'était pas là où il était attendu. Il est ailleurs et il
reste ailleurs. *Ses affirmations étranges ou excentriques ne
sont pas des thèses à défendre par des arguments logiques, ce
sont des positions dans l'existence.* Les formules ne sont pas
de simples énoncés, ce sont des actes. D'ailleurs on ne peut

pas en tirer grand-chose, on ne peut rien en déduire, puisque ce sont des prétentions à l'identité. Là où la différence est nulle dans les mots et entre les mots, il n'y a que de l'identique qui ne dit rien : il faut simplement le faire. Il n'y a pas de sens à chercher ; il peut seulement en venir une lumière que de bons yeux grands ouverts n'attendaient plus.

On s'était demandé ce que pouvait bien recouvrir le changement éventuel de direction dans l'itinéraire de Socrate. C'était là une façon anecdotique de s'interroger sur son cas. L'heure est bien plus grave. Quel est ce personnage que l'on ne peut voir autrement que libre au point de n'avoir pas besoin de délibérer ? Qu'est-il pour prétendre se situer au lieu même de la compétence ou de la capacité, de telle sorte que ses faits et dires soient si puissants qu'ils sont dispensés de toute utilité ? Comment est-il possible que ces bizarreries qui mettent à mal nos habitudes de pensée fort légitimes puissent avoir joué un rôle dans l'histoire de la philosophie et que cette dernière ait même pu se placer sous son signe ? Le commencement n'aurait pas grand-chose à voir avec la suite, ou alors, il faudrait reconnaître que la suite a été bien inspirée de se protéger de cet individu en le ramenant peu à peu à la raison. Car la question qu'il est par ces comportements et par ces dires était vraiment par trop intempestive.

Il est possible de relire maintenant les qualités du personnage mentionnées par Aristote ici et là. Sans elles, très certainement, sa position au lieu de la fin, sa liberté sans retour, sa prétention à un savoir vertueux n'auraient été que les signes d'une folie. C'est pourquoi il n'était pas présomptueux comme l'avait noté Aristippe ; c'est pourquoi il était ironiste, incapable de se prendre au sérieux dans cela même qui lui tenait le plus à cœur ; c'est pourquoi aussi il était magnanime, pas du tout à la manière d'Achille, mais

ne voyant pas de différence entre la bonne et la mauvaise
fortune. Comme d'habitude chez Aristote, il n'y a rien
d'anecdotique qui ne soit reconduit au nécessaire. Son portrait du personnage de Socrate, bien qu'il soit dessiné à
l'aide de traits épars, s'accorde avec les affirmations théoré-
tiques : le personnage est conforme à ses propos.

CHAPITRE 2

UN MODE DE VIE

Il était plus facile de rencontrer d'abord Socrate sous le regard d'Aristote, parce que son témoignage nous est transmis à travers un corpus limité et que, de plus, il s'avère d'une cohérence remarquable. Il n'en va pas de même avec Platon, qui ne cesse de se référer à son maître et de lui faire jouer quantité de rôles. Est-il possible dans cette œuvre immense de faire le tri entre ce qui serait sans conteste la marque de Socrate et ce qui doit être attribué à Platon ? Pour beaucoup, cette tâche semble désespérée. Il en est d'autres qui ont avancé en faveur de cette distinction des arguments de poids. Non seulement ils ont pu imposer peu à peu une chronologie probable de composition des dialogues, mais ils ont laissé entendre que les plus anciens reflétaient davantage les idées de Socrate que celles de Platon. Plus récemment, certains ont inclus dans les dialogues socratiques le premier livre de la *République*[1]. L'analyse qui va suivre pourrait apporter des arguments supplémentaires en faveur de cette thèse[2].

En visite chez un vieillard, Socrate, afin de bénéficier de son expérience, veut le faire parler de la route qu'il a dû

parcourir jusqu'à présent. Il ne s'agit pas seulement d'une
mise en scène : tout le dialogue est consacré à cette recherche. À Thrasymaque qui veut interrompre la discussion et
s'en aller, Socrate lance : « Crois-tu donc entreprendre de
définir une petite affaire et non un mode de vie capable, si
chacun s'y conforme, de lui faire vivre la vie la plus profitable (344 e) ? » La question est donc de savoir comment
conduire son existence[3]. C'est cette préoccupation qui sera
répétée beaucoup plus loin avant le bouquet final : « Car
l'argument ne concerne pas le premier sujet venu, mais la
manière dont il faut vivre[4]. »

Comment se caractérise ce mode de vie ou cette
manière dont il faut vivre ? La réponse ne fait pas de
doute : il est l'accomplissement de la justice. Mais qu'est-ce
que la justice ? Pour déployer la question, deux interlocuteurs vont entrer en scène : Polémarque, le fils du vieillard
qu'avait d'abord interrogé Socrate, et Thrasymaque, célèbre
sophiste. On a donc affaire en quelque sorte à deux dialogues contrastés : Polémarque acceptera de changer radicalement d'opinion, alors que Thrasymaque ne concédera
rien. Chacun de ces dialogues est encore lui-même coupé
en deux : le premier par le trouble ressenti par le jeune
Polémarque, le second par le désir de Thrasymaque de s'en
aller, étant convaincu que son argumentation devait rendre
impossible toute réplique.

Le thème de la justice avait été lentement introduit
tout au début parce que Socrate s'était enquis de savoir,
s'adressant au vieillard Céphale, quel était le plus grand
bien qu'il pensait « avoir retiré de la possession d'une
grande fortune » (330 d). Il lui avait été répondu que,
devant bientôt partir pour l'Hadès et en vue d'y éviter les
ennuis, il était préférable de régler ses dettes soit que l'on
ait trompé quelqu'un et dit ce qui est faux, soit que l'on
n'ait pas remboursé qui nous a prêté. La justice reviendrait

alors à « dire la vérité et restituer ce que l'on a reçu » (331 d).

Socrate réfute cette définition parce qu'elle ne vaut pas lorsqu'il s'agit, par exemple, de rendre un dépôt d'armes à qui a perdu la raison (331 c). Dans ce cas, la justice est de ne pas rendre ce qui est dû. Cette objection n'empêche pas que la définition soit maintenue et qu'elle devienne dans la bouche de Polémarque : rendre du bien aux amis et du mal aux ennemis. Voilà précisément la thèse que Socrate va combattre avec des fortunes diverses tout au long du dialogue. Comment va-t-il s'y prendre ?

En faisant appel à son modèle tout terrain : celui de l'art, de la *technè*. La justice ne sera plus définie dans sa généralité, mais elle prendra, dans chaque profession, une forme différente, parce qu'elle y aura un objet différent. Pour le médecin, la justice consistera à donner des drogues, des aliments et des boissons ; pour le cuisinier, des assaisonnements (332 c-d), puisque c'est cela qu'il leur faut restituer. N'est-il pas bizarre que la justice en soit réduite à qualifier le seul fonctionnement d'un art, qu'elle ne soit rien d'autre que la pratique adéquate d'un métier ou d'un savoir-faire ?

Voici plus étrange encore. Après avoir répondu à la question de savoir ce qu'était « la chose due et qui convient » à la médecine ou à la cuisine, Polémarque doit faire face à cette question de Socrate : « Bien. Alors que restituerait, et à qui, l'art qu'on appellerait justice (*technè dikaiosunè*) ? » Phrase qui traverse le dialogue comme un rayon laser et qui en brise la continuité. Quelque chose nous échappe. Aurait-on manqué un épisode ? Repassons le film : on vient de nous dire que la justice est la pratique adéquate d'un métier et maintenant que la justice[5] est un métier, cela voudrait-il dire que la justice est la pratique adéquate de la justice ? Ce qui de fait ne saurait soulever de

difficulté. Mais pourquoi user tant de salive si c'est pour
aboutir à une constatation aussi navrante ? Ou c'est une
tautologie insignifiante ou c'est une trouvaille géniale, ou
peut-être les deux à la fois, quelque chose qui pourrait être
déterminant pour toute la suite.

Socrate, en tout cas, ne semble pas gêné. Il insiste
même comme s'il avait trouvé un bon filon. D'accord pour
dire que la justice consiste à faire du bien aux amis et du
mal aux ennemis. Alors qu'en est-il de cette définition si
elle est appliquée à un art ? Qui fait du bien aux amis et du
mal aux ennemis, sous le rapport de la maladie et de la
santé ? Le médecin. Et sous le rapport du danger pour ceux
qui naviguent ? Le pilote. Et revoilà l'art de la justice :
qu'en est-il de l'art de la justice, de l'art de l'homme de la
justice, c'est-à-dire de l'homme juste, pour aider les amis et
nuire aux ennemis (332 e) ? Polémarque est manifestement
dépassé par les événements et il ne s'est pas aperçu qu'une
carte biseautée avait été glissée dans la discussion. Sa
bonne volonté lui fait tout de même trouver des solutions
de fortune : l'homme juste aide ses amis et nuit à ses ennemis en cas de guerre, il combat avec ses amis contre ses
ennemis. Socrate en profite lâchement pour introduire une
autre notion qui lui servira plus tard : s'il n'y a pas de
guerre, l'homme juste est inutile, comme le médecin pour
ceux qui ne sont pas malades ou le pilote pour ceux qui ne
naviguent pas (332 e).

Polémarque tente de s'en sortir : en temps de paix, la
justice est utile pour les « relations contractuelles » et en
particulier dans les tractations de vente. Mais sa réponse
n'a pas d'autre effet que de le faire retomber dans un nouveau traquenard. L'homme juste est utile quand on a
besoin de garder l'argent. « C'est donc lorsque l'argent est
sans utilité, que la justice lui est utile » (333 d). Et finalement, « la justice n'est alors, mon ami, rien de vraiment

bien sérieux, si elle ne se trouve être chose utile que pour les choses inutiles ».

Polémarque est suffisamment perdu pour que Socrate puisse lui donner le coup de grâce. Il veut saper l'autorité de ceux qui ont suggéré l'idée d'une justice à double face : le bien pour les amis, le mal pour les ennemis. Il avance par étapes une argumentation tordue. Celui qui est le plus apte à donner des coups est le plus apte à s'en garder, « celui qui est le plus apte à se garder d'une maladie est aussi le plus apte à la communiquer sans qu'on s'en aperçoive », le bon gardien d'une armée est apte à dérober ce qui appartient aux ennemis. « Donc [car il faut vraiment être ailleurs pour se laisser prendre à la conclusion], donc ce dont on est l'apte gardien, on est aussi l'apte voleur... donc le juste on l'a fait apparaître comme une sorte de voleur » (334 a). Et c'est Homère qui en est responsable puisqu'il a montré de l'affection pour le grand-père d'Ulysse qui surpassait tous les hommes « par sa science du vol et son usage du parjure ».

Ce morceau de bravoure, qui ne le cède en rien à l'astuce douteuse d'Ulysse et de son grand-père, a laissé Polémarque la tête à l'envers : « Je ne sais plus ce que je disais » (*ouketi oïda egôgé o ti elegon*). Cette petite phrase est le résultat du sac d'embrouilles que Socrate a déversé, c'est-à-dire de la malhonnêteté de ses pseudo-raisonnements. Mais c'est une erreur de penser les choses en ces termes. Il n'y a pas malhonnêteté, puisque le discours n'est en rien lesté par un souci de logique. Quelle est en effet la situation ? Polémarque est enfermé dans des croyances qui lui viennent d'ailleurs, de son entourage athénien. Personne n'y pense autrement que lui. La tâche est donc des plus difficiles. Il faut en faire beaucoup pour qu'il y ait une chance de lui faire modifier son opinion. Il lui faut, en effet, changer de milieu, changer de mentalité, changer de « tournure

d'esprit », changer de *tropos*, de manière de penser et d'agir
(329 d). Or pour atteindre ce résultat il n'y a pas d'autre
moyen que de lui faire perdre la tête, que de le faire entrer
dans la confusion, de lui faire oublier la possibilité d'un
langage sensé. Il est arrivé à Polémarque ce qui arrive à
toute personne qui voit se fissurer son système habituel de
pensée, ses références ordinaires, ses valeurs, pourrait-on
dire : il ne sait plus ce qu'il disait, et il a peur.

C'est pourquoi, à l'instant même où il se réveille de son
moment d'égarement, à l'instant même ou juste à celui
d'après, quand il revoit ou réentend les choses ordinaires, il
ne peut s'empêcher de rééditer son discours antérieur, là où
il croyait savoir l'évidence de la vérité. Ainsi, Polémarque,
dès qu'il a reconnu avoir pris un coup sur la tête et savoir
que désormais les choses ne seront jamais plus les mêmes
qu'auparavant, se crispe à nouveau et répète le discours stéréotypé : « Pourtant, il me semble encore, à moi, que rendre service à ses amis, c'est cela la justice, et nuire à ses
ennemis » (334 b). Je n'ai d'autres repères que ceux-là.
Comment pourrais-je parler autrement ? Je sens bien qu'il
y a quelque chose qui ne va plus, mais je ne dispose pas
d'autre discours, donc mon opinion à moi est finalement ce
que tout le monde pense.

Parce que Socrate l'a fait tourner en bourrique,
Polémarque vient d'acquérir une certaine souplesse d'esprit
et il est possible pour lui d'envisager la justice autrement
qu'il ne le faisait. En particulier, il va s'apercevoir que ce
n'est pas si simple de définir l'ami et l'ennemi. Sans doute
les choses étaient claires il y a peu. L'ami était celui qui
appartenait à la même famille, au même clan ou à la même
cité. Socrate propose maintenant une autre distinction :
« Nommes-tu amis ceux qui dans chaque cas donnent
l'impression d'être honnêtes, ou ceux qui le sont réellement
– même s'ils ne semblent pas l'être ? Et de même pour les

UN MODE DE VIE   49

ennemis ? » Polémarque l'admet. Si l'on se fie à la première
distinction, on risque de faire du bien aux ennemis et du
mal aux amis. Donc il faut distinguer le vrai bon et le vrai
méchant. D'où la conclusion : « Il est juste de faire du bien
à l'ami qui est bon et de nuire à l'ennemi qui est méchant »
(335 a). Mais ce n'est pas à ce point que Socrate souhaite
aboutir. Il ne veut pas de partage entre bons et mauvais. Il
veut obtenir l'accord de Polémarque, qui est maintenant de
bonne volonté, sur un point capital : « Est-ce donc le fait
d'un homme juste que de nuire à quelque humain que ce
soit ? » Se trouve donc abandonné le contraste entre aider
les honnêtes et nuire aux malhonnêtes. On ne s'intéressera
qu'à éliminer le second terme : ami ou ennemi, il ne faut
nuire à personne.

     Comment Socrate, lui qui ne sait rien, va-t-il s'y pren-
dre pour prouver cette thèse, car c'est bien une thèse ? Opérer un glissement de « nuire » à « maltraiter » et en appeler
une fois de plus aux arts tout en donnant à ce rapprochement un nouveau sens :

     « Les chevaux que l'on maltraite, en deviennent-ils
meilleurs ou pires ? — Pires. — Est-ce par rapport à la qualité (*arétè*) des chiens, ou à celle des chevaux ? — À celle
des chevaux. — Et les chiens aussi que l'on maltraite, c'est
donc par rapport à la qualité des chiens, et non à celle des
chevaux, qu'ils deviennent pires ? — Nécessairement. — Et
des humains, mon camarade, ne devons-nous pas parler
ainsi : quand on les maltraite, c'est par rapport à la qualité
humaine qu'ils deviennent pires ? — Si, certainement. — Mais
la justice n'est-ce pas la qualité humaine ? » (335 b-c.)

     Qu'y a-t-il de si remarquable dans ce court extrait du
dialogue ? On est toujours en train de définir la justice, de
se demander en quoi elle consiste et en même temps
d'exclure que ce terme puisse autoriser à faire du mal à
quelqu'un. Quelqu'un ici, c'est un être vivant. Lui faire du

mal, c'est atteindre, non pas son être (Socrate n'est pas platonicien), mais ce en quoi il excelle, sa qualité, sa vertu
propre[6], là où son activité atteint sa perfection, sa plénitude,
le grec dit son *arétè*. Cela ressemble singulièrement à la définition qui a été donnée plus haut de la *technè*, de l'art.

Nul étonnement puisque le dialogue se poursuit :
« Mais la justice n'est-ce pas la qualité humaine ? — Cela
aussi est nécessaire. — Et donc ceux des humains que l'on
maltraite, mon ami, il est nécessaire qu'ils deviennent plus
injustes. — Oui, semble-t-il. — Or est-ce que par le moyen
de l'art des Muses les musiciens peuvent rendre les gens
étrangers aux Muses ? — C'est impossible. — Et par l'art
équestre, les spécialistes des chevaux rendre les gens étrangers aux chevaux ? — Ce n'est pas possible. — Et par la justice, alors, les justes rendre les gens injustes ? ou plus généralement par la qualité morale, les hommes de bien rendre
les gens méchants ? — Non, c'est impossible ! »

La justice a donc ici sa place après l'art des Muses et
celui des chevaux. Bien que le mot *technè* n'apparaisse pas
dans le texte grec, il est sous-entendu, comme le notent les
dictionnaires, dans les adjectifs *mousikè* ou *ippikè*. La justice retrouve donc ici, comme on l'avait vu plus haut
(332 d), son statut d'art. Ce n'est donc pas pour nous étonner. Pourtant, la mention de ces arts fait immédiatement
suite à celle de la qualité, de l'excellence, de la vertu, bref
de l'*arétè*. Il y aurait donc équivalence entre la *technè* et
l'*arétè*. Et, utilisées pour qualifier l'être humain, l'une et
l'autre seraient les équivalents de la justice : la justice, la
vertu propre de l'homme serait la pratique humaine par
excellence. On a quelque mal à accommoder.

Nul besoin de se soucier de distinguer plusieurs sens
du mot *arétè*, soit qualité ou excellence, soit vertu morale.
Les deux sens ne font qu'un et ce qui se profile, c'est la disparition de la morale, telle que nous l'entendons, au béné-

fice de la qualité. Les deux expressions : art humain ou
vertu humaine (*anthrôpeia arétè*) sont synonymes. On n'a
plus à chercher la moralité dans une sphère à part. Il suffit
que l'humain remplisse sa qualité propre, qu'il soit ce qu'il
est, pour qu'il y ait moralité. À vrai dire, on n'a même plus
à se demander ce qu'est la justice ; elle n'est plus un choix
qui serait à faire entre le juste et l'injuste. C'est d'ailleurs
pourquoi la justice n'est pas une vertu particulière ; les
mots « art », « vertu », « justice » dansent en rond et donnent l'impression que la pensée n'avance plus. À moins que
cette dernière soit d'un tel ordre qu'elle mette en évidence
l'insaisissable originalité de Socrate. Il faut entrer dans ses
cercles, vicieux pour le logicien et lumineux pour ceux qui
soupçonneront à quelle expérience nous sommes renvoyés.

La moralité suppose en premier lieu que l'on ait à
choisir entre la justice et l'injustice et en second lieu que
l'on choisisse la justice. Mais avec Socrate on est ailleurs.
La justice n'a pas d'opposé, pas plus que le chien ou le cheval. Il n'y a pas d'injustice parce qu'il n'y a pas de pas-chien
et de pas-cheval. Sans la vertu propre du chien, sans ce qui
fait qu'un chien est un chien, il n'y a tout simplement pas
de chien. Et de même pour le cheval. Et de même pour
l'humain. À l'humain, il n'y a pas non plus d'opposé, de
contraire. Le pas-humain, l'injuste est une espèce qui
n'existe pas. Il n'y a pas de vertu propre d'une chose qui
serait injuste puisqu'il existe une nature propre, une vertu
propre qui est humaine (*anthrôpeia arétè*). Socrate ne place
pas, pour s'amuser (mais peut-être s'amuse-t-il tout de
même), la vertu propre de l'homme à côté de celle du chien
ou du cheval. Ce n'est pas une belle illustration, c'est une
démonstration, c'est une preuve[7]. Trouvez-moi, nous dit-il,
un non-chien et, par-dessus le marché, un non-cheval
j'accepterai alors qu'il y ait de l'injustice. Ne me dites pas
que je ravale l'humain à l'état d'animal, cela montrerait que

vous ne savez pas ce qu'est la vertu propre d'une chose, ce pourquoi elle est faite, son opération nécessaire.

En tout cas, Polémarque est convaincu et il est prêt à « prendre sa part du combat » des sages pour qui il n'apparaît pas « juste de nuire à qui que ce soit » (335 e). Occasion, pour Socrate (ou peut-être pour Platon) de régler son compte à une bande d'hommes illustres qui ne sont pas de cet avis et « qui croient avoir beaucoup de pouvoir parce qu'ils sont riches ». Exactement comme il l'avait fait pour Homère à la fin de la première partie du dialogue avec Polémarque (334 a-b).

Mais l'entretien de ce premier livre de la *République* ne s'arrête pas là. Il rebondit dans une atmosphère en tout point opposée : ce n'est plus un accord avec Socrate qui est à l'horizon, mais un affrontement sans merci. Thrasymaque, le brillant sophiste, vient d'assister à la conversation et il est furieux de la manière dont elle s'est déroulée et surtout de son issue. Ce nouvel interlocuteur va faire apparaître un autre échantillon de l'étrangeté socratique. Tout d'abord, ces belles figures d'intellectuels vont se trouver au bord de l'affrontement physique. Thrasymaque, « à l'instar d'une bête », se jette sur les discoureurs « comme s'il allait les déchiqueter » (336 b). La joute commence par le choc visuel ; ce n'est pas des mots, mais du regard dont se sert d'abord Socrate pour surmonter sa peur : « Si je ne l'avais pas regardé avant qu'il ne m'eût regardé, j'en serais devenu muet. Mais en fait, lorsque le dialogue commença à le mettre en colère, je lui jetai un coup d'œil le premier, ce qui me rendit capable de lui répondre » (336 d). Le fameux regard de taureau (*Phédon* 117 b et le *Banquet* de Xénophon) dont use Socrate comme argument d'ouverture.

Que nous apprend encore sur l'étrangeté de Socrate le début de ce nouveau dialogue ? Thrasymaque nous fournit

un répertoire de tout ce qui est ordinairement présenté
comme caractéristique de Socrate et qui le rend
insupportable[8] : il passe son temps à réfuter les réponses
des autres sans répondre lui-même et, au lieu de dire en
quoi consiste le juste, il se demande si c'est quelque chose
d'avantageux ou de profitable (336 d). Puis, après que
Socrate a fait profil bas et réclamé la pitié, Thrasymaque,
pris d'un rire sardonique (337 a), lui renvoie un des traits
qui ont fait sa légende : « sa fameuse ironie habituelle » ou
« sa feinte ignorance habituelle[9] ». Pour se tirer d'affaire
dans la discussion et pour amener Thrasymaque à de
meilleurs sentiments, Socrate dessinera le dernier trait de
sa caricature ou de son originalité : je suis celui qui ne sait
pas et qui ne prétend même pas savoir (337 d et e, 339 b).

L'atopie de Socrate apparaît encore ici dans sa façon
de raisonner. Par exemple, il sait très bien ce qu'est un syllogisme, mais il se sert du procédé pour avancer une inep-
tie et ridiculiser son interlocuteur. Celui-ci vient d'affirmer
que « c'est l'intérêt du plus fort qui est le juste ». Socrate
intervient : « Mais par cela, Thrasymaque, que peux-tu vouloir dire ? Car tu n'affirmes certainement pas quelque
chose comme ceci : Polydas, le lutteur de pancrace, est plus
fort que nous ; manger de la viande de bœuf est son intérêt,
étant donné son corps ; donc cette nourriture serait pour
nous aussi qui sommes plus faibles que lui, à la fois notre
intérêt, et juste » (338 c-d).

Ou encore, il confond sciemment le général et le
particulier[10]. Thrasymaque estime que les dirigeants font
des lois dans leur propre intérêt ; Socrate lui rétorque que,
dans certains cas, ils font des lois qui ne servent pas leur
intérêt et qu'il est juste de s'y soumettre. « Donc est juste
non seulement de faire ce qui est l'intérêt du plus fort, mais
de faire aussi le contraire » (339 d). L'argumentation
revient à ceci : puisque « parfois » donc pas « toujours »,

donc « tantôt tantôt ». Il y a équivalence de nombre de cas
d'un côté comme de l'autre. C'est tellement gros que les
auditeurs de l'altercation sont obligés d'intervenir pour rectifier et de souligner que « parfois non » n'avait pour corrélatif qu'un « parfois oui » (340 a-b). Impossible à leurs yeux
de mettre en échec la généralité par l'existence d'une exception. Pourtant, Socrate semble supporter sans gêne cette
curieuse logique.

Thrasymaque n'est pas impressionné par ces truqua-
ges. Il ne se laisse pas faire et ne se laissera pas faire.
Socrate à ses yeux entend tout de travers : « Comme si ce
que tu dis avait du rapport avec ce que j'ai dit » (337 c), ou
bien il fait exprès d'interpréter à contresens : « Tu es vraiment abominable, Socrate, et tu te saisis de mon propos de
la façon qui peut lui faire le plus de mal (338 d) ! » Ou
encore il ferait bien de se faire soigner, d'aller chercher une
nourrice pour apprendre à se moucher (343 a).

Pourquoi Socrate agit-il ainsi ? Avec Polémarque tout
s'était bien passé parce qu'au fur et à mesure que la conversation se développait, il était entré dans le jeu de Socrate, il
avait perdu la tête et finalement avait modifié radicalement
sa manière de voir les choses. Avec le sophiste aguerri, il
n'en est pas de même. Thrasymaque connaît par cœur le
numéro de Socrate et n'a aucune raison d'y participer. Car
c'est lui Thrasymaque qui a raison. Non seulement il raisonne convenablement, mais il décrit les choses convenablement. Que les dirigeants veuillent le bien de leurs sujets,
c'est une blague que Socrate veut faire croire. Ce n'est pas
la réalité : « Parce que tu crois que les bergers ou les bou-
viers examinent le bien des moutons ou des bœufs, et qu'ils
les engraissent et les soignent en considérant autre chose
que le bien des maîtres et le leur propre ? Et plus particulièrement tu penses que les dirigeants, dans les cités,
ceux qui dirigent véritablement, ont à l'égard des dirigés un

autre état d'esprit que celui qu'on aurait à l'égard de moutons ; et qu'ils visent, nuit et jour, un autre but que celui-ci :
comment eux-mêmes en tirer profit (343 b) ? »

Socrate n'a donc pas réussi à amener Thrasymaque sur
son terrain. Mais il a développé au passage sa conception
de la technique ou du savoir-faire. Si l'on voulait sauver
Socrate, il faudrait ouvrir d'autres yeux. Comment comprendre que ce qu'il réplique n'ait pas de rapport avec ce
qui est dit, qu'il interprète de travers les propos de l'interlocuteur, alors qu'il en a très bien saisi le sens, qu'il semble
n'avoir pas appris à se moucher, qu'il enchaîne les propositions moins bien qu'un petit enfant ? C'est qu'il veut faire
perdre la tête ; il n'est pas un maître à penser, mais un maître à douter et à conduire l'autre à ne plus savoir ce qu'il
dit, à ne plus se fier au langage. Comme Thrasymaque
continue à raisonner correctement et à penser correctement, comme il garde le contrôle de ce qu'il pense et de ce
qu'il dit, il est inaccessible non pas à l'argumentation de
Socrate, bien au contraire, mais aux faussetés qui tendent à
engendrer la confusion d'esprit, aux propos d'un syco-
phante, d'un malotru qui le submerge d'invraisemblances
pour le perdre. Invraisemblances qu'il faut sans cesse
remettre sur le bon pied (340 d).

Au-delà de ces facéties, il est plus important de repérer
ici la manière dont Socrate s'y prend pour faire avancer sa
propre argumentation. Ce sera essentiellement, comme on
pouvait s'y attendre, par de nouveaux développements sur
la nature de l'art.

En opposition frontale à la thèse de Thrasymaque,
Socrate veut prouver qu'un dirigeant agit non pas dans son
intérêt, mais dans celui du dirigé. Soit un art, l'art médical,
par exemple ; il « n'a pas besoin d'une qualité (*arétè*) supplémentaire ». Un art « n'a besoin ni de lui-même ni d'un
autre en plus pour examiner ce qui est de son intérêt de

façon à compenser son propre manque. Car aucun manque
et aucune erreur n'est inhérent à aucun art, et il ne
convient pas à un art de chercher ce qui est l'intérêt d'autre
chose que ce dont il est art : et lui-même, quand il est correct, est sans défaut et sans mélange, tant précisément que
chaque art est, au sens strict, totalement ce qu'il est »
(342 b). En conséquence – et voilà la thèse qui s'oppose
trait pour trait à celle de Thrasymaque : « Aucun savoir
technique[11] (*épistémè*) n'examine ni ne prescrit ce qui est
l'intérêt du plus fort, mais l'intérêt de ce qui est à la fois
plus faible que lui, et dirigé par lui » (342 d). Il suffit de
glisser de l'art médical à l'art du pilote puis à l'art de celui
qui est en position d'autorité ou de direction pour conclure
que le dirigeant n'exerce son art qu'au profit de celui qui
est soumis à son autorité. C'est donc ce qui est valable pour
les arts qui sert de forme à toutes les pratiques.

Thrasymaque s'engage dans une longue réplique. Le
dirigé agit dans son propre intérêt, l'injustice est ce qui rapporte le plus, alors que le juste ne tire aucun avantage du
trésor public. Il en est ainsi dans la tyrannie où l'injustice
triomphe. « Quand elle se développe suffisamment, elle est
chose à la fois plus forte, plus libre, et plus dominatrice
que la justice » (344 c). Thrasymaque, pensant avoir mis
par là un point final à la discussion, s'apprête à s'en aller.
Ainsi se termine la première partie de son entretien avec
Socrate.

Avant d'aller plus loin, il faut revenir sur l'apport qui
vient d'être fait à la conception de l'art. Comme l'avait bien
vu Aristote, Socrate n'envisage la vertu que sous les traits
d'un art qui a atteint sa fin, son *télos* : « Une fois en effet
que nous avons achevé d'apprendre la géométrie et l'architecture, nous sommes par le fait même architectes et géomètres. C'est pourquoi précisément il [Socrate] s'enquérait
de ce qu'est la vertu, mais non de savoir comment on

l'acquiert ni à partir de quoi[12]. » Un art n'a pas besoin d'une
qualité (*arétè*) supplémentaire ; il ne manque de rien.
« Sans défaut et sans mélange, chaque art est, au sens
strict, totalement ce qu'il est » (342 b). Mais pourquoi en
serait-il ainsi ? Si les arts n'ont besoin de rien ni par rapport à eux ni par rapport à des tiers, c'est qu'ils sont sem-
blables à la vertu, entendons la vertu propre d'une chose, à
sa qualité intrinsèque, à sa compétence essentielle. Encore
une fois ou bien un art a sa qualité propre, et cela entière-
ment, ou bien il n'existe pas.

Il y a quelque chose qui nous trouble dans cette
conception, car enfin, pour nous, la vertu (ou la compétence)
s'acquiert par l'intelligence et par la volonté. Ce n'est jamais
quelque chose qui est donné. Si, répond Socrate, c'est quelque chose qui est donné sans quoi on ne pourrait l'acquérir.
Lorsqu'on parle de devoir l'acquérir, on suppose qu'on pourrait ne pas l'acquérir. Mais ce serait immédiatement admettre que cette histoire de vertu, d'art et de justice est soumise
à un choix, que l'on pourrait donc s'en dispenser[13]. Autant
dire, répondrait Socrate, qu'on a le choix entre être un
humain et ne pas l'être. Pour lui, un tel dilemme n'a strictement aucun sens. Si l'on est humain, si l'on n'est pas un
chien ou un cheval, on l'est et il n'y a aucune possibilité
d'ajouter ou de retrancher quelque chose à ce fait.

Entre le moyen et la fin, il y a solution de continuité.
Tant que l'on est dans les moyens, on est dans le plus et le
moins, c'est-à-dire dans la possibilité d'un progrès. Quand
on est dans l'accompli, il n'y a plus de différences qui tiennent. Socrate est passé de l'autre côté, il s'est installé de
l'autre côté, là où un être humain est un être humain et où
il n'y a plus rien à choisir. Il n'y a pas non plus quelque
chose à apprendre qui pourrait servir ensuite dans l'action,
il n'y a pas à se renseigner pour connaître la situation et
pour agir en fonction de cette connaissance. Ce qui est en

cause n'est pas le souci d'un apprentissage, mais bien d'un désapprentissage méthodique. Socrate n'a pas d'autre souci lors de ses entretiens : déblayer le terrain, le nettoyer des croyances et des certitudes, creuser le doute et l'ignorance pour en arriver au sol de la qualité propre. Pour découvrir quoi ? Mais rien. Il n'y a rien à découvrir. Ou alors simplement découvrir que tout est déjà là, était déjà là, mais recouvert de choses inutiles qui empêchaient de voir et de faire. Laisser émerger la capacité qui ne manque de rien. Vous êtes des humains, vous avez l'*anthrôpeia arétè*, la qualité humaine, la vertu propre de l'homme. Que voulez-vous de plus ? Tout est dit, il vous reste à en jouer. Pour ma part, je ne m'en prive pas.

Car ce qui menace, lorsque cette position a été prise, c'est le sérieux. On a adopté le point de vue final : on est devenu, médecin ou architecte ou pilote ou encore être humain. Mais le danger suprême, c'est de s'y croire, alors que, sans que l'on ait besoin d'y penser et de le vouloir, cela coule de source. Sans quoi la fluidité passerait à l'état solide et prendrait en masse. Ce ne serait plus quelque chose qui ne manquerait de rien, qui se suffirait, mais qui sombrerait dans la suffisance : le sérieux par excellence. Socrate doit s'en préserver sans cesse par la dérision, la facétie, l'ironie qui s'adressent d'abord et avant tout à lui-même. Exercice permanent nécessaire pour remettre de la distance et du jeu, justement du jeu, dans ce qui risque de se transmuer en lourdeur de contentement et donc de sottise. *Le rire et le ridicule sont aussi indispensables à cet art particulier que l'air l'est à la respiration.* Qu'elle soit adressée souvent aux interlocuteurs, cela se fait par dérivation : un trop-plein qui se déverse au dehors. Socrate n'y peut rien.

Il a adopté le point de vue, la réalité finale, il est architecte selon l'existence humaine, ou médecin ou pilote dans cet art. Mais il s'entraîne à être incapable d'en tirer profit, d'en faire une source de revenus, c'est pourquoi, entre autres, il ne peut pas l'enseigner. Ce n'est pas que ce soit difficile, c'est en quelque sorte impossible parce que ce n'est pas la fin d'un projet. Si ça s'enseignait, on le trouverait au terme d'une route dont il serait possible de décrire les obstacles, les chausse-trapes et les peines. Il y aurait une continuité entre le chemin parcouru et le but. Or, entre les deux, il y a une différence qualitative, comme si, de part et d'autre, on n'était pas dans le même monde, ce qui rend bien malaisée toute explication. On peut rendre compte de ce qui est successif, de ce qui est marqué par des étapes qui donnent peu à peu l'intelligence de la chose, là où des nuances et des modifications sont perceptibles. On ne le peut pas lorsque toute nomination renvoie à une autre qui semble du pareil au même : le savoir a tous les airs de la vertu, l'art devient lui aussi la vertu propre ou la qualité, et puis bientôt la capacité ou la fonction. On ne tourne pas en rond, car un éclairage vient proposer la chose de divers côtés, mais on n'en est pas moins entré dans un cercle que l'on ne peut pas s'arrêter de parcourir car, de chaque point, l'ensemble appelle sans trêve les suivants[14]. Aristote avait bien vu que Socrate ne sépare pas le sensible des idées, le savoir et la vertu, le *pathos* de l'*ethos*, l'irrationnel et le rationnel. Parce qu'il est au *télos* de toutes ces dimensions de l'être humain, elles se rejoignent et passent les unes dans les autres.

Mais le dialogue a encore à nous apprendre. Il faut y revenir. Thrasymaque a répondu sans rien concéder. Comme son argumentation lui paraît suffisante et avoir réglé le problème, on a vu qu'il était prêt à s'en aller. Socrate le retient : « Crois-tu donc entreprendre de définir une petite affaire, et non un mode de vie capable, si chacun de nous s'y conforme, de lui faire vivre la vie la plus profitable (344 d-e) ? »

Oui, mais ce terme de profitable, qui est pour Socrate des plus importants, car la vertu doit nous combler, risque d'entraîner dans une direction fâcheuse ; surtout si l'on a besoin de recourir à l'art pour la démonstration. Il faut faire bien attention en utilisant l'art comme modèle. Car la pratique d'un art rapporte quelque chose. On en tire un profit. Si on en restait là, toute l'argumentation de Socrate s'effondrerait : l'art en effet manquerait de quelque chose et son profit ne pourrait aller tout entier hors de lui vers ce pourquoi il est fait. En tout cas, ce ne serait pas un art qui aurait rang de fin. Donc, il va falloir détacher l'art de son profit le plus visible, le salaire. Pour obtenir ce résultat, car on n'est pas à une bizarrerie près, on fait de l'obtention d'un salaire un art (*misthôtikè technè misthon*) (346 b) et on marque de plus avec insistance que chaque art est radicalement distinct de tout autre art (puisque chacun ne manque de rien) et qu'il a donc un profit distinct. Donc le salaire appartient à l'art d'obtenir un salaire et n'est donc intrinsèquement lié à aucun autre art. L'art de diriger sera ainsi détachable d'un profit pour le gouvernant, c'est-à-dire pour celui qui exerce cet art. Le profit pourra donc être attribué au gouverné, puisque l'art de gouverner est fait pour lui.

C'est là un mode de raisonnement assez singulier, si l'on peut encore parler de mode de raisonnement. Il avait déjà été utilisé plus haut lorsque la justice avait été élevée au statut d'art (332 d). Cela avait permis de faire de la justice l'art humain, puis la vertu propre de l'homme. Ici c'est un phénomène d'exclusion que la notion d'art permet d'opérer. Il faut dans un premier temps éviter que l'art humain soit contaminé par le souci de l'obtention d'un salaire et, dans un second temps, modifier le sens du profitable en bienfait pour ceux qui sont soumis au pouvoir. Impossible de ne pas estimer que ce qui se révèle ici n'est pas une puissance de déduction, mais bien une manière

archaïque de raisonner : juxtaposition de termes[15] qui n'ont
au premier abord rien de commun entre eux, isolation d'un
aspect d'un de ces termes pour le rendre incompatible avec
un autre et recomposition du discours qui a subrepticement changé de plan. Comme si Platon, par ce genre
d'exercice, avait voulu nous laisser entendre que Socrate
avait ses racines dans une autre aire culturelle, là par
exemple où la position respective des termes sert à établir
ou à défaire un lien intrinsèque, ou dans une langue qui ne
disposerait pas de particules pour exprimer différentes formes de rapport.

Supposons donc que le profitable ait été reconduit à
l'usage des gouvernés. La thèse de Thrasymaque va subir
une volte-face : ce n'est pas l'injustice, mais la justice qui est
profitable. Et c'est l'art encore une fois qui va servir de pivot
pour cette opération. Socrate commence par des propos qui
s'éloignent manifestement du sujet : « L'homme juste te
semble-t-il vouloir prendre l'avantage sur l'homme injuste
(349 b) ? » On ne voit vraiment pas où Socrate veut en venir
et on n'a aucune raison de le deviner. Après avoir débattu
sur la différence sur ce point entre l'homme juste et
l'homme injuste, un premier glissement est opéré, qui n'a
pas lieu d'inquiéter Thrasymaque puisqu'il s'agit d'une équivalence : « L'homme juste ne cherche pas à prendre l'avantage sur son semblable, mais sur son dissemblable, tandis
que l'homme injuste le fait à la fois sur son semblable et sur
son dissemblable. » Puis Socrate reprend la thèse de son
adversaire en introduisant quelques nouveaux termes :
« C'est l'homme injuste qui est à la fois sage et homme de
bien, tandis que l'homme juste n'est ni l'un ni l'autre. »
Donc, ce qui revient au même, « l'homme injuste ressemble
à l'homme sage et à l'homme de bien ». Pour donner son
plein rendement à l'art comme opérateur, il était nécessaire,
comme on va le voir, d'introduire ces différents termes.

Socrate a repris dans sa crudité la thèse de
Thrasymaque : sage et homme de bien, tel est l'homme
injuste. Mais voici qu'apparaît l'art comme objection incon-
tournable : celui qui est compétent en musique est sage,
celui qui est compétent en médecine prend l'avantage non
sur un compétent, mais sur un incompétent. Il en est de
même de tout savoir. Celui qui sait est sage et prend avantage uniquement sur celui qui ne sait pas, il est bon. Or
Thrasymaque a concédé que l'homme injuste cherche à
prendre l'avantage à la fois sur celui qui lui est semblable et
celui qui lui est dissemblable. Conclusion de tout le passage : « L'homme juste ressemble à l'homme sage et à
l'homme de bien, et l'homme injuste à l'homme méchant et
ignorant » (350 c). Toute cette argumentation ne peut tenir
que dans la mesure où ce qui est dit de l'art n'est pas
contestable. Si l'homme de l'art n'était pas sage, savant et
bon, s'il ne prenait pas avantage uniquement sur celui qui
ne lui est pas semblable et si ce n'étaient pas là des évidences
inattaquables, on ne disposerait d'aucun repère pour situer
l'homme juste. Chaque réplique est comme un fil nouveau
qui entre subrepticement dans le tissage, mais c'est l'art (ou
du moins une conception très particulière de l'art) qui permet de dessiner la nouvelle forme que prend l'ouvrage.

Socrate tient sa conclusion et il n'est pas mécontent de
voir Thrasymaque qui rougit couvert de sueur (350 d). Et
pourtant, il n'est en rien persuadé. Socrate va pouvoir développer sa thèse sur la supériorité de la justice sans être
interrompu autrement que par des mouvements de tête
pour dire ou non son accord, « comme lorsqu'on écoute les
vieilles femmes raconter des histoires » (350 e). Il y a du
mépris chez Thrasymaque, mais Socrate n'en a cure et
montre que la justice est indispensable à la cohésion
sociale. « Argument qui ne concerne pas le premier sujet
venu, mais la manière dont il faut vivre (*tropos chrè zèn*) »

(352 d). Phrase qui fait écho à la formule qui venait clore la première partie du dialogue avec Thrasymaque : « Crois-tu donc entreprendre de définir une petite affaire, et non un mode de vie capable, si chacun de nous s'y conforme, de lui faire vivre la vie la plus profitable (344 e) ? » Mais c'était aussi une réponse à la quête de la route que chacun doit parcourir et qui était évoquée tout au début (328 e).

On pourrait penser que le dialogue a pris fin. Le modèle de l'art qui l'a soutenu tout au long est pourtant abandonné au profit d'une nouvelle manière d'envisager la vertu ou l'excellence. Elle est considérée comme l'achèvement d'une fonction ou de l'œuvre propre d'une chose, d'un animal, d'un organe, d'un outil. On peut se mettre à douter que ce soit le même Socrate qui parle encore ici. D'autant plus que l'aboutissement de ces répliques est une définition de la justice comme excellence ou vertu propre de l'âme (353 e) et que l'âme n'a jamais été mentionnée dans le reste du dialogue[16]. Il s'agissait de l'homme (*anthrôpeia arétè*). Dire que la justice est un art, qu'elle est le savoir-faire humain par excellence, cela n'est pas dire qu'elle ressemble à une fonction organique ou à une fonction de l'âme. Enfin les dernières phrases de ce livre I de la *République* résonnent comme une caricature de l'aporétique[17] : « Avant d'avoir trouvé ce que nous examinions d'abord, à savoir ce que peut bien être le juste, j'ai l'impression d'avoir abandonné ce point et de m'être rué sur un autre examen le concernant [...] et lorsque plus tard un autre argument s'est présenté [...], je n'ai pu me retenir de quitter le point précédent pour aller vers celui-là ; si bien que le dialogue m'amène à présent à ne rien savoir » (354 b-c). Comme si Platon négligeait ce qui avait été dit précédemment pour éclairer la nature de la justice et se servait du procédé aporétique pour introduire à sa propre conception développée à la suite dans son ouvrage.

Si ce livre I de la *République* nous révèle quelque chose de Socrate, c'est avant tout dans la façon originale dont il se sert de l'art. Il est le pivot des démonstrations et cela essentiellement par deux coups de force : le premier par l'affirmation que la justice est un art, le second qu'il en est de même pour l'obtention d'un salaire. Sans ces deux recours les propos de Socrate n'auraient ici aucune force et aucune valeur. Mais, encore une fois, pourquoi l'art ? Comme si Socrate était confronté à un problème de méthode. Pour répondre à la question : qu'est-ce que la justice (et en général : qu'est-ce que x) ?, puisqu'il ne sépare pas le sensible de l'intelligible, le *pathos* de l'*ethos*, etc., il ne peut recourir à l'abstraction et au concept. Platon le fera, dès le début du livre II, se distinguant par là de son maître, en cherchant la genèse et l'essence[18] (*genesis kai ousia*, 359 a) de la justice. Mots interdits à Socrate qui ne peut aborder les questions les plus hautes ou les plus radicales si ce n'est par le biais d'une pratique quotidienne. Il se trouve alors en porte à faux. Impossible de dire la chose autrement que sous la forme d'une modalité, par un adjectif. Il n'y a pas la justice comme un substantif, seulement ce qui est juste, un attribut. Mais cet attribut ne peut pas tenir tout seul, il faut bien le rattacher à quelque chose de l'ordre de l'action. Ce sera l'art, bonne à tout faire pour dire quelque chose de l'existence humaine.

De ce point d'équilibre ni abstrait ni tout à fait particulier, puisqu'il est décliné de multiples façons, toutes les positions étranges se dessinent. Comme l'avait fait remarquer Aristote, *Socrate ne nous montre pas le chemin de la vertu. On est au but sans avoir à se demander comment on y est arrivé.* D'où une conception de la morale qui la vide de tout ce que l'on croyait en savoir. Il n'est plus question de délibération, c'est-à-dire qu'il n'existe nul recours à des principes auxquels il faudrait se soumettre parce qu'ils

auraient leur fondation ailleurs, dans quelque ciel des
idées, dans quelque bien suprême. *À toute question dans
l'existence, la réponse est donnée par avance.* Il suffit de *laisser s'exprimer* cette qualité ou cette excellence, cette vertu
propre incluse dans le fait d'être un humain. Il s'ensuit en
particulier que les gouvernants n'ont d'autre souci que
l'intérêt des gouvernés, qu'ils n'en tirent aucun profit, qu'ils
n'auront d'autre salaire que la peine, qu'il faut donc les
contraindre de prendre des responsabilités dans la cité.
Moyennant quoi ils seront sages, bons et heureux.

CHAPITRE 3

L'HOMME DE THRACE

La composition du *Charmide* ressemble à celle du premier livre de la *République*. Dans l'un et l'autre, on se trouve devant deux interlocuteurs successifs : le premier est un jeune homme, le second un adulte. Le passage de l'un à l'autre se fait à travers les marques d'impatience du second. « Thrasymaque, à maintes reprises, au milieu même de notre dialogue, s'était élancé pour saisir la parole... comme nous faisions une pause, il ne se contint plus » (336 b). Ici, c'est Critias « qui donnait depuis quelque temps des signes d'agitation et qui, tout en prenant des airs avantageux devant Charmide et les autres, avait peine à se dominer et ne put y tenir plus longtemps[1] » (162 c). De même, lorsque le débat a tourné à leur désavantage et que l'un et l'autre ont perdu la face, Thrasymaque se met à rougir (350 d), Critias se sent honteux et bafouille (*elegen dè ouden saphès*) (169 c-d).

Cette proximité formelle des deux dialogues n'efface pas leurs profondes différences. Alors que le jeune Polémarque s'est laissé emporter au point de ne plus savoir ce qu'il dit, Charmide est assez désinvolte pour ne tenir que quelques instants sa position de questionné. Socrate lui a demandé sa définition de la sagesse, il en donne deux qui sont réfutées, mais, au lieu d'en proposer une troisième de son propre cru et ainsi de risquer de perdre le contrôle de son discours, il va chercher une nouvelle définition dans les dires d'un autre. Dans l'incapacité de la justifier, puisqu'elle ne lui appartient pas, il se fait traiter par Socrate de petit gredin (Robin) ou de scélérat (Croiset). Il n'a offert ni le point d'ancrage ni le temps pour que Socrate puisse l'amener jusqu'à la crise. Il laisse donc la place à l'intervention de Critias.

La différence entre le *Charmide* et le premier livre de la *République*, qui devrait être nommé « Polémarque », est à situer bien plus encore dans les questions abordées de part et d'autre. Dans le « Polémarque », la nature de la justice, dans le *Charmide*, celle de la sagesse. Or la justice, c'est le vêtement ou même la peau de Socrate ; c'est sa singularité, ce qui fait de lui le représentant ou l'incarnation de la vertu propre de l'homme. Il n'hésite donc pas à en construire le concept, à la définir et à l'affirmer. La sagesse au contraire est pour lui pleine de pièges. Il faut donc s'en méfier, se demander si elle est solide, et donc la défaire et aller jusqu'à jeter un doute sur son existence. À travers la sagesse se profile le non-savoir qui n'est pas, comme la justice, l'index et la matière de sa vie, même s'il en est la condition. Ce qui marque la différence de façon décisive, c'est que la justice, comme on l'a vu, est élevée à la dignité d'un art et que la sagesse ne le peut pas. On verra qu'elle ne peut être ni un art, ni un organe des sens, ni une grandeur ou un nombre, mais qu'elle renvoie à la cité où se combinent les différents arts.

Impossible tout d'abord de ne pas être intrigué par l'introduction. Son étrangeté, relayée à la fin par un rappel explicite, va envelopper le dialogue dans une atmosphère inusitée, comme si le discours qui se veut rigoureux ne devait se comprendre que sur l'arrière-fond d'un autre ordre. Socrate est de retour du siège de Potidée et il se rend à un gymnase pour y retrouver ses amis. Parmi les beaux jeunes gens rassemblés, il repère Charmide. On le lui présente sous le prétexte que Socrate connaît le remède pour le mal de tête dont il souffre. À la question de Charmide : « Quel est ce remède ? », Socrate répond que « c'était une certaine plante à laquelle s'ajoutait une incantation, et que l'incantation jointe au remède le rendait souverain, mais que sans elle il n'opérait pas » (155 e). Plus loin, il explique : cette incantation, « je l'ai apprise là-bas, à l'armée, d'un médecin thrace, un de ces disciples de Zalmoxis[2] qui, dit-on, savent rendre les gens immortels » (156 d). Il y revient encore, à la fin du dialogue, parlant de « cette incantation, que j'ai apprise du Thrace[3], et que je me suis donné pour l'apprendre un mal énorme[4] » (175 e).

Voici donc ce que nous dit le texte : que Socrate, durant son séjour à l'armée en Chalcidique, a été initié à la guérison par les plantes accompagnée de chants incantatoires et que cette initiation, comme toute initiation d'ailleurs, lui a donné beaucoup de peine. Mais, pour maints critiques, de telles affirmations ne peuvent être prises pour argent comptant. Socrate n'est pas un sorcier, ou bien il l'est métaphoriquement, comme les sophistes auxquels ce terme était couramment attribué. On peut concéder que Platon a voulu donner un peu de couleur au personnage de Socrate ; il ne faudrait tout de même pas prendre ces évocations pour des faits avérés !

L'objectivité des critiques qui acceptent certaines indications et en rejettent d'autres ne serait-elle pas suspecte ? La mention de Potidée, par exemple, ne suscite chez eux aucun doute. De même le séjour de Socrate à l'armée durant le siège de cette ville, ils le reconnaissent sans sourciller comme authentiquement historique. Non seulement

rien n'est objecté à cette notation, mais cette dernière permet de dater le moment où le dialogue aurait pu se dérou-
ler, ce qu'ils nomment la date dramatique[5]. Ne serait-il pas
de bonne méthode d'accorder la même confiance à la mention de cet apprentissage ? Il a eu lieu dans un pays qui
devait être plus proche des traditions chamaniques que ne
pouvait l'être Athènes[6]. Socrate avait alors 40 ans, un bon
âge pour reconsidérer son existence et la faire passer sur
des voies inexplorées.

Fort bien, admettons que Socrate ait été soumis aux
rites et aux pratiques qui auraient fait de lui un chaman ou
quelque chose de ce genre, mais de quelle utilité serait cette
hypothèse pour comprendre le personnage et sa pensée ?
Ou comment l'éventuelle expérience singulière de Socrate
auprès de l'homme de Thrace peut-elle s'articuler avec la
forme ou les contenus de ses discours ? À ces questions et
précisément, à propos du *Charmide*, nous disposons de
deux réponses contradictoires. Pour la première, ces char-
mes ne seraient qu'une mise en scène et ce débat subtil
entre Charmide, Critias et Socrate devrait être ramené à ses
véritables proportions : liée à la connaissance de soi, la
sagesse se définirait tout simplement comme la connaissance du bien et du mal. Le style du dialogue serait faussement aporétique et Platon en userait « pour décourager les
lecteurs impatients et superficiels, et pour s'adresser à
ceux, plus patients, qui ne désespèrent pas de reconstituer,
à la façon d'un puzzle, les éléments disjoints d'une doctrine
cohérente. Autrement dit, le style aporétique est un artifice
littéraire qui permet à Platon, en dépit du caractère ouvert
et accessible de l'écriture, de choisir ses lecteurs[7] ». Donc le
Charmide serait porteur d'une théorie claire et affirmée de
la sagesse.

Seconde réponse : le même commentateur, mais cette
fois en note, tient des propos qui vont dans une tout autre

direction. Il s'agit d'expliquer la phrase suivante de l'une des premières pages du dialogue : « Les incantations, ce sont les discours qui contiennent de belles pensées ; or les discours qui sont de telle sorte font naître dans l'âme la sagesse » (157 a). « Quels sont ces beaux discours qui font naître la sagesse dans les âmes ? La réponse à cette question est déterminante pour l'interprétation du *Charmide*. Les discours propres à faire naître la sagesse ressortissent à la dialectique socratique, qui consiste principalement dans la pratique de la réfutation. Comme la suite du dialogue le montre clairement, les incantations auxquelles Charmide doit se soumettre, s'il désire guérir son mal de tête et devenir sage, correspondent en fait aux réfutations que Socrate lui administre. Le prologue est ainsi une anticipation de la position exposée en 167 a : la sagesse consiste, pour celui qui a été soumis à la réfutation, à reconnaître son ignorance. L'incantation semble ainsi être une désignation métaphorique de la réfutation, ce qui ne laisse pas d'étonner, du moins à première vue, car la réfutation est un mode d'argumentation rationnelle, alors que l'incantation est plutôt un chant magique. Or ce n'est pas sous le rapport de leur forme, mais de leurs effets, que la réfutation et l'incantation sont apparentées. En effet, elles ont l'une et l'autre pour effet d'engourdir l'interlocuteur et de le mettre à la merci de celui qui tient le discours, qu'il s'agisse de Socrate ou du sorcier qui récite l'incantation. Il n'y a donc rien d'étonnant à ce que Socrate soit comparé à un sorcier (*Ménon*, 80 b) et à une raie torpille qui engourdit son interlocuteur (*cf. Ménon*, 80 a où il est précisément question d'incantation)[8]. »

On se trouve donc devant deux interprétations du dialogue qui ne sont pas compatibles. Ou bien on est dans le domaine moral auquel le savoir du bien et du mal sert de boussole, ou bien on est dans le questionnement sur la pos-

sibilité d'un savoir qui serait la clef de tous les savoirs et
des ignorances. D'un côté on affirme qu'il y a une solution,
qu'il existe une voie d'accès au bonheur, de l'autre on reste
en suspens. D'un côté une conclusion clôt le débat et nous
installe dans la certitude, de l'autre nulle affirmation possible qui pourrait rassurer. Il faut choisir : les essais de
conciliation entre ces voies divergentes ne tiennent pas.

L'interprétation qui affirme et moralise prend appui
sur la fin du dialogue. Socrate avait déliré et proposé un
rêve, un rêve de réconciliation universelle. On pouvait penser que la scène était close (173 b-d). Pas du tout, voilà que
la conversation reprend : « Que vivre selon la science dût
être pour nous bien vivre et être heureux, c'est là, mon cher
Critias, une chose qui n'est pas encore bien claire. » De
quelle science s'agirait-il ? Critias (et non Socrate) donne la
réponse : « C'est celle du bien et du mal. » Et Socrate
enchaîne : « Malheureux, tu me faisais tourner en rond, au
lieu de m'avouer tout de suite que ce qui constitue le bonheur, ce n'est ni une vie savante en général ni toutes les
autres sciences, mais une seule, celle qui a pour objet le
bien et le mal » (174 b-c).

À lire ces phrases rassurantes qui sortent enfin le lapin
du chapeau, on sent que les commentateurs sont soulagés.
Par exemple, Alfred Croiset écrit en note de sa traduction :
« Voilà donc la discussion arrivée à désigner une science
particulière, celle du bien et du mal, comme la seule source
du bonheur. Mais la sagesse ayant été définie par Critias
comme la science des sciences, il n'est plus possible de la
ramener à cette science particulière. La vraie pensée de
Socrate n'en apparaît pas moins sous le déguisement de
cette dialectique négative. »

Le recours au masque de la dialectique négative signe
l'embarras du traducteur. Comment est-il possible, en effet,
de concilier la formule qui fait de Socrate un excellent pro-

fesseur de morale avec les phrases qui suivent ? « Or cette science-là (*épistémè*), celle qui a pour office propre de nous être utile, n'est pas la sagesse (*sôphrosunè*). Elle est, en effet, non la science des sciences et des ignorances, mais la science du bien et du mal : si donc la science qui nous est utile est cette dernière, la sagesse n'a rien à voir avec l'utilité » (174 d).

Ces phrases respectent tout ce qui a précédé dans le dialogue : si l'on veut introduire l'existence d'une science du bien et du mal, parce que nous avons besoin d'une science utile, il faudra dire qu'elle n'a rien à voir avec la sagesse. Il n'y a là aucun déguisement. Si l'on admettait que la sagesse est la science du bien et du mal, il faudrait considérer ce long débat sur la sagesse comme un trompe-l'œil. Son but serait de mieux faire ressortir la seule chose qui soi-disant compte pour Socrate : enseigner les bons principes à travers la connaissance de soi. On pourra même aller jusqu'à faire disparaître la mention d'une dialectique négative et conclure carrément : « L'assimilation de la sagesse à la connaissance du bien et du mal n'est pas une conclusion inattendue, puisque plusieurs passages du dialogue anticipent sur cette position et laissent présager que telle est l'issue logique de l'entretien. Cette conclusion qui échappe à nouveau à Critias, n'exclut pas les définitions précédentes, pour autant qu'elles soient correctement comprises et défendues, mais elle apparaît plutôt comme leur complément et leur condition : si la sagesse consiste à faire ses propres affaires, à faire le bien et à se connaître soi-même, c'est dans la mesure où elle est orientée par la connaissance du bien[9]. »

Mais comment cette interprétation est-elle compatible avec celle qui était proposée en note par le même auteur et qui avait été donnée plus haut comme seconde ? Elle mettait en rapport les incantations, les beaux discours, les réfu-

tations, l'engourdissement. Tous ces traits n'ont-ils pas été
effacés qui dessinaient une figure de Socrate étrange peut-
être, mais en tout cas originale et difficile à déchiffrer ?
Plus gênant encore, dire que le dialogue est orienté par la
connaissance du bien et du mal contraint le commentateur
à faire appel à deux arguments qui sont le fait de Critias et
qui sont rejetés explicitement par Socrate : faire ses propres affaires et se connaître soi-même. Pour trancher le différend, le mieux est de reprendre la lecture du dialogue.

Socrate a donc été présenté à Charmide comme le
médecin capable de le guérir de son mal de tête. Après lui
avoir expliqué en quoi consistait le remède et qu'il n'en
avait pas besoin, s'il était sage déjà, comme l'affirmait son
cousin Critias, Socrate le met dans l'embarras en lui
demandant s'il se croit suffisamment pourvu de sagesse
pour n'avoir pas besoin des incantations. Charmide est un
petit malin qui déjoue le piège : si je dis que je ne le suis
pas, je contredis Critias, mais si je dis que je le suis, mon
attitude paraîtra choquante.

Il lui est demandé alors de donner sa définition de la
sagesse. C'est, répond-il, agir posément. Socrate va réfuter
cette opinion en montrant que c'est tout aussi bien agir
rapidement ou avec vivacité. Pour le prouver, il prend un
détour : « La sagesse n'est-elle pas, assurément, du nombre
des belles choses (159 c)[10] ? » Et il en donne des exemples :
écrire, lire, jouer de la cithare, lutter au pugilat ou au pancrace, courir, sauter, faire tout exercice physique, apprendre, instruire, mémoriser, comprendre, délibérer. « Donc,
Charmide, dans tous les cas, qu'il s'agisse de l'âme, qu'il
s'agisse du corps, ce qui apparaît le plus beau, n'est-ce pas
ce qui atteste la promptitude, la vivacité, mais non pas la
lenteur et le "bien posément" ? » Il faut donc en conclure
ceci : « À supposer que, en mettant les choses au mieux, les

actes accomplis bien posément, inférieurs en nombre, soient d'aventure plus beaux que ceux qui le sont avec force et promptitude, même dans cette hypothèse, l'action faite posément ne serait donc pas davantage sagesse que celle qui l'est fortement et promptement, ni dans la démarche, ni dans l'élocution, ni nulle part ailleurs ; et à vivre d'une façon posée on ne serait pas plus sage qu'à ne pas vivre d'une façon posée, puisque c'est au compte des belles choses que nous avons porté la sagesse, et que, d'un autre côté, les actes prompts nous ont révélé une beauté qui n'est pas inférieure à celle des actes accomplis bien posément » (160 c-d).

Subrepticement, on a changé de registre. À première vue, le débat semblait porter sur une question de lenteur et de rapidité : est-ce que la sagesse relevait de l'une ou de l'autre ? Un nouveau terme a été introduit qui éclipse les deux précédents. La sagesse n'est plus une affaire de lenteur ou de rapidité ; elle se trouve liée intrinsèquement à la beauté. Ce n'est pas là une question, c'est une affirmation qui n'a nul besoin d'être justifiée.

À quoi Socrate s'est-il référé pour qu'ait lieu cette mutation de la vitesse, puis de la lenteur, en beauté ? Tout simplement aux expériences multiples bien connues d'un adolescent qui fréquente l'école. Socrate parle vraiment à Charmide, il s'est mis à sa portée. Lire, écrire, courir, sauter sont bien toujours des actes quotidiens et ordinaires, mais ils sont élevés à la dignité de la beauté et, partant, de la sagesse. Tous les mouvements de l'esprit et du corps, les deux piliers de l'éducation d'un fils de famille, sont devenus des actes qui relèvent du beau. La réfutation, le plus naturellement du monde, s'est transmuée en incantation et l'école est devenue un lieu d'enchantement.

La sagesse serait-elle définie par le seul rapport à la beauté ? C'était l'aboutissement de la critique de la pre-

mière définition fournie par Charmide. Quel va être le sort
réservé à la seconde que voici : « La sagesse est, je pense, ce
qui donne à l'homme le sentiment de la honte et qui le rend
modeste ; bref la sagesse est précisément ce qu'on appelle
réserve » (160 e). Réfutation de Socrate : premièrement, si
la sagesse a été dite belle, c'est qu'elle est bonne aussi ;
deuxièmement, Homère a dit que « la réserve n'est pas
bonne à avoir, pour un homme qui est dans le dénuement ». Donc, puisque la sagesse est toujours bonne, elle ne
peut pas consister en la réserve qui est, elle, tantôt un bien
tantôt un mal.

La réfutation est donc utilisée ici pour opérer une nouvelle transmutation. En liant dans ce passage le bon au
beau, l'*agathos* au *kalos*, Socrate n'évoque rien d'autre que
« l'idéal de la *kalogathia* – la distinction de l'homme bien
élevé[11] ». Tout à l'heure, tandis qu'il exposait les traits principaux de la *paideia* : gymnastique, musique, lecture et écriture, il élevait à la beauté les pratiques usuelles de l'école,
maintenant il renvoie le jeune homme au plus incontestable de la culture athénienne, au modèle de l'homme
accompli[12] avec en prime, pour faire tout à fait classique et
même scolaire, une citation d'Homère.

Socrate a réfuté Charmide. Il l'a sans doute débouté de
ses certitudes conformistes, mais il ne l'a pas fait sans lui
proposer en sous-main non pas des principes moraux, mais
des manières de vivre. Si Charmide veut devenir sage, car
c'est cela qui doit le délivrer de son mal de tête, il se doit de
pratiquer tout ce qu'on lui enseigne dans un contexte de
beauté. Mais, et c'est le second versant de la première partie de l'entretien, les exercices scolaires appréhendés et pra-
tiqués ainsi dans la sagesse ne peuvent être dissociés,
comme on vient de le voir, du modèle du *kaloskagathos*,
c'est-à-dire de l'homme accompli selon le mode culturel où
il se trouve. Il serait dangereux de faire perdre à quelqu'un

son assise ordinaire, si ce n'était en lui proposant une manière de vivre au principe de sa culture, ce quelque chose qui ne peut être que suggéré, ou qui se dit avec peine, mais qui est pourtant plus solide et plus englobant qu'une loi formulée. Il n'est pas question de bien ou de mal, il n'est pas question de connaissance, parce que c'est déjà connu et déjà choisi. Proposer, non pas quelques bribes formelles, mais ce qui trouble l'individu parce qu'il est dépassé par son ampleur, c'est cela même qui va lui donner assurance.

Socrate va faire un pas de plus dans la même direction, c'est-à-dire donner à sa réponse une plus grande ampleur et un environnement plus large. Charmide lui propose une nouvelle définition : « Je viens de me rappeler avoir déjà entendu dire qu'agir dans les choses qui sont nôtres, c'est en cela que consiste la sagesse. » Socrate est en colère parce que c'est un propos rapporté, alors que le jeu prévoyait que Charmide parlerait à partir de son expérience. Cette définition va toutefois permettre d'avancer. Deux réponses vont être données. L'une s'adresse à l'écolier : « Le maître d'école ne se borne pas à écrire ou à lire son propre nom. » L'autre déjà renvoie à l'homme de la cité : « Vous n'écriviez pas moins les noms des ennemis que vos noms à vous et ceux de vos amis » (161 e) et en cela vous ne manquiez pas de sagesse. Mais le cercle s'élargit. Il s'agit de considérer l'absurdité d'une cité[13] où chacun devrait pratiquer tous les arts, « où la loi ordonnerait à chacun de tisser et de laver le vêtement qui est le sien ; de tailler le cuir de sa chaussure, de se fabriquer sa burette à huile et son étrille ». « Donc agir dans les choses qui sont les nôtres et le faire de cette façon-là, ce n'est pas en cela que pourra consister la sagesse » (162 a). La transition est donc faite de l'enfant à l'adulte. Critias va pouvoir entrer en lice.

Ce dernier réaffirme sa position : être sage, c'est s'occuper de ce qui le regarde, ce qui ne veut pas dire du tout que le travail ne produise pas des objets utiles à d'autres. Socrate finit par le concéder, mais ce n'est pas cela qui l'intéresse. Sa conception de la sagesse suppose qu'une part soit faite à l'ignorance. Il introduit donc subrepticement cet aspect en laissant croire que c'est Critias qui en a parlé : « Tu as peut-être raison ; mais voici de quoi je m'émerveille : c'est que, à ton sens, les gens qui ont de la sagesse puissent ignorer qu'ils ont de la sagesse » (164 a). Suit l'évocation des artisans (*démiourgoi*) qui peuvent être sages, tout en s'occupant des affaires des autres, puis celle du médecin qui est sage, parce qu'il fait son devoir, mais qui ne sait pas nécessairement « quand son remède est utile et quand il ne l'est pas » (164 b). « Par conséquent, si je ne me trompe, quand il guérit son malade, il agit sagement et il est sage, mais sans savoir qu'il l'est[14]. »

Critias réplique par un long exposé de sa nouvelle conception de la sagesse : elle n'est autre que la connaissance de soi-même[15] (164 d-165 b). Mais, répond Socrate, cela n'est pas possible parce qu'un savoir suppose une utilité et une œuvre : la santé pour la médecine, les maisons pour l'architecture. Donc, chaque savoir a un objet différent de lui. Quel est l'objet différent de la sagesse auquel se rapporte ce savoir ? Elle aurait pour objet elle-même et toutes les sciences. Donc aussi la science de l'ignorance. Pour conclure : la sagesse et la connaissance de soi-même consistent à savoir ce que l'on sait et ce que l'on ne sait pas (165 b-166 e). Formule indéfendable.

« Sans doute jugeras-tu, à ce que je crois, en examinant cette même hypothèse en d'autres cas, que c'est une hypothèse insoutenable ! » Dans quels cas, demande Critias ? « Dans ceux que voici : demande-toi, veux-tu, si tu conçois l'existence d'une certaine vision qui, les objets des autres

visions étant donnés, n'est pas la vision de ces objets, mais
vision d'elle-même et des autres visions, et semblablement
de la non-vision ; qui, étant une vision, ne voit aucune couleur, mais se voit elle-même et les autres visions ; conçois-
tu qu'il y ait une vision de cette sorte (167 c-d) ? » Et
Socrate de retourner le couteau dans la plaie : on peut dire
de même de l'audition, des sensations, des désirs, du vouloir, de l'amour, de la crainte, d'une opinion. Dans tous ces
cas, une chose ne peut être à elle-même son propre objet.
Comment la sagesse pourrait exister puisqu'elle a été mise
dans cette même position ?

Autre argument : en étant la science d'elle-même, elle
devient à la fois plus grande qu'elle-même puisqu'elle
connaît et plus petite puisqu'elle est connue. Mais il est
insoutenable qu'une chose soit les deux à la fois, que ce qui
est plus grand soit plus petit que soi. Il y a donc impossibilité pour la vertu propre de chaque chose de produire son
effet sur elle-même (168 e). On peut douter de la possibilité
pour le mouvement de se mouvoir lui-même, pour la chaleur de se brûler elle-même. Donc : « Il a besoin d'être un
grand homme celui qui, dans tous les cas, sera, comme il
faut, capable de faire cette distinction entre ceux où, de sa
nature, nulle réalité ne possède en soi, relativement à elle-
même, la propriété qui est la sienne, mais la possède relativement à un objet qui se distingue d'elle, et, d'un autre
côté, ceux dans lesquels cela est possible ou bien impossible ; capable enfin, à supposer maintenant qu'il y ait des
réalités dont l'essence consiste dans leur relation à l'égard
d'elles-mêmes, de dire si, dans le nombre, se trouve ce
savoir que nous nommons précisément sagesse » (169 a).

Socrate veut bien encore poursuivre la recherche et
admettre que cette science de soi-même et cette sagesse
existent. Est-ce qu'elles permettent de mieux savoir ce que
l'on sait et ce que l'on ne sait pas ? Sans doute, mais on ne

pourra pas aller plus loin que de dire : ceci est un savoir,
ceci est ignorance. Ce genre de savoir est donc vide tant
que l'on n'a pas ajouté à ce savoir un savoir particulier.
Tout ce que l'on peut supposer, c'est que la sagesse soit
pour chaque art la possibilité de distinguer l'authentique
du frelaté. Mais de la possibilité de cette sagesse aucune
preuve n'est donnée (172 a).

Le dialogue va donc se terminer sur une aporie. Et
pourtant il nous a beaucoup appris sur la manière dont
Socrate situe et comprend la sagesse. La première évidence
est que la recherche sur sa nature est sans cesse replacée
dans le contexte offert par la cité. On pourrait même dire
que tout le dialogue est charpenté par cette perspective.
Elle apparaît explicitement à la fin de l'entretien avec
Charmide, à la fin de l'entretien avec Critias, et à la fin du
dialogue tout entier si l'on excepte une nouvelle mention de
l'homme de Trace qui ferme la parenthèse ouverte au tout
début du dialogue.

À la fin de l'entretien avec Charmide, pour réfuter la
définition de la sagesse comme « agir dans les choses qui
sont les nôtres », l'argument final utilisé se réfère en effet
au fonctionnement de la cité : « Et de fait traiter un
malade, bâtir, tisser, effectuer en vertu du métier n'importe
laquelle des œuvres de métier, c'est là sans aucun doute
agir en quelque chose. — Hé ! absolument. — Mais quoi ?
repris-je. Jugeras-tu bien administrée une cité où la loi
ordonnerait à chacun de tisser et de laver le vêtement qui
est le sien ; de tailler le cuir de sa chaussure, de se fabriquer sa burette à huile et son étrille, et, suivant le même
principe, tout le reste, de ne point mettre la main aux
choses qui sont celles d'autrui, mais de n'effectuer, chacun,
que celles qui sont les siennes, de n'agir que dans celles-là ?
— Ma foi ! dit-il, je ne la jugerais pas bien administrée !

— Mais pourtant, repris-je, ce serait une cité excellemment administrée, celle qui le serait avec sagesse. — Comment le nier ?, dit-il. — Donc repris-je, agir dans les choses qui sont les nôtres et le faire de cette façon-là, ce n'est pas en cela que pourra consister la sagesse » (161 e-162 a).

À la fin du dialogue avec Critias, le bien vivre est en rapport exclusif avec la maison et la cité : « Nous vivrions en effet impeccablement notre existence, aussi bien nous autres qui posséderions la sagesse, que tout le reste de ceux sur qui s'exercerait notre autorité ; car ni nous, personnellement, nous n'entreprendrions de faire des choses que nous ne savons pas faire, mais après avoir bien cherché ceux qui le savent, nous les remettrions aux mains de ces gens-là ; ni ne confierions aux autres, qui sont sous notre autorité, rien qu'une seule mission, celle de faire ce que, le faisant, ils devraient faire de façon correcte. Or c'est ce dont ils auraient le savoir. Évidemment, une maison administrée par la sagesse de cette manière-là devrait être bien administrée, une cité, bien gouvernée : comme tout ce qui encore serait soumis à l'autorité de la sagesse » (171 d-e).

Au terme de tout le dialogue, enfin, lorsqu'il est devenu évident que la nature de la sagesse s'est dérobée une nouvelle fois, Socrate reconnaît qu'il divague, mais il propose tout de même un rêve : « Supposons effectivement à la sagesse [...] toute l'autorité possible sur nous, tout acte alors ne s'accomplirait-il pas en conformité avec les divers savoirs ? Point d'homme pour nous abuser, en se prétendant capitaine de navire, quand il ne l'est pas ! Point de médecin, point de général, personne nulle part, pour faire mine, sans que nous nous en apercevions, de savoir ce qu'il ne sait pas ! Le résultat d'un semblable état de choses n'est-il pas pour nous une bonne santé physique, supérieure à celle de maintenant ? le salut, mieux assuré, dans les périls de la mer ou dans ceux de la guerre ? nos ustensiles, l'ensemble de notre habillement et de notre chaussure, tous nos biens, quantité de choses encore, tout cela ouvré comme le veut chaque art, du fait que nous recourons à des professionnels authentiques » (173 a).

Pourquoi insister sur le rapport de la sagesse aux arts dans la cité ? Tout d'abord, parce qu'il n'est pas indifférent de constater que chaque fois que la mélodie du dialogue s'interrompt, c'est toujours sur cette note : la nature de la sagesse est toujours reconduite, pour son intelligibilité, aux arts de la cité. Ensuite parce que c'est un leitmotiv de Socrate. On a vu, dans le livre I de la *République* que, pour concevoir la justice, il avait été contraint d'en faire un art. De même, Aristote avait bien vu que, pour Socrate, l'intelligible ne pouvait être séparé du sensible, et pas davantage le théorique du pratique ou l'*ethos* du *pathos*. Or c'est seulement par le biais des arts qu'il peut ignorer ces distinctions. Impossible pour lui d'appréhender quelque notion que ce soit si ce n'est dans son exercice visible. Cet exercice lui-même ne peut avoir de sens s'il était considéré du seul point de vue de l'individu. Il doit avoir une portée dans l'environnement culturel ou politique. Donc, tout savoir pour exister doit être celui d'un art. La sagesse, puisqu'elle est une forme de savoir, ne peut se dispenser de cette règle.

De là *l'impossibilité d'attribuer à Socrate, comme son logo, le fameux « connais-toi toi-même »*. Toute une culture s'est précipitée sur ces mots affichés dans le temple de Delphes et les a inscrits sur son étendard. Pourtant, jamais Socrate n'a prétendu en être l'auteur[16]. Bien plus, alors que Critias, qui les introduit dans le dialogue, ne leur donne aucun sens d'autoréflexion et se contente d'y voir une simple formule de salutation, Socrate réfute même cette définition de la sagesse. *Il n'y a pas de savoir de soi-même.* Il y a seulement l'hypothèse du savoir de ce que l'on sait et de ce que l'on ne sait pas, savoir lui-même dont il faudra douter.

Il n'y a pas un savoir qui pourrait agir sur lui-même et être à lui-même son objet. Il n'y a pas non plus une sagesse qui surplomberait tous les savoirs et qui en aurait la connaissance, car il n'existe que des savoirs particuliers. Le modèle de savoir qui est le savoir de l'art de l'artisan ne souffre aucune exception : il implique la connaissance d'un domaine limité prescrit par la division du travail dans la cité.

Si la sagesse n'est pas le savoir d'un art particulier, elle n'existe pas. Rien n'empêche cependant d'en faire l'hypothèse. On peut même rêver qu'elle existe. Que nous dit ce rêve[17] ? Que cette sagesse hypothétique maintient chaque art dans la rectitude de son propre exercice ; elle serait le garant de la compétence de chaque art dans la cité parce que, par elle, la cité serait libérée en chaque art de la fausseté et en quelque sorte de toutes les contrefaçons. Chacun serait à sa place et ferait ce dont la cité lui aurait donné la charge (172 a). *La sagesse n'est donc pas un savoir qui serait distinct et qui viendrait s'ajouter aux savoirs particuliers, mais seulement la force et l'intelligence de la justesse. Pas un bien que l'on pourrait isoler et définir, mais seulement le secret et la puissance du bien agir.*

À quoi est lié ce quelque chose d'hypothétique qui serait si efficace et si bienfaisant s'il existait ? Sans aucun doute à l'ignorance. Comme on l'a vu, le thème a été introduit très tôt dans l'entretien avec Critias. Les deux interlocuteurs étaient d'accord pour dire que « l'activité appliquée à de bonnes choses, ou la production de telles choses, c'est en cela que consiste la sagesse » (163 e). Mais Socrate en avait profité pour introduire un thème qui vient comme un cheveu sur la soupe et qui étonne grandement Critias : « Voici pourtant, ajoutai-je, de quoi je m'émerveille : c'est que, à ton sens, les gens qui ont de la sagesse puissent ignorer qu'ils ont de la sagesse... — Mais non, s'écria-t-il ce

n'est pas mon sentiment (164 a) ! » Socrate, en forçant son
interlocuteur à s'attribuer ce qu'il n'a jamais dit, souligne
l'importance du propos dont il a besoin pour poursuivre.
Dans la foulée, il introduit un autre type d'ignorance : le
médecin qui donne un remède agit avec sagesse, mais il ne
sait pas si son action sera favorable ou non. Et il en est
ainsi dans tous les arts (164 b). L'efficacité heureuse d'une
action échappe au savoir de l'artisan. Elle est, dans le rêve
de Socrate, du ressort de la sagesse ; ce qui rend utiles les
produits de l'artisanat est la part d'ignorance incluse dans
tous les savoirs. Pour accéder à la nature de la sagesse, il
faut passer par l'ignorance ou plus exactement par l'art de
l'artisan et porter attention à ce qu'il ignore. En un mot, la
sagesse est pour un artisan dans la cité (et il n'y a, dans la
cité, que les praticiens d'un art) l'ignorance de sa sagesse et
de l'efficacité de son art.

Entre les deux interprétations du dialogue qui ont été
proposées, il n'est pas difficile de choisir. La première
interprétation veut s'en tenir à la définition de la sagesse
comme connaissance du bien et du mal, définition qui
apparaît après le récit du rêve final, mentionné un peu plus
haut. Ce rêve était une fin logique puisqu'il reprenait le
thème du rapport de la sagesse aux arts de la cité qui structure, comme on l'a vu, l'ensemble du dialogue. L'incise[18]
sur la connaissance du bien et du mal (174 a-175 a) détruit
ce bel agencement[19]. Si on s'obstinait à en faire la clef de
l'intelligence du dialogue, il ne resterait de celui-ci que des
pièces et des morceaux bien difficiles à rassembler, un
puzzle, dit Louis-André Dorion[20]. D'ailleurs, il est incom-
préhensible que cette incise serve d'appui à la thèse de la
sagesse comme science du bien et du mal, puisqu'il est dit
explicitement qu'il n'en est rien, que cette science, qui peut
être utile, n'a rien à voir avec la sagesse : « Or la sagesse,
au moins, n'est-ce pas à ce qu'il semble, ce savoir-là ; c'est

bien plutôt celui dont c'est la fonction de nous être utile ;
car celui-ci, au lieu d'être un savoir du savoir, et du non-
savoir, est le savoir du bien comme du mal. En conséquence, si ce dernier savoir nous est utile, la sagesse devra
être autre chose qu'utile » (174 d). La première interprétation, celle qui voudrait que le dialogue aboutisse à la
sagesse comme savoir du bien et du mal n'a donc plus
aucun fondement.

Si l'on admet que l'inclusion du dialogue entre deux
mentions de l'homme de Thrace (156 d-175 e) influe sur
son interprétation, on est en droit de se demander ce que,
de cette rencontre, Socrate a bien pu apprendre. Il évoque
l'incantation et la plante, mais il ne fait pas entendre la première et ne montre pas la seconde. Il se borne à parler. Où
est donc la magie ? Elle serait d'abord dans la réfutation
incessante qui devrait faire perdre pied à l'interlocuteur et
le conduire dans quelque ailleurs[21]. Mais Charmide n'est
même pas troublé ; à peine a-t-il été débouté de ses certitudes qu'il lui est proposé d'autres certitudes, plus larges sans
doute, mais qui n'ont aucunement lieu de l'étonner : il les a
certainement entendu formulées ou suggérées maintes fois.
La *kalogathia* lui est familière. De son côté, Critias est sans
doute dans l'embarras à un moment donné et, pour le
cacher, il dit n'importe quoi (*elegen te ouden saphès*)
(169 c). Mais, chose curieuse, l'embarras de Critias est un
effet de l'embarras de Socrate (*idôn me aporounta*) qui, au
lieu d'en profiter pour l'enfoncer un peu plus, va l'aider à
s'en sortir. Ici donc, dans ce dialogue, c'est Socrate qui est
la victime de la réfutation. À force de raisonner, il va finir
par délirer (173 a) et par rêver tout haut.

Ce que lui a appris l'homme de Thrace, il l'a transposé
dans sa culture. Plus question de grands espaces et de
plante. Mais un discours qui tourbillonne en questions de
plus en plus incisives et jusqu'à faire disparaître la question

première. Socrate est bien à Athènes. Il interroge jusqu'à la
torture les prétentions du savoir athénien, mais il accepte
d'être au premier chef celui qui fait les frais de cette opération. Il ne cherche à convertir personne à son affection
pour un désert de pensée, pour son *ouden oïda*. Car, dans
la ville, ce ne rien savoir, qui fait le vide en lui et autour de
lui, ne peut pas être, même s'il en a fait l'expérience, ce
qu'il était lors des campagnes qui l'avaient éloigné de son
lieu.

Pour perdre la tête sans la perdre, il doit se réfugier
chez le savetier ou le tisserand, à la rigueur chez le médecin ou le pilote. C'est qu'il peut là éviter de discourir, se
contentant de voir à l'œuvre un savoir qui ne se sait pas et
qui cependant est la justesse du mouvement de la main,
bien plus encore que des yeux. La sagesse qui n'a besoin
que d'une parfaite mobilité du corps pour que le geste soit
utile à la cité. Un savoir qui nourrit sa rectitude et sa compétence de ce qu'il ignore et qui par là rejoint la magie.
Magie lorsqu'on ne sait plus et que l'on ne cherche plus à
connaître comment opère la sagesse, où l'on sait que les
raisons de son efficacité sont trop multiples pour ne pas
échapper. Socrate qui ne sait plus, mais qui délire et qui
rêve.

CHAPITRE 4

LE « CONNAIS-TOI TOI-MÊME »
N'EST PAS DE SOCRATE

La lecture du *Charmide*[1] suggérait « l'impossibilité d'attribuer à Socrate, comme son logo, le fameux "Connais-toi toi-même" ». Mais, comme l'enjeu est de taille, puisqu'il contredit la représentation que la philosophie se donne d'elle-même et s'oppose à ce que, en général, elle enseigne, il est nécessaire d'aller y voir de plus près. Le texte du *Charmide* et son commentaire nous serviront de fil conducteur.

On a vu plus haut le sort réservé à Critias qui prétend définir la sagesse par la connaissance de soi-même. Socrate lui a répondu que cela n'est pas possible parce que tout savoir a un objet distinct de lui-même (*Charmide*, 166 a). Il en est bien ainsi pour la vision qui ne peut se voir elle-même ou de l'audition qui ne peut s'entendre elle-même (*ibid.*, 167 d). Critias a introduit sa définition par une allusion à la maxime inscrite dans le temple de Delphes : « Connais-toi toi-même. » Il la présente comme une formule de salutation adressée par le dieu à qui pénètre dans le temple. Mais il ne se contente pas de cela et souligne à plusieurs reprises l'équivalence entre « connais-

toi toi-même » et « sois sage ». Voilà ce que l'on peut lire
en toutes lettres.

Alors pourquoi, dans une note de son commentaire du
Charmide, Louis-André Dorion écrit-il : « L'interprétation
que Critias propose de la maxime "connais-toi toi-même" a
pour effet d'en banaliser la portée. Si l'on voit dans cette
maxime un conseil, voire une injonction divine, on insiste
sur le fait qu'il s'agit là d'une tâche inachevée, toujours à
recommencer, alors qu'en ravalant le "connais-toi toi-
même" au rang de simple formule de salutation, Critias vide
cette maxime de toute force protreptique, puisque celui à
qui elle s'adresse ne se sentira probablement plus contraint
à se connaître lui-même que ne s'estime invité à jouir celui
que l'on salue à l'aide de la formule "réjouis-toi". Contrairement à Critias, qui accorde une signification triviale au
"connais-toi toi-même" ravalé au rang de simple salutation,
Socrate interprète clairement cette maxime comme un
conseil, voire un ordre (*cf. Alc.* 130 e et 132 d). De même le
personnage de Pison, dans le *De finibus* de Cicéron, y voit
rien de moins qu'une injonction divine : "suivant le précepte
qui a paru trop haut pour sembler provenir d'un homme et
que pour cette raison on a attribué à un dieu. C'est donc
Apollon Pythien qui nous ordonne (*jubet*) de nous connaître
nous-mêmes" (V, 16, 44, trad. Martha)[2]. »

Pourquoi partir en guerre contre Critias ? Car enfin ce
dernier a défendu convenablement l'adage puisqu'il en a
fait l'équivalent de la sagesse. On pourrait donc lui donner
quitus, bien qu'il ait suggéré que le « connais-toi toi-
même » puisse être considéré comme un mot de bienvenue.
Non, tout ce qui pourrait nuancer le slogan doit être répri-
mandé avec la plus grande sévérité. Mais au nom de quoi ?
Parce que, comme vient de le dire L.-A. Dorion, Socrate
« interprète cette maxime comme un conseil, voire un
ordre ». Mais où ça ? Certainement pas ici dans le *Charmide*,

puisque l'on y trouve tout le contraire. Pour ce Socrate, le
« se connaître soi-même » n'a pas de sens, parce que le
modèle de la science est à chercher chez les artisans et que,
pour eux, leur savoir particulier a un objet distinct de ce
savoir. Si ce n'est pas dans le *Charmide*, ce doit être
ailleurs. Dans une note qui précède celle qui vient d'être
citée, on peut lire : « Platon fait plusieurs fois référence à
cette célèbre injonction delphique (*cf. Protagoras*, 343 b ;
Ménexène, 247 e ; *Politique*, 286 e ; *Philèbe*, 45 et (Platon)
Hipparque, 228 e)[3]. » Or que nous disent ces passages cen-
sés fournir la preuve de ce que le « connais-toi toi-même »
est bien un logo socratique ? Il suffit de les passer en revue.

Dans le *Protagoras*, Socrate fait l'éloge des Lacédémo-
niens, spécialistes du laconisme, des mots frappants. Il
donne en exemple les admirateurs de cette éducation :
« Lorsque, s'étant réunis à Delphes, ils voulurent offrir à
Apollon, dans son temple, les prémices de leur sagesse et
qu'ils lui consacrèrent les inscriptions que tout le monde
répète, "Connais-toi toi-même" et "Rien de trop". » De cette
première référence, que conclure ? Ici Socrate se fait historien ; il raconte une anecdote, mais en aucun cas il ne
prend à son compte cette formule.

Dans le *Ménexène*, on lit : « Le dicton "rien de trop" a
une vieille réputation de justesse (*kalôs*) : c'est qu'en effet il
est juste. » Ici le « connais-toi toi-même » n'est même pas
mentionné. Donc encore une référence qui ne prouve pas
ce qui serait à prouver.

Dans le *Politique*, le « connais-toi toi-même » n'apparaît pas davantage. Il s'agit seulement d'une remarque sur
la longueur et la brièveté des propos, avec une nouvelle
allusion au laconisme. Même absence dans le *Philèbe* :
« rien de trop » est seul mentionné.

Reste l'*Hipparque*. C'est un dialogue douteux que l'on
pourrait négliger. Mais, si on prend la peine d'y aller voir,

on peut lire : « Ce qu'il voulait, c'était, pour commencer, que ses compatriotes ne fussent pas en extase devant les sages maximes gravées au temple de Delphes : "Connais-toi toi-même !" "Rien de trop" et les autres maximes du même genre. » Voilà donc une curieuse manière d'encourager à se connaître soi-même.

De ce petit inventaire, une première conclusion s'impose et contredit une croyance répandue : Socrate n'est pas l'auteur de cette maxime. Elle est attribuée à un sage qui l'aurait inscrite dans le temple de Delphes. L'a-t-il prise à son compte pour en faire un principe de base ? Les citations précédentes ne nous en fournissent pas l'ombre d'une trace. Jamais, dans ses dires, cet adage ne prend la forme d'une injonction. Il est tout de même étrange qu'un spécialiste ose fournir toute une série de références qui prouvent exactement le contraire de ce qu'il veut prouver. On comprend son obstination à fustiger Critias.

Sur quoi alors se fonde la position du commentateur, position qui est en résonance avec ce que l'on pourrait nommer un lieu commun de notre culture ? Sur un seul dialogue : l'*Alcibiade*, où l'on peut trouver tous les développements favorables à la thèse du « connais-toi toi-même », maxime socratique entendue comme connaissance réflexive à connotation moralisante. L'ennui, c'est que l'authenticité de ce dialogue est controversée. Sans doute n'y a-t-il aucune chance de trancher la question. On peut cependant à ce sujet formuler un certain nombre de remarques.

Tout d'abord, impossible de ne pas constater les prises de position passionnelles des défenseurs de l'authenticité. Si on devait considérer ce dialogue soit comme inauthentique, soit comme écrit par Platon à une autre époque, les fondements socratiques de cette maxime et sa transformation en slogan manqueraient cruellement à notre culture. D'où, comme on l'a vu, la violence et l'inadéquation des propos d'un spécialiste. Mais il n'est pas le seul. Maurice Croiset, par exemple, qui a établi le texte de ce dialogue et qui l'a traduit dans la collection des Belles Lettres, se laisse aller à des sarcasmes à l'égard de la critique allemande qui a osé en contester l'authenticité : « Elle s'est appuyée, comme cela lui est arrivé trop souvent à mon avis, sur des constructions aussi illusoires qu'ingénieuses en apparence [...]. En démontant l'œuvre pièce à pièce, comme l'ont fait ces critiques égarés par une mauvaise méthode, on perd de vue l'ensemble, où se révèle la personnalité de l'auteur. »

De façon plus sereine, A. Motte, cité par Marie-Laurence Desclos, souligne que l'authenticité de l'*Alcibiade* a été contestée « à une époque où soufflait un vent d'hyper-critique » et qu'avaient été également suspectés le *Parménide*, le *Sophiste*, le *Politique*, le *Philèbe* et les *Lois*. « Mais à la dif-férence de la plupart des dialogues qui encourrurent alors une sentence d'excommunication, l'*Alcibiade* ne fut pas réhabilité dans la suite par tous les commentateurs[4]. » Une preuve entre autres : Gregory Vlastos[5] ne mentionne jamais l'*Alcibiade*, et même pas pour affirmer son inauthenticité.

L'affaire pourrait être réglée aisément si l'on se souve-nait que, du temps de Socrate, les deux maximes « connais-toi toi-même » et « rien de trop », citées ensemble dans Platon, sont équivalentes. Il s'agit de garder la mesure de la condition humaine. Par exemple : « Le *gignôske sauton* du vers 309 (du *Prométhée enchaîné* d'Eschyle) revient donc à conseiller à Prométhée, non pas de se livrer à une intro-spection qui lui permettrait de connaître son âme, mais d'apprécier l'état des forces en présence, d'admettre que le pouvoir de Zeus est un pouvoir sans partage et que le temps des divinités primordiales est révolu, et de calquer son comportement sur cette découverte. Ici, le "se connaî-tre soi-même" est une injonction à s'adapter au réel, l'expression d'une sagesse pratique[6]. » Or, dans l'*Alcibiade*,

c'est tout le contraire. Il s'agit bien d'introspection comme
le résume la présentatrice : « Il faut être capable de distinguer le soi de ce qui lui appartient, et donc connaître le
soi[7]. » Le paradigme de la vision qui se voit elle-même,
pour représenter l'âme qui se regarde elle-même achève le
détournement de la maxime delphique (*Alcibiade*, 132-133).
Donc, l'interprétation du « connais-toi toi-même » comme
activité réflexive serait un anachronisme, si on voulait
l'attribuer à Socrate.

On peut ajouter que ces thèses de l'*Alcibiade* sont aux
antipodes de celles défendues par Socrate dans le *Charmide*.
Certes un dialogue peut en contredire un autre. Mais on
devra cependant reconnaître que l'un d'eux, le *Charmide*,
consonne avec les positions défendues ailleurs alors que
celles qui caractérisent *Alcibiade* sont uniques. Par exemple, le modèle de l'artisanat valorisé sans partage dans les
dialogues socratiques est, dans l'*Alcibiade*, utilisé au début
(108 b) et déconsidéré à la fin (128-131). Même contraste
au sujet des relations du corps et de l'âme : d'un côté nulle
confrontation, mais seulement une distinction, de l'autre
une véritable opposition : le corps n'est pas le soi, prendre
soin de son corps n'est pas prendre soin de soi (131). Il faut
donc conclure que ce ne sont pas deux dialogues (*Charmide*
et *Alcibiade*) qui seraient à confronter, mais d'une part un
ensemble de dialogues et d'autre part un dialogue isolé[8].
Peut-on éviter de choisir ?

Enfin, il n'est pas étonnant que l'*Alcibiade* ait été
apprécié tout particulièrement dans la mouvance du
néoplatonisme[9]. Il pourrait bien dater de cette époque[10].

Donc, Socrate n'est pas l'auteur de cet impératif et il
ne l'a jamais utilisé comme une injonction. De plus, dans le
cas où il l'aurait pris à son compte, la formule n'aurait pas
pu avoir de son temps le sens réflexif que lui prête la tradi-

tion. À lire la note érudite qui précède, on pourrait penser que le débat concerne les spécialistes et qu'il est souhaitable et possible de les laisser disputer entre eux. Cela nous permettrait de garder intact notre Socrate à nous, celui que nous avons rencontré avec émerveillement ou plaisir dans le temps de nos classes de philosophie. Parce que, tout de même, que deviendrait la cohorte des soucis de soi et des développements personnels sans l'injonction précieuse d'avoir à se connaître soi-même ? Certes, nous pouvons nous contenter de faire encore de ces quelques mots notre slogan, mais nous ne pouvons plus le placer sous l'égide de Socrate.

Mais pourquoi nous sommes-nous trompés à ce point, pourquoi spécialistes et bons élèves continuent-ils à fermer les yeux sur l'évidence ? C'est sans doute notre individualisme impénitent qui nous a joué ce tour. Socrate est seul. Il le dit à Criton le matin de son exécution. Il veut rester seul juge de sa parole, et donc de sa vie et de sa mort. Nous pensons en conséquence qu'il présente le modèle de l'individu qui tient debout à force de regard sur soi et d'effort sur soi. C'est oublier que la solitude de Socrate ou le souci de soi qu'il préconise sont fondés sur l'embarras devant une question impossible à résoudre, sur la torpeur qui s'ensuit et donc sur l'ignorance de soi.

CHAPITRE 5

SOCRATE CROIT-IL AUX DIEUX ?

L'*Euthyphron*[1] est un diamant à multiples facettes. Comment n'a-t-on pas encore pensé à en faire une pièce de théâtre ? Car c'est une tragédie qui introduit à un procès et à une condamnation à mort, mais c'est aussi une comédie qui moque la bêtise et la prétention. C'est encore un traité de théologie qui fait vaciller tous les référents ou une leçon de dialectique dont les subtilités font tourner la tête. Et c'est enfin un acte politique qui défie déjà les autorités.

Cet entrelacs de styles protège un double dialogue : celui, explicite, avec Euthyphron et celui, sous-jacent, avec Mélétos, l'un des accusateurs. Euthyphron n'est qu'un faire-valoir de théâtre qui laissera Socrate déployer son habileté dialectique ou son argumentation douteuse, sans vraiment risquer la contradiction. Socrate discute avec lui de la nature de la piété, mais il pense constamment à Mélétos puisque ce dernier lui a intenté un procès d'impiété et que c'est par rapport à lui qu'il faudra pouvoir argumenter à ce sujet.

Il est clair que Socrate n'est nullement intimidé par ce détracteur. Il en fait un portrait de jeune ambitieux qui a

brillamment commencé sa carrière politique en prétendant
préserver la jeunesse de la corruption que répand ce « fai-
seur de dieux » (3 b). Adoptant le rôle de défenseur de ceux
de son âge, Mélétos n'en resterait pas moins un petit
garçon, un sale petit cafard : « S'étant aperçu de mon ignorance, il s'en vient, comme devant une mère, m'accuser
devant la cité de corrompre les jeunes gens[2] » (2 c).
Ensuite, prédit-il, Mélétos s'occupera des vieux et passera
pour un bienfaiteur de la cité.

Le ton adopté par Socrate n'est pas celui de la bienveillance et pas davantage de la neutralité ; son ironie a la
couleur du mépris, elle vise à ridiculiser son accusateur et
à dévaloriser par avance son argumentation. Son attitude
sera quelque peu différente lors de son procès. Face à
Mélétos en chair et en os, il se montrera moins fanfaron,
car son adversaire ne lui offrira aucune prise. Pour l'instant, il joue la scène à froid et sans doute devant un imagi-
naire parterre de fidèles déjà conquis. À l'approche de sa
condamnation, lorsqu'il lui faudra défendre sa vie, il se promet de mettre les rieurs de son côté. Alors qu'Euthyphron
se plaint d'être tourné en ridicule lorsqu'il fait des prédictions qui cependant se vérifient, Socrate, lui, affronte les
moqueurs et leur retourne leur rire : « Si donc ils s'apprê-
taient à s'amuser à mes dépens, comme tu dis qu'ils le font
dans ton cas, il ne serait pas désagréable de passer quelque
temps au tribunal à les faire plaisanter et rire » (3 e).

L'incoercible envie de changer en comédie la tragédie
que lui prépare Mélétos conduit Socrate un peu plus loin à
imaginer un montage rocambolesque. Puisque Euthyphron
a la prétention de savoir distinguer le pieux de l'impie,
Socrate va le prendre pour maître. Alors ou bien Socrate
sera amendé ou bien c'est Eutyphron que Mélétos devra
poursuivre comme responsable des erreurs enseignées :
« Dans ces conditions, admirable Euthyphron, n'est-il pas

pour moi préférable de devenir ton élève et de soumettre à
Mélétos la proposition suivante avant l'ouverture du procès
qui m'oppose à lui ? Je lui dirai que par le passé je faisais
grand cas de connaître les choses divines et que maintenant, vu qu'il soutient que je suis dans l'erreur du fait que
j'improvise et innove en ces matières, je suis donc devenu
ton élève. "Mélétos, dirais-je, si tu reconnais qu'Euthyphron
est savant en ce domaine, considère alors que je porte moi
aussi des jugements droits et abandonne ta poursuite ;
sinon, poursuis en justice d'abord ce professeur, plutôt que
moi, étant donné qu'il corrompt les vieillards, son père et
moi – moi, parce qu'il m'enseigne ; son père, parce qu'il le
réprimande et qu'il le châtie" » (5 a-b).

Tout en continuant à dialoguer avec Euthyphron,
Socrate ne veut pas que l'on puisse perdre de vue que son
véritable interlocuteur est bien toujours Mélétos. Ainsi,
sans que cela ait un rapport avec la discussion en cours sur
le pieux comme partie du juste, Socrate réitère sa douteuse
plaisanterie : « Efforce-toi donc à ton tour de m'enseigner
quelle partie du juste est pieuse, afin que nous puissions
dire à Mélétos de ne pas nous faire du tort et de ne pas
nous intenter un procès pour impiété, vu que nous sommes
déjà suffisamment instruits, par tes soins, de ce qui est religieux et pieux, et de ce qui ne l'est pas » (12 e).

Le même montage réapparaît en guise de point final
du dialogue pour tenter de retenir Euthyphron qui prétexte
un rendez-vous pour se retirer, alors qu'il n'en peut plus de
parcourir les dédales de pensée que lui impose Socrate :
« Que fais-tu là, camarade ? Tu t'en vas après m'avoir fait
tomber du haut du grand espoir que j'avais : apprendre de
toi ce qui est pieux et ce qui ne l'est pas, et me délivrer de
mon procès contre Mélétos, en lui montrant, à celui-là, que
je suis désormais, grâce à Euthyphron, savant en choses
divines, que mon ignorance ne me fait plus improviser ni

innover en ces matières et, enfin, que je vivrai mieux le
reste de ma vie » (15 e-16 a).

Le nom de Mélétos apparaît aux pages 2, 5, 12 et 15.
En 2 et 15 pour ouvrir et fermer l'entretien, en 5 et 12 pour
rappeler l'ouverture et pour préparer la clôture. Ce nom est
comme l'armature du dialogue. Il fait tenir ensemble les
propos des protagonistes : il en est la raison d'être. Comme
si, sans la provocation de ce jeune ambitieux qui s'était uni
à quelques autres, Socrate aurait manqué l'occasion de traiter explicitement de ces questions.

La dramaturgie du dialogue est donc intrinsèquement
liée à ce que représente Mélétos. Euthyphron qui est pourtant l'interlocuteur principal ne joue là qu'un rôle de faire-
valoir. Il est ridicule, un imbécile qui se prend au sérieux et
qui parle de lui à la troisième personne (5 a). Plus de
drame avec lui et, en conséquence, les moqueries sur sa
lourdeur de pensée ne font pas rire. Ce prétendu connaisseur en religion qui ne répète que du bien connu va permettre à Socrate de déployer ses talents de dialecticien,
mais surtout nous faire entendre ce qu'il pense de la piété,
des dieux, de la justice. Parce que Euthyphron n'est qu'un
tambour qui fait résonner les lieux communs, Socrate peut
donner libre cours à ses audaces. Mélétos était le contenant
du dialogue, grâce à la nullité intellectuelle d'Euthyphron,
nous aurons droit à son contenu.

On pourrait se poser la question en ces termes : quelle
est la pensée de Socrate au sujet des dieux et au sujet de la
piété ? Mais, évidemment, comme ce n'est pas une réponse
positive à laquelle il faut s'attendre avec lui, la question est
plutôt celle-ci : de quoi Socrate fait-il douter ? Voici l'occasion du débat : Euthyphron intente un procès à son père
qui, pour punir un serviteur d'en avoir tué un autre dans
une rixe, l'avait jeté dans un puits où il avait décédé.
Socrate l'entend dire qu'il peut se permettre de poursuivre

son père parce qu'il sait, lui, contrairement aux autres
« quelle est la position du divin concernant le pieux et
l'impie » (4 e). Mais comment connaître le divin « avec une
telle exactitude » que l'on puisse poursuivre son père sans
courir le risque de « commettre un acte impie » ? Socrate
essaie là de faire douter Euthyphron, mais, comme ce dernier se montre un excellent paranoïaque qui se prend pour
Eutyphron et « se distingue de la masse des hommes »,
c'est peine perdue. Il ne sert à rien de vouloir changer
quelqu'un qui est figé dans ses convictions, mais on peut se
servir du mur de sa sottise pour faire rebondir sa propre
balle.

Socrate ne cherchera plus à ramener son interlocuteur
à la raison ; il entre dans son jeu, le laisse croire qu'il est un
maître en choses divines et va le laisser débiter les croyances qui sont probablement communes à la plupart des
Athéniens de l'époque. La poursuite de son père, qui a
laissé mourir un serviteur dans le puits où il l'avait jeté, se
justifie aux yeux d'Euthyphron par l'exemple de Zeus qui a
puni et détrôné son père Kronos et de Kronos lui-même qui
a châtré son père Ouranos. C'est l'occasion pour Socrate de
jouer une petite comédie, d'admettre qu'il a du mal à supporter ces histoires de dieux et que c'est sans doute la cause
de ses ennuis. Il irait même jusqu'à s'amender sur ce point :
« Mais si tu crois toi aussi à ces histoires, toi qui t'y connais
bien en ce genre de questions, il ne nous reste plus appa-
remment qu'à y ajouter foi. Et que pourrions-nous dire, en
effet, nous qui reconnaissons nous-mêmes ne rien savoir
sur ces questions (6 b) ? »

Euthyphron est encouragé dans sa prétention à s'y
connaître. Mais il va devoir le montrer avec précision. Il
serait prêt à raconter des histoires croustillantes concernant les dieux, alors qu'il lui est demandé en vertu de
quelle « forme unique les choses impies sont impies et les

choses pieuses sont pieuses » (6 e). Comme Euthyphron ne
peut concevoir la religion que dans un rapport aux dieux, il
propose cette définition : « Ce qui est cher aux dieux est
pieux, alors que ce qui ne leur est pas cher est impie. »
Socrate est ravi : « Tu viens de me répondre de la façon
dont je cherchais à te faire répondre » (7 a). Le piège tendu
a en effet bien fonctionné. Tout à l'heure, Euthyphron faisait état des guerres entre les dieux et maintenant il parle
de la piété comme de ce qui est cher aux dieux. Socrate va
avoir beau jeu de lui montrer l'incohérence de son propos.
Mais auparavant il lui demande sur quoi portent les querelles, les différends et les haines entre les hommes. Réponse :
c'est toujours à propos du juste et de l'injuste.

Socrate réaffirme ici ce qui est au cœur de sa pensée et
de son souci constant et qui réapparaîtra plus loin dans le
dialogue comme l'argument décisif. Mais pour l'instant il
s'agit de se servir de cette remarque pour enfoncer
Euthyphron dans la contradiction. D'une part, il est affirmé
en passant, mais sans être souligné, que les dieux curieusement se querellent pour les mêmes sujets que les hommes.
Mais surtout, d'autre part, que la piété ne peut être définie
par ce qui est cher aux dieux, puisque le même fait de justice ou d'injustice plaît à certains dieux et déplaît à
d'autres.

Euthyphron a beau essayer de se défendre en affirmant que tout le monde est d'accord pour punir celui qui
commet l'injustice, la question demeure de savoir comment
définir une action juste ou injuste et de dire si quelqu'un en
est l'auteur. Et là encore les dieux se comportent comme
les hommes : « Ils se querellent à propos du juste et de
l'injuste, les uns affirmant que certains hommes ont commis une injustice et les autres le niant » (8 d). Socrate
aurait pu s'en tenir là, mais il veut aller beaucoup plus loin
et montrer au bout du compte que la piété n'a rien à voir

avec le rapport aux dieux. Pour cela il va triturer la notion de « cher aux dieux ». On a vu que déjà cette définition avait été critiquée. Poussé par Socrate à dire « en vertu de quelle forme unique les choses impies sont impies et les choses pieuses sont pieuses » (6 e), Eutyphron avait répondu : « Ce qui est cher aux dieux est pieux, alors que ce qui ne leur est pas cher est impie » (7 a). Socrate avait alors montré que cette définition n'avait pas de sens puisque les dieux étaient divisés et se querellaient lorsqu'il s'agissait de dire dans tel cas ce qui était juste et qui l'était.

Mais il veut faire un nouveau pas et, pour des raisons qui apparaîtront bientôt, atomiser la notion de « cher aux dieux ». Il va d'abord, une fois de plus, sembler faire le jeu de son interlocuteur, donc oublier sa réfutation précédente, à savoir que les dieux se querellent, n'aiment et ne haïssent pas les mêmes actes justes ou injustes. Il pose la thèse : « Ce que tous les dieux détestent est impie, ce qu'ils aiment tous est pieux » (9 d). Trop content, Euthyphron en profite pour reprendre à son compte sa définition généralisée : « Eh bien, pour ma part, je n'hésiterais pas à affirmer que le pieux est ce que tous les dieux aiment, et que le contraire, soit ce que tous les dieux détestent, est impie » (9 e). Oui, mais attention, Socrate va sortir le grand jeu des distinctions : « Est-ce que le pieux est aimé par les dieux parce qu'il est pieux, ou est-ce parce qu'il est aimé d'eux qu'il est pieux (10 a) ? » Euthyphron ne comprend pas où veut en venir Socrate. La visée est pourtant claire : après un détour par ce qui porte et ce qui est porté, ce qui conduit et ce qui est conduit, ce qui voit et ce qui est vu, la conclusion arrive : celui qui est aimé des dieux n'est pas pieux parce qu'il est aimé, mais il est aimé parce qu'il est pieux. Dire que la piété se définit par l'amour que les dieux lui portent est donc sans fondement. Autrement dit, la piété existe indépendamment de l'amour que les dieux lui portent et le fait que les dieux l'aiment n'apporte rien à sa définition. On a bien compris, mais Socrate ne peut pas s'arrêter ; il lui faut encore reprendre son objection en évoquant l'hypothèse de son contraire : « Supposons, mon cher Euthyphron, que l'aimé-des-dieux et le pieux soient identiques. Si le pieux est aimé parce qu'il est pieux, alors l'aimé-des-dieux aussi serait aimé parce qu'il est aimé-des-dieux ; mais si l'aimé-des-dieux est aimé-des-dieux parce qu'il est aimé par les dieux, alors le pieux aussi serait pieux parce qu'il est aimé. Mais, en fait tu vois qu'ils sont opposés, pour la bonne raison qu'ils sont tout à fait différents l'un de l'autre. L'un, en effet, c'est parce qu'il est aimé qu'il est aimable, tandis que l'autre, c'est parce qu'il est aimable, c'est pour cette raison qu'il est aimé. Alors que tu étais interrogé sur la nature du pieux, Euthyphron, il se peut bien que tu n'aies pas voulu en révéler l'essence (*ousia*), et que tu ne m'en aies indiqué qu'un accident (*pathos*[3]), à savoir qu'il arrive à ceci, le pieux, d'être aimé par tous les dieux. Mais ce qu'il est, tu ne me l'as pas encore dit. Ne me le dissimule donc pas, s'il te plaît ; dis plutôt, en reprenant depuis le commencement, ce qu'est le pieux, qu'il soit aimé par les dieux ou quels que soient ses accidents (*oti paskei*) – ce n'est pas sur ce point que nous aurons un différend. Allons ! empresse-toi de me dire ce qu'est le pieux et l'impie » (11 a-b).

La belle assurance d'Euthyphron s'est fissurée. Il témoigne à sa manière, après tant d'autres[4], des effets troublants de l'argumentation socratique : « Mais, Socrate, je ne sais pas pour ma part de quelle façon te dire ce que j'ai à l'esprit », je ne dispose plus du comment te dire ce que je pense (*ouk ékô egôgé opôs soi eipô o noô*), comme si, le pauvre, il pensait encore quelque chose. Cette impuissance qu'il ressent, il ne peut pas oser se la dire, parce qu'il s'apercevrait qu'il est tombé de son piédestal. Il se contente de constater qu'il a attrapé le tournis. « Ce que nous avons proposé tourne en quelque sorte autour de nous, sans répit, et ne consent pas à demeurer là où nous l'avons fixé » (11 b). C'est « nous », dit par fierté, ce n'est pas moi seul qui suis dans cet état. Socrate est d'accord comme d'habitude, c'est nous en effet. Mais, à cet état d'incapacité de trouver les mots pour dire ce que l'on pense, il donne ses titres de noblesse. Il évoque les constructions de Dédale, dont il serait le descendant lointain : « Du fait de ma parenté avec lui, mes œuvres en paroles s'enfuient et ne consentent pas à demeurer là où on les place » (11 c). Euthyphron n'est visiblement pas très à l'aise. Si cela n'avait tenu qu'à lui, il aurait préféré que les dires restent en place. C'est bien Socrate qui a provoqué le branle généralisé. Occasion pour lui de se laisser aller à décrire[5] ce qu'il suscite : « Mon art (*technè*) risque d'être encore plus redoutable que celui de ce grand homme (Dédale), dans la mesure où seules les choses qu'il fabriquait lui-même ne demeuraient pas en place, alors que moi, à ce qu'il semble, je mets en branle, en plus des miennes, celles d'autrui également. Et ce qui est assurément le plus subtil dans mon art (*technè*), c'est que je suis talentueux malgré moi. Car je préférerais que mes arguments restent en place et demeurent fixes, privés de mouvement, plutôt que d'avoir, en plus du talent de Dédale, les richesses de Tantale. »

Après cet intermède, où l'on voit Socrate se mettre au cœur des troubles qu'il produit, la discussion doit reprendre, car, sur la « forme » de la piété, sur ce qu'elle est en substance, on n'a pas encore avancé d'un iota. Cependant, les conditions du dialogue ont été radicalement modifiées. Euthyphron a été débouté de sa position de maître. Tout ce qu'il avait à dire sur les dieux et leur rapport à la piété se trouve désormais balayé. Socrate va donc pouvoir dévelop-

per à son aise ce qui est au cœur de sa propre pensée. Une
fois décrit le branle ressenti par les choses des autres et par
les siennes d'abord, après avoir évoqué le talent de Dédale
et les richesses de Tantale, il poursuit : « Mais en voilà
assez. Comme tu me donnes l'impression de t'amollir, je
conjuguerai mes efforts aux tiens pour te montrer de quelle
façon tu pourrais m'instruire au sujet du pieux. Et ne te
décourage pas à l'avance : vois en effet s'il n'est pas nécessaire, à ce qu'il te semble, que tout ce qui est pieux est
juste. » On peut difficilement faire plus hypocrite ou du
moins plus narquois. Socrate continue à réserver à
Euthyphron la position de maître. Mais, curieusement, à ce
maître il va enseigner comment se faire le maître. Tout ce
manège pour brandir ce qu'il a en réserve depuis bien longtemps : l'aune de la justice. Car c'est à elle que toute notion
et toute pratique se doivent d'être mesurées.

    Donc première difficulté que rencontre la définition de
la piété : elle n'a pas la même extension que la justice. Pour
le montrer, il faut présenter d'autres cas du même genre.
Par exemple, il n'est pas vrai que « là où il y a crainte, là
aussi il y a respect ». Il faut dire au contraire que « la
crainte est plus étendue que le respect. De fait le respect est
une partie de la crainte, comme l'impair est une partie du
nombre » (12 c). Il en va de même pour la piété, qui n'est
qu'une partie de la justice. On ne peut pas donc définir la
piété par la justice ; il faut préciser quelle partie du juste
est pieuse. Eutyphron se précipite pour répondre : « La partie du juste qui est religieuse et pieuse, c'est celle qui
concerne le soin des dieux (è *tôn théôn thérapeia*), tandis
que celle qui a trait au soin des hommes constitue la partie
restante du juste » (12 e).

    Il a utilisé le même mot pour dire le soin des dieux et
celui des hommes. C'est ce qui va le perdre. Socrate aurait
pu de son côté opérer la distinction nécessaire, rappeler par

exemple que *è tôn théôn thérapeia* a bien le sens qu'il a couramment en grec à cette époque[6] et qu'il signifie « culte des dieux », qu'il est impossible de parler de culte des hommes et que donc pour les hommes il faut trouver un autre mot. Socrate procède différemment : il pose explicitement que le mot ne peut valoir de la même façon pour les dieux et pour les hommes. On ne peut pas l'accuser de confusion. En réalité, il ne va retenir du sens de ce mot que celui qui vaut pour les hommes : « En effet, je ne saisis pas encore ce que tu entends par "soin". Car tu ne veux tout de même pas dire, j'imagine, que le soin qui a les dieux pour objet est de même nature que les soins qui se rapportent aux autres choses. Ce que nous entendons en effet par "soin", c'est, par exemple, lorsque nous disons : ce n'est pas tout le monde qui sait prendre soin des chevaux, mais c'est le palefrenier » (13 a).

En acquiesçant à cette remarque, Eutyphron ne se rend pas compte qu'il s'est mis en difficulté. Comme si Socrate lui disait : bien sûr que tu es d'accord avec moi pour faire la distinction capitale qui s'impose – sous-entendu – et dont je ne vais tenir aucun compte. Un bon chasseur qui tend un piège et qui le recouvre. Socrate, en effet, lance son disque inusable et on a droit à l'évocation de l'art hippique qui prend soin (*thérapeia*) des chevaux, de la cynégétique qui prend soin des chiens, de l'art du bouvier qui prend soin des bœufs. Après une dizaine de répliques de ce genre, on a complètement oublié que *thérapeia* pouvait avoir un autre sens que celui qui convient aux hommes. Socrate a même la cruauté d'insérer la piété et la religion comme exemple de soin des dieux entre différentes techniques qui impliquent un soin : « Dans ce cas, Euthyphron, la piété et la relation consistent dans le soin des dieux ? C'est bien ce que tu veux dire (13 b) ? » Le pauvre imbécile est d'accord.

Pour rendre plus inextricable la confusion entre soin des dieux et soin des hommes, Socrate attaque par un autre versant, celui des bienfaits procurés par les arts. Tout de même, quand il en profite pour suggérer que la piété comme « soin des dieux leur est profitable et les rend meilleurs », Euthyphron s'insurge. Socrate bat en retraite, mais c'est une retraite élastique. Il recommence l'instant d'après avec le même style d'argumentation, c'est-à-dire avec une nouvelle salve de *technè*. Si, comme le veut Euthyphron, le soin des dieux ressemble aux « soins que les esclaves prodiguent à leurs maîtres » (13 d) qu'en est-il du résultat (*ergon*) que le service (*upèrétikhè*) des médecins sert à produire, et les constructeurs de navires, et les constructeurs de maisons, et les agriculteurs et les stratèges. On est ainsi conduit à se demander quel profit les hommes peuvent retirer du service des dieux et inversement « quelle espèce de profit les dieux peuvent bien tirer des dons qu'ils reçoivent de nous » (14 e). D'où nouvelle conclusion : « La piété consisterait donc, Euthyphron, en une espèce de troc que les dieux et les hommes feraient les uns aux avec les autres. »

Euthyphron ne s'en sort pas. Il est contraint, aidé par Socrate, de revenir à une définition qui a déjà été réfutée : le pieux est ce qui est cher aux dieux. Réponse qui va être le signal de la curée. Plus tôt dans le dialogue, Euthyphron, comme on l'a vu, avait été ébranlé : « Je ne sais pas pour ma part de quelle façon te dire ce que j'ai à l'esprit, car ce que nous avons proposé tourne en quelque sorte autour de nous, sans répit, et ne consent pas à demeurer là où nous l'avons fixé » (11 d). Ensuite, Socrate avait fait mine de le remettre en selle à plusieurs reprises : « Et pourtant tu as sur moi l'avantage aussi bien de la jeunesse que du savoir » (12 a). « Il est en effet évident que tu le sais, puisque, en ce qui concerne les choses divines du moins, tu affirmes t'y

connaître mieux que quiconque. » À quoi il avait répliqué :
« Et je ne dis que la vérité, Socrate » (13 e). Ou bien encore
toujours aussi faux jeton : « C'est que je suis avide de ton
savoir, mon cher, et j'y applique mon esprit, si bien que tes
paroles ne tombent pas dans l'oreille d'un sourd » (14 d).
Maintenant Socrate ne le ménage plus : « Et tu t'étonnes,
toi qui tiens ce langage, si tes arguments donnent l'impression qu'ils ne tiennent pas en place et qu'ils se promènent ?
Et tu m'accuses d'être le Dédale qui les fait se promener,
alors que toi tu es beaucoup plus habile que Dédale, puisque tu les fais tourner en rond ! À moins que tu ne te ren-
des pas compte que notre argument, après avoir décrit un
cercle, est revenu au même point » (15 b).

Voilà le coup de grâce : il lui laisse croire encore une
fois qu'il est savant en matière de religion, mais c'est pour
faire planer sur lui la plus extrême menace : « Dis-moi la
vérité. Car s'il y a quelqu'un parmi les hommes qui détient
ce savoir, c'est toi, et il ne faut pas te laisser aller, comme
Protée, avant que tu aies parlé. Si en effet tu n'avais pas
une connaissance claire du pieux et de l'impie, tu n'aurais
pas pu entreprendre, pour le compte d'un serviteur, de
poursuivre pour meurtre ton père ; tu aurais plutôt craint
de t'exposer à la colère des dieux si tu n'avais pas agi correctement et tu aurais eu honte à la face des hommes ;
mais je sais bien que tu crois détenir une connaissance
claire de ce qui est pieux et de ce qui ne l'est pas. Alors
parle, excellent Euthyphron, et ne me cache pas tes pensées
là-dessus » (15 d-e).

Euthyphron n'a plus qu'à se retirer penaud sous prétexte d'avoir à faire ailleurs. Quant à Socrate, il n'a obtenu
aucun éclaircissement en ce qui concerne la piété. Il veut
nous faire croire – et c'est ainsi que se termine le dialogue –
qu'il sera démuni lors de son procès contre Mélétos (16 a).
Mais est-ce bien exact ?

Car, tout au long du parcours, il nous a laissé plus que des indices. Lorsque Euthyphron, par exemple, prend appui sur le comportement de Zeus à l'égard de Kronos pour justifier le procès qu'il intente à son père, Socrate réplique : « Lorsqu'on raconte de telles histoires sur le compte des dieux, j'ai grand-peine à les supporter » (6 a). Ce qui signifie pour le moins qu'il ne leur fait pas crédit. Ensuite, lorsqu'il est dit que les dieux se querellent, ont des différends et sont habités par la haine, Socrate ne manque pas de faire remarquer que, somme toute, ils se comportent comme les hommes et que l'on ne peut pas se fier à eux pour savoir ce qui est juste et ce qui ne l'est pas (7 b-d). Un peu plus loin, comme on l'a vu, puisque ce qui est aimé ne l'est pas parce qu'il est aimé des dieux, mais parce qu'il est aimable, les dieux n'ont rien à voir avec l'essence de la piété ; leur amour n'est qu'un accident de la définition de la piété (11 a). On n'avance donc pas d'un pouce en les faisant entrer en scène dans ce débat.

Alors, question cruciale : Socrate, croit-il aux dieux ? La seule réponse dont nous disposions est celle, en forme de pirouette, qu'il donnera à Mélétos lors de son procès et qui est rapportée entre autres par Aristote : « Tel Socrate. Mélétos disant qu'il ne croyait pas aux dieux, il lui demanda si, lui Socrate, affirmait bien l'existence d'une nature démonique. Mélétos en convint. Sur quoi, Socrate l'interrogea pour savoir si les démons ne sont pas ou enfants des dieux ou d'une nature divine. Et comme Mélétos l'accordait : "Y a-t-il quelqu'un au monde, dit-il, qui admette l'existence d'enfants des dieux mais non celle des dieux[7] ?" » (*Rhétorique*, 18, 1419 a, 8-12.)

Cela signifie que *Socrate ne dira jamais qu'il ne croit pas aux dieux, mais il ne dira pas davantage qu'il y croit[8]*. C'est sans doute que *pour lui la question n'a pas de sens ou du moins qu'elle n'est pas intéressante*. Il faudrait plutôt lui demander : est-ce que les dieux servent à quelque chose, est-ce que croire aux dieux peut avoir quelque sens que ce soit ou avoir quelque fonction ? Sans doute « les dons qu'ils font sont manifestes aux yeux de tout le monde, car nous n'avons rien de bon qu'ils ne nous aient donné » (15 a). Mais nous ne pouvons rien vouloir leur donner en retour si ce n'est à nous engager dans un troc ridicule (14 e). Donc il faut laisser cette question de côté, car toute réponse que l'on pourrait y faire est vaine. Il y a bien le « signal divin » évoqué au début du dialogue par Euthyphron (3 b), mais ce signal qui porte uniquement sur ce qui n'est pas à faire, même s'il demande à être compris, nous conduira dans une tout autre direction.

Ce qui intéresse Socrate, ce n'est pas tant la piété que la justice. Son concept de justice traverse le dialogue de bout en bout. C'en est d'abord le point de départ, puisqu'il s'agit de savoir s'il est juste, pour Euthyphron, d'intenter un procès à son père. Ensuite, c'est la justice qui est l'index du débat sur la piété : peut-on attendre du comportement des dieux quelque lumière sur la nature du juste et de l'injuste ? Si, dans tel cas, on avait la réponse à cette question, on saurait ce qu'il en est du pieux et de l'impie. Enfin tout ce qu'il y a de valable dans la piété est à rapporter à la justice, car la piété n'est rien d'autre qu'une partie de la justice. C'est de cette distinction que va découler toute la fin du dialogue : « Eh bien, voici mon opinion, Socrate : la partie du juste qui est religieuse et pieuse, c'est celle qui concerne le soin (*thérapeuteia*) des dieux, tandis que celle qui a trait au soin des hommes constitue la partie restante du juste » (12 e).

La partie restante du juste est donc une *thérapeuteia*. Mais qu'est-ce qu'une *thérapeuteia* ? Qu'est-ce qu'un soin ? Toute la fin du dialogue nous le dit : c'est une *technè* : l'art hippique, la cynégétique, l'art du bouvier. Puis, lorsque la *thérapeuteia* est devenue *upèrétikè* (13 d), lorsque le soin est devenu service, ce sera l'art du médecin, celui du constructeur de navires, celui du constructeur de maisons. Et lorsqu'il s'agira de s'interroger sur ce que le service aux dieux peut bien produire, les stratèges et les agriculteurs seront convoqués (14 a). Autrement dit qu'elle soit un soin ou un service, la justice chez les hommes trouve son accomplissement dans les arts[9].

Dans cette fin de dialogue, Socrate, avec une lourde insistance, coince la piété et la religion (« Dans ce cas, Euthyphron, la piété et la religion consistent dans le soin des dieux (13 b) ? ») entre deux séries de *technai*[10], la première qui lie l'art au soin, la seconde qui lie l'art au profit et au fait de devenir meilleur. Il ne peut pas sortir un instant de l'aire de la technique. Il ne veut pas en sortir, il ne veut pas aller au-delà. Son ontologie est celle de l'artisanat. Lorsqu'on est à l'intérieur d'un art accompli, il n'y a rien à ajouter. On est dans la justice, dans l'accomplissement, et donc dans la justesse. Il n'y a rien à ajouter ni au-dessus comme ciel immobile ou tumultueux, ni au-dessous comme désir de mieux ou d'ailleurs. Donc qu'est-ce que la piété ? Réponse suffisante : elle est superflue. L'art du soin et l'art de devenir meilleur sont accomplis dans la justice, c'est-à-dire dans le métier d'homme.

CHAPITRE 6

LA RHÉTORIQUE N'EST PAS UN ART

Le sujet dont traite le *Gorgias*, ce n'est pas la rhétorique, mais celle-ci comme art. En effet, au moins avec Gorgias et avec Pôlos, la notion d'art est le pivot autour duquel tournent les entretiens, et cela selon ses deux faces : celle du savoir et celle de la justice, c'est-à-dire de la vertu par excellence. La rhétorique y est confrontée pour mettre l'interlocuteur en contradiction avec lui-même ou bien pour l'entraîner sur une voie qui l'effraie.

La question posée dès le début est claire : quel est le métier de Gorgias ? Quel nom faut-il donner à son art[1] ? S'il fabriquait des chaussures, on le dirait cordonnier ; s'il pratiquait le même art que son frère Herodios, on conviendrait de l'appeler médecin ; s'il exerçait le même art qu'Aristophon, il faudrait l'appeler peintre (447 d-448 c). Comme Pôlos ne répond pas à la question et se contente d'affirmer que Gorgias pratique le plus beau de tous les arts, Socrate ouvre immédiatement les hostilités : « Le langage même de Pôlos me prouve qu'il s'est exercé, plutôt qu'au dialogue, à ce qu'on appelle la rhétorique[2]. » Le premier usage du terme est donc péjoratif ; il équivaut même à une injure. On sent dès lors quelle va être la coloration du dialogue et que la réponse de Gorgias : « Mon art est la rhétorique », est déjà disqualifiée.

Toutefois, Socrate ne peut pas se débarrasser du problème d'un simple revers de main. La critique va devoir être affinée et précisée, et c'est Gorgias qui lui en fournira le socle en prétendant que la rhétorique est un art, un métier susceptible de former des orateurs. Car c'est là un registre qui est familier à Socrate, mais qui, pour Gorgias et ses compères, va se révéler être un piège. Piège protéiforme capable de broyer les propos des interlocuteurs. Si le tissage, par exemple, se rapporte à la fabrication des étoffes, la musique à la création des mélodies, alors la rhétorique, « de quel objet est-elle la science ? » (Traduction Robin : « À quelle réalité se rapporte la connaissance de cet art ? ») C'est la science des discours, répond Gorgias (449 d). Elle rend habile à penser et à parler. D'accord, mais cela ne suffit pas à la définir. Pourquoi ? La réponse va encore prendre appui sur le mode des *technai*. Parce qu'elle n'est pas la seule à remplir cette tâche : la médecine rend également habile à penser et à parler sur les maux des malades, la gymnastique, elle aussi, a pour objet des discours, ceux qui concernent la bonne ou la mauvaise disposition des corps. Alors, si d'autres arts comportent des discours, pourquoi ne pas les nommer eux aussi des rhétoriques ?

La distinction produite est donc sans effet. On est revenu au point de départ. Pour faire avancer la discussion, Socrate concède qu'il y a deux sortes d'arts : ceux qui pourraient se passer de la parole et se développer en silence, telles la peinture ou la sculpture, et ceux qui atteignent leur fin uniquement par la parole, comme « l'arithmétique, le calcul, la géométrie, la science des jeux du hasard et tant d'autres » (450 d). Parmi ces derniers, toi Gorgias, tu rangerais ce que tu appelles rhétorique et pourtant tu ne leur donnerais pas le terme de rhétorique. Alors il faut se demander si ces différents arts liés à la parole n'ont pas des objets distincts.

Il ne suffit pas de répondre que l'art de la rhétorique se différencie parce que ses discours portent « sur les plus grandes et les meilleures entre les choses humaines » (451 d). Car les plus grands biens, selon le poète, sont la santé, la beauté et la richesse. Or le médecin, le maître de gymnastique et le financier pourront prétendre apporter, dans chacun de ces domaines, un bien plus grand et meilleur.

Le même mode d'argumentation, par mise en rapport avec les arts, va être utilisé pour contrer Gorgias lorsqu'il propose de lier la rhétorique à l'art de persuader (452 e). Bizarre tout de même de faire entrer l'arithmétique, la géométrie, le calcul, les jeux de hasard dans le concert des *technai*. Mais Socrate ne se gêne pas. Il est prêt à annexer à son modèle toutes les formes d'activité humaine : « Revenons aux arts dont nous parlions tout à l'heure. L'arithmétique ne nous enseigne-t-elle pas ce qui se rapporte au nombre, ainsi que l'arithméticien (*o arithmètikos anthropos*) ? Donc elle nous persuade aussi... De sorte que la rhétorique n'est pas seule ouvrière de persuasion » (453 d-454 b). D'où une nouvelle question, mieux ciblée : « Quelle est la nature et l'objet de cette persuasion dont la rhétorique est l'art ? »

On pense que la référence aux *technai* a épuisé sa force d'argumentation. Il n'en est rien. Les arts vont rester présents sous deux traits qui les définissent : celui de la justice[3] et celui du savoir. D'abord, la justice. En réponse à la question : « Quelle sorte de persuasion est propre à la rhétorique ? », Gorgias répond : « La persuasion propre à la rhétorique est celle des tribunaux et des autres assemblées [...] et elle a pour objet le juste et l'injuste » (454 b). Ensuite, le savoir. Socrate introduit une distinction qui va disqualifier la rhétorique. Qu'est-ce que savoir, demande-

t-il, et qu'est-ce que croire ? Savoir et croire sont-ils une
seule et même chose ? Non, bien sûr. Alors, il faudra décider si la persuasion qui caractérise la rhétorique est du côté
du savoir ou du côté de la croyance. Conclusion : « La rhétorique serait donc, à ce compte, l'ouvrière d'une persuasion de croyance, non d'enseignement, sur le juste et
l'injuste. De telle sorte que l'orateur n'enseigne pas aux tribunaux et aux autres assemblées le juste et l'injuste, mais
leur suggère une opinion, et rien de plus » (455 a). Voilà
donc établi un premier trait qui sépare l'art rhétorique des
autres savoirs. L'art rhétorique n'a pas de rapport intrinsèque avec le savoir ; il n'a pas, comme les autres arts, de
savoir propre qui le définisse. C'est là une carence irrépara-
ble. Il y a plus grave : s'il veut transmettre quelque chose
concernant le juste et l'injuste, il peut certes en persuader,
mais il ne peut pas le donner comme vrai.

Pour provoquer Gorgias à se découvrir un peu plus,
Socrate reprend la question de la compétence en l'abordant
sous un autre biais, mais toujours avec les arts comme
pierre de touche[4]. Puisque la rhétorique entretient une relation spéciale avec les assemblées, demandons-nous comment les arts y sont traités. Par exemple, comment y
choisit-on un médecin (455 b) ? Évidemment en posant la
question à un expert et certainement pas à un orateur qui
n'y connaît rien en médecine. Même chose pour choisir un
architecte, s'il s'agit de construire un mur, ou pour choisir
un général s'il est question de ranger une armée en bataille.
Toujours cette idée fondamentale pour Socrate : entre
connaissance et effectuation (l'équivalent de savoir et vertu
propre), il n'y a pas de différence. S'il y en a une, on est
dans la fausseté.

Gorgias n'est pas déconcerté. Il ne s'aperçoit même pas
qu'il prend un risque. Le choix des experts ? Rien n'est plus
facile pour un orateur. C'est lui qui en décide ou plutôt c'est

lui seul qui l'est : « Si tu savais tout, Socrate, tu verrais que
la puissance de la rhétorique englobe en elle-même, pour
ainsi dire, et tient sous sa domination toutes les puissances.
Je vais t'en donner une preuve frappante. Il m'est arrivé
maintes fois d'accompagner mon frère ou d'autres médecins
chez quelque malade qui refusait une drogue ou ne voulait
pas se laisser opérer par le fer et le feu, et là où les exhorta-
tions du médecin restaient vaines, moi je persuadais le
malade, par le seul art de la rhétorique. Qu'un orateur et un
médecin aillent ensemble dans la ville que tu voudras : si une
discussion doit s'engager à l'assemblée du peuple ou dans
une réunion quelconque pour décider lequel des deux sera
élu comme médecin, j'affirme que le médecin n'existera pas
et que l'orateur sera préféré si cela lui plaît. Il en serait de
même en face de tout autre artisan » (456 b-c).

Gorgias n'en concède pas moins, dans ce qui suit, que
cette puissance doit être utilisée avec justice, à l'instar de
l'habitué de la palestre qui ne doit se servir de sa force que
pour se défendre des ennemis ou des méchants. Bien que
l'orateur puisse « dépouiller de leur gloire les médecins et
les autres artisans », il se doit de pratiquer et d'enseigner
son art « en vue d'un usage légitime » (457 b-c).

Ayant compris que Gorgias lui avait donné l'une des
deux branches de la tenaille dans laquelle il allait l'enserrer
– la rhétorique se passe de la compétence[5] et donc elle n'est
pas un art –, Socrate peut donc se permettre de faire diver-
sion en proclamant son désir d'être réfuté s'il parlait mal et
en demandant sur ce point l'assentiment de l'interlocuteur.
Ensuite il reprend son argumentation. Tout en s'appuyant
sur le discours de Gorgias, il va l'infléchir, mais toujours et
de nouveau à l'aide du savoir de l'artisan. Socrate accepte
l'affirmation de Gorgias selon laquelle la puissance de la
rhétorique supplante tous les arts. Il faut alors en tirer les
conséquences.

Côté savoir d'abord. Si l'orateur persuade la foule, il persuade des ignorants, car jamais un expert dans un art ne se laisserait persuader de ce qui serait contraire à son art. « Ainsi, c'est un ignorant parlant devant des ignorants qui l'emporte sur le savant, lorsque l'orateur triomphe du médecin. [...] À l'égard des autres arts aussi, l'orateur et la rhétorique ont sans doute le même avantage : la rhétorique n'a pas besoin de connaître la réalité des choses ; il lui suffit d'un certain procédé de persuasion qu'elle a inventé, pour qu'elle paraisse devant les ignorants plus savante que les savants » (459 b). Gorgias ne s'aperçoit pas de la menace que portent ces conclusions ; il reste ébloui par son propre savoir-faire : « N'est-ce pas une merveilleuse facilité, Socrate, que de pouvoir, sans aucune étude des autres arts, grâce à celui-là seul, être l'égal de tous les spécialistes (459 c) ? »

Côté justice, le raisonnement va prendre une autre forme. On vient de voir que la première branche de la tenaille dans laquelle Socrate enserre son interlocuteur se formule ainsi : la rhétorique se passe de la compétence, c'est-à-dire se contente de son illusion. L'autre branche devrait s'énoncer : le rhéteur se moque de la justice. Mais Socrate ne peut se laisser aller à supposer que, par un certain art de la rhétorique, on puisse fabriquer une illusion de science de la justice. C'est pourtant cela que l'on serait en droit d'attendre en écho de ce qui vient d'être dit du savoir. À un savoir frelaté devrait répondre une justice du même type. Si Socrate avait laissé Gorgias s'aventurer sur ce terrain, ce dernier n'aurait fait que répéter ce qu'il avait dit plus haut, à savoir que le pouvoir de la rhétorique peut, mais ne doit pas être utilisé en vue de l'injustice. Donc qu'il n'y a pas de lien intrinsèque entre rhétorique et justice. Alors, Gorgias aurait été cohérent ; il ne se serait pas mis en contradiction avec lui-même. Les deux hommes se seraient séparés sur un constat de discordance.

LA RHÉTORIQUE N'EST PAS UN ART

Or Socrate veut le réfuter, donc l'amener à se contredire. Avec l'air innocent qu'on lui connaît, il va donc faire dire à Gorgias le contraire de ce qu'il pense : l'orateur ne peut pas pratiquer son métier s'il n'est pas attaché à la science de la justice, « l'homme qui sait la rhétorique est nécessairement juste » (460 c). Comment Socrate s'y prend-il pour en arriver là ? En deux temps, d'abord par le rappel qu'il y a un lien indissoluble entre un métier et ce qui spécifie l'homme qui le pratique, puis en faisant de la justice un métier[6]. Il vaut la peine de citer intégralement le passage : « G. Je crois, Socrate, que si l'on ignorait ces choses auparavant (celles qui portent sur le juste et l'injuste), on les apprendra, elles aussi, auprès de moi. S. Il suffit : voilà qui est bien parlé. Pour que tu puisses faire de ton disciple un orateur, il faut qu'il connaisse le juste et l'injuste, soit qu'il ait acquis cette connaissance antérieurement, soit qu'il l'ait reçue de toi par la suite. G. Parfaitement. S. Mais quoi ? Celui qui a appris l'architecture est architecte, n'est-il pas vrai ? G. Oui. S. Et musicien, celui qui a appris la musique ? G. Oui. S. Médecin, celui qui a appris la médecine, et ainsi de suite : quand on a appris une chose, on acquiert la qualité que confère la science de cette chose ? (Trad. Robin : quand on a appris chaque discipline, on est alors, chacun, l'espèce d'homme que réalise la connaissance de cette discipline.) G. Évidemment. S. À ce compte, celui qui sait le juste est juste ? G. Sans doute. S. Et celui qui est juste agit selon la justice ? G. Oui. S. Ainsi l'homme qui sait la rhétorique est nécessairement juste, et le juste ne peut vouloir agir que justement ? »

Socrate n'est nullement ici un fin discoureur qui se contente de rendre explicite la pensée implicite de l'autre. Bien plutôt, il contraint l'interlocuteur à acquiescer à ce dont lui est convaincu : on a appris la justice comme l'architecte l'architecture, le médecin la médecine ou le musicien la musique et il s'ensuit que la qualité propre à chaque art lui

colle à la peau. Ce genre de parallèle suppose de faire de la
justice un art. Si la justice, en effet, n'est pas un art, elle ne
sera pas fatale, impossible à trahir. Or c'est bien ce à quoi il
faut aboutir : à l'impossibilité de ne pas agir justement.

Mais comment peut-on dire que la justice est un art ? Il
le faut, sinon le raisonnement ne tient plus et le vouloir peut
échapper à l'action juste. Socrate n'en donne aucune preuve
au sens où ce serait, comme nous l'attendons, la conclusion
d'un raisonnement déductif. La preuve, dans le dialogue, est
fournie grâce à l'usage de la parataxe, c'est-à-dire que la position respective des mots et des phrases tient lieu de liaison et
produit le sens[7]. Il suffit de glisser la justice entre deux tran-
ches d'art pour que le tour soit joué, ici dans le dialogue qui
vient d'être cité, entre architecture, musique, médecine d'une
part et rhétorique d'autre part. Si la justice n'était pas considérée comme un art, c'est toute la série des arts mentionnés
qui serait invalidée comme arts. L'architecture, la musique, la
médecine ne seraient plus des arts. Ce qui est impossible.

Pourquoi la rhétorique est-elle considérée ici comme
un art ? Cela contredit ce qui précède et ce qui va suivre,
car le dialogue est fait tout entier pour le disqualifier. Mais
ici, pour les besoins de la controverse, il faut que la rhétorique soit un art afin qu'elle passe un moment comme liée
intrinsèquement à la justice et que, en conséquence,
Gorgias, qui lui aussi accepte un moment cette position, en
arrive à contredire ses affirmations précédentes. Les tours
et détours de la pensée de Socrate sont comme des fils qui
tissent autour de l'interlocuteur un filet qui devient un
piège. En un mot, pour rendre inévitable la réfutation,
Socrate doit faire dire à Gorgias le contraire de ce qu'il
pense et de ce qu'il vient d'affirmer. Impossible de ne pas
apprécier son fair-play.

On pourrait exprimer la contradiction dans laquelle
tombe Gorgias en des termes plus immédiatement intelligi-

bles pour nous. Tu dis, Gorgias, d'une part que la rhétorique peut être utilisée tantôt justement tantôt injustement et
d'autre part que la rhétorique est un art. Or cela est contradictoire : car si la rhétorique n'est pas liée intrinsèquement
à la justice, alors elle n'est pas un art. Mais ce dernier
membre de phrase ne pouvait pas encore être exprimé,
parce qu'il aurait fallu dire alors quelle était la nature propre de la rhétorique. Cela viendra plus loin et nécessitera
l'apparition d'un autre interlocuteur. Socrate devait donc
faire taire Gorgias par un autre moyen en tirant les conséquences d'une hypothèse selon laquelle la rhétorique était
un art, donc liée indissolublement à la justice.

On soupçonne ici déjà une autre raison pourquoi la
justice doit être un art. Le thème sera repris plus tard dans
le dialogue[8] (509 d-e), mais il est déjà décelable ici. La
réponse juste à une question ou à un événement ne saurait
être le fruit d'une délibération ou d'une décision, c'est-à-
dire qu'elle ne saurait en aucun cas relever de la volonté.
Elle doit être l'effet d'une qualité propre. Et encore c'est là
une expression inadéquate. Elle est une qualité propre,
mieux encore : elle est la qualité propre, la vertu, comme
vertu propre de l'homme, propre à l'homme comme effet de
sa compétence d'homme et de son savoir d'homme. Le mot
arétè n'apparaît pas dans ce passage. Mais la formule qui
est proposée est peut-être encore plus forte pour dire l'équivalence entre savoir et vertu : « Celui-ci [l'homme de l'art]
est ce que la connaissance en fait » (460 b). D'où l'importance des arts comme archétype de l'existence parce qu'on
y est ce que l'on pratique[9].

Fondamentalement, la rhétorique n'est donc pas un art
parce qu'elle est découplée de la justice ; de la justice
comme vertu propre. Mais, ce qui revient au même, elle ne
l'est pas parce qu'elle n'est pas soumise à la réalité, parce
qu'elle est capable de supplanter toutes les compétences.

« La rhétorique n'a pas besoin de connaître la réalité des
choses. » Ou bien (traduction Robin) : « Ce que sont en
elles-mêmes les choses, quelle est leur manière d'être, voilà
quelque chose que l'art oratoire n'a pas du tout besoin de
savoir » (459 b) (*auta pragmata ouden dei autèn eidenai
opôs eckeï*). N'avoir pas de lien avec la réalité, ne pas savoir
ce que sont les choses, c'est cela même l'injustice. Commettre l'injustice, c'est ne pas être ce que l'on est, parce que
c'est ne pas mettre en œuvre la qualité humaine. Ne pas
pratiquer la justice, c'est aller à l'encontre de ce qui est ; la
pratiquer, c'est laisser l'*ousia*, l'essence, produire ce qu'elle
est[10]. *On n'est plus du tout alors dans la morale, mais dans
une sorte de métaphysique en acte.* Quand on fait reproche à
Socrate de ne pas quitter les rivages des *technai* et, en
conséquence, de ne pouvoir conduire l'*arétè*, la vertu,
jusqu'à la constitution du concept, on ne voit pas que le
modèle de l'art est l'icône qui réalise l'unicité du savoir et
de l'effectuation. Dans ce registre, ce qui est connu est
accompli. Ainsi en est-il du métier d'homme. Ou on le pratique ou on ne le pratique pas. Il n'y a pas ici de degré.
Rendre quelqu'un meilleur, c'est le faire accéder à cette
unité. Les commentateurs pourront penser qu'il est question ici de la *phronésis*[11], de la prudence ou de la *sophro-
sunè*, de la sagesse. Mais, pour Socrate, comme on l'a vu à
la fin du *Charmide*, la sagesse est un rêve. Il préfère nous
proposer comme modèle quelque chose d'aussi complexe,
mais d'aussi simple en son accomplissement que l'analogue
du métier de cordonnier ou de foulon. Ce métier d'homme
que l'on a toujours pratiqué depuis la naissance et que l'on
n'a pas à apprendre.

   Gorgias, convaincu de s'être contredit, est réduit au
silence. Furieux de la façon dont Socrate a procédé, Pôlos
s'introduit dans le dialogue. Puisque Gorgias a été incapable de définir la rhétorique, c'est à Socrate de le faire. À la

question de Pôlos : « Quelle sorte d'art est la rhétorique ? »,
il répond : « Je ne la considère pas du tout comme un art »
(462 b). Comme si c'était là la conclusion de tout le dialogue avec Gorgias. Alors en quoi consiste-t-elle ? Pour
répondre, Socrate va continuer à se référer à l'art, en
confrontant la rhétorique avec les deux versants dont l'art
est constitué. Autrement dit : qu'en est-il de la rhétorique
dans son rapport au savoir et qu'en est-il d'elle dans son
rapport à la justice ?

La rhétorique n'est pas un savoir. « Je dis qu'elle est
non un art, mais un empirisme, parce qu'elle n'a pas, pour
offrir les choses qu'elle offre, de raison fondée sur ce qui en
est la nature, et qu'elle ne peut, par suite, les rapporter chacune à sa cause. Or, pour moi, je ne donne pas le nom d'art
à une pratique sans raison (*alogon pragma*) » (465 a). Cet
empirisme fait ressembler la rhétorique à la cuisine ; elle
est une flatterie qui vise à l'agrément et au plaisir. Elle est
aussi « le fantôme d'une partie de la politique » (463 c).

Côté justice, Socrate ne va pas dire en quoi la rhétorique s'en trouve séparée. Il va traiter la question par un procédé semblable à celui qu'il avait utilisé avec Gorgias. Il
avait lié l'orateur à la justice de manière indissociable. Il
porte ici à l'incandescence sa propre conception de la justice et demande à la rhétorique de s'y confronter. Cette dernière devra montrer son utilité, dire en quoi elle peut servir
la justice. On connaît les thèses socratiques la concernant :
commettre l'injustice est le plus grand des maux, il est préférable de la subir plutôt que de la commettre (474 c-475 e),
rien n'est pire que de ne pas expier ses fautes (476 a-478 e).
Au regard de ces exigences, à quoi donc en est réduite la
rhétorique ? « Par conséquent, s'il s'agit de nous défendre
nous-mêmes en cas d'injustice, ou de défendre nos parents,
nos amis, nos enfants, notre patrie lorsqu'elle est coupable,
la rhétorique, Pôlos, ne peut nous être d'aucun usage ;

à moins d'admettre au contraire que nous devions nous en
servir pour nous accuser d'abord nous-mêmes, ensuite
pour accuser ceux de nos parents et de nos amis qui se ren-
draient coupables, sans rien cacher, en mettant plutôt la
faute en pleine lumière, de telle sorte que le coupable se
guérisse par l'expiation... Toujours le premier à s'accuser
soi-même ainsi que les siens ; orateur à cette seule fin de
rendre la faute évidente pour se mieux délivrer du plus
grand des maux, l'injustice » (480 b-d).

Pôlos est d'avis que cette conclusion est « insolite »
(*atopos*) même s'il l'accepte parce que les preuves apportées
par Socrate l'ont convaincu. Car la justice délivre de
l'intempérance, comme l'art de la finance délivre de la pau-
vreté et l'art de la médecine de la maladie (478 a).

Ce n'est pas le lieu de s'étendre sur les thèses de
Socrate concernant la justice, qui conduisent à ne supporter la rhétorique que si, loin de défendre les accusés, elle
plaide pour leur condamnation. Cette intransigeance de
Socrate se retrouve ailleurs. Mais on ne peut s'empêcher de
se poser la question suivante : comment est-il possible de
concilier ce qui est dit maintes fois de la justice inscrite
dans l'art, c'est-à-dire adéquation au réel et juste savoir,
avec cette justice exacerbée et fanatique ? Il se pourrait que
la réponse soit assez simple.

La compétence du métier d'homme est-elle intelligible
pour quelqu'un qui n'en a jamais fait l'expérience ? De
l'intérieur de la compétence dont il ne sort pas, Socrate
cherche à dire ce qui ne se dit pas. Ou, plus grave et plus
périlleux, il veut dire à ceux du dehors ce qui est l'élémen-
taire de son expérience. Il a tort, car les traits dont il va
user ne pourront jamais dessiner autre chose qu'une caricature. En passant d'un bord à l'autre, la justesse devient
méconnaissable : elle est la justice dans sa rigidité et sa violence. La justesse a voulu se faire comprendre, mais, dans

le monde des incompétents, elle s'est trouvée contrainte à exagérer et même à devenir un peu grossière. C'était le seul moyen de se faire comprendre ou d'être sûr de ne pas se faire comprendre.

Quand il entend la justesse parler de justice, Calliclès crie à la révolution : « Toute la vie humaine va se trouver sens dessus dessous » (481 c). Il a raison, mais il a raison dans la mesure où il ne comprend rien. Il a quelqu'un devant lui qui lui parle un langage qui s'est déformé lors du passage de la frontière, comme il arrive des noms d'immigrés que l'officier d'état civil inscrit sur ses registres. Incapable d'épeler ce qui vient d'une autre culture, d'une autre phonétique, d'une autre orthographe, il le réinvente dans sa propre langue et il les rend méconnaissables. Socrate est comme cet immigré qui ne peut être entendu. Lorsqu'il parle de justesse, Gorgias, Pôlos, Calliclès entendent justice et justice accablante. Comme si ce n'était plus lui qui prononçait ces extravagances, mais que c'étaient eux qui, ne les comprenant pas, les traduisaient en folie.

Du point de vue de la fin, pour reprendre encore une fois le propos d'Aristote, c'est-à-dire du point de vue de l'accomplissement, il n'y a que la justesse et donc pas de morale et pas de bien et de mal. Tout cela coule de source. Mais, si l'on quitte le point de vue de la fin pour revenir au souci d'un but et des moyens pour l'atteindre, alors c'est très différent. Il n'y a plus d'intelligence des situations et des circonstances qui dise ce qu'il faut entreprendre ou éviter. Dans le monde des incompétents, il faut des règles, il faut des balises. Mais ces règles et ces balises sont molles et variables. Si vous y faites entrer un Socrate qui se moque de vos précautions et si vous le laissez définir dans votre pays ce qui vaut pour le sien, il va vous proposer des exigences insupportables. Il n'y peut rien. Pour lui, le réel est parfait, puisqu'il existe, et il s'y meut comme un poisson

dans son milieu. La contrainte est sa liberté. En changeant
de lieu, son savoir et sa justesse, qui, dans son art, ne font
qu'un, se sont mués en principes insensibles aux circonstances et aux personnes. Ils se sont séparés, ils ne sont plus
que des morceaux de bois mort sans possibilité de se rapprocher les uns des autres et de se donner réciproquement
une place. Socrate apparaît sans nuance, rigide et brutal,
parce qu'il avait été contraint de dire ce qui ne devrait pas
se dire. S'il parle de morale alors qu'il est dans le point de
vue de la fin, son langage se dérègle et ses interlocuteurs
ont raison de lui dire qu'il ne va pas bien, qu'il se comporte
comme un niais ou comme un enfant.

En un mot, *les thèses de Socrate sont extravagantes
parce que, prononcées de l'intérieur d'une expérience, elles
sont entendues à l'extérieur.* Qu'il n'y ait rien de pire que de
commettre l'injustice, ce n'est pas parce que ce serait mal
de le faire et Gorgias et Pôlos et Calliclès ont bien raison de
souligner que l'on peut en tirer quelques profits ; c'est que
de tels agissements sont incompatibles avec une manière
d'exister qui n'impose rien au cours de la vie, mais en
épouse tous les méandres. Qu'il faille expier ses fautes, cela
peut paraître en lien avec une punition méritée, alors qu'il
faut aller chez le juge comme on irait chez le médecin
(480 b), c'est-à-dire pour être reconduit dans son propre
lieu. Celui qui est dans sa place n'a aucun besoin d'indications ou d'impératifs. De cette place, tout le reste s'ensuit.
Seulement de temps à autre il est enclin à s'en écarter. Il lui
faut alors un démon qui le repousse chez lui. Démon qui ne
propose rien, qui n'inspire rien, dont le rôle est purement
d'interdire un chemin qui conduirait dehors.

Après Gorgias et Pôlos, c'est à Calliclès d'intervenir. Le
ton de l'entretien n'est plus le même. Déjà, avec Pôlos,
Socrate s'était laissé aller à de longs discours, échappant à
l'exigence de brièveté qu'il revendique sans cesse. Mainte-

nant, celui qui fait face à Calliclès pourrait bien avoir abandonné l'arène à Platon. Mais peut-être est-ce Calliclès lui-
même qui dérègle la machine dialogique. Socrate ne réussit
pas à interrompre les développements de son interlocuteur
et pas davantage à mettre en place ses raisonnements établis à l'aide des arts. Calliclès ne se laisse pas entraîner sur
ce terrain : « Que nous chantes-tu avec tes manteaux
(490 d) ? » « Par tous les dieux, ce ne sont vraiment que cordonniers, foulons, cuisiniers et médecins qui remplissent tes
discours, comme si c'était de ces gens-là que nous parlions
(491 a) ! » Ce que Calliclès veut justifier, ce sont les prises
de position des politiques. Socrate ne se presse pas de les
affronter et il s'attarde sur sa conception des manières de
vivre. Il y viendra tout à l'heure et ce sera pour laisser entendre qu'il n'y a rien de bon à attendre de ces gens-là. Est-ce
encore Socrate qui parle ou n'est-ce pas déjà Platon qui
commence à régler ses comptes avec eux (515-522) ?

Paradoxalement, c'est ici que l'on trouve les textes les
plus explicites sur la justesse qui est incluse dans les arts.
Comme ici par exemple : « Il en est de l'homme vertueux (o
agathos anèr) comme des autres artisans (dèmiourgoi) : chacun de ceux-ci, le regard fixé sur sa tâche propre, loin de
recueillir et d'employer au hasard les matériaux qu'il
emploie, vise à réaliser dans ce qu'il fait un certain plan.
Considère, par exemple, les peintres, les architectes, les
constructeurs de navires et tous les autres artisans, prends
celui que tu voudras, tu verras avec quel ordre rigoureux
chacun dispose les divers éléments de son œuvre, les
forçant à s'ajuster harmonieusement les uns aux autres,
jusqu'à ce qu'enfin tout l'ensemble se tienne et s'ordonne
avec beauté » (503 d-e).

Ou encore un peu plus loin : « La qualité propre à chaque chose, meuble, corps, âme, animal quelconque, ne lui
vient pas par hasard : elle résulte d'un certain ordre, d'une

certaine justesse et d'un certain art (*technè*), adaptés à la
nature de cette chose » (506 d).

Mais peut-être n'y a-t-il là aucun paradoxe. Il est vraisemblable que c'est Platon qui fait ici la théorie de ce que
Socrate a seulement laissé entendre. Dans les dialogues dits
socratiques ou de jeunesse, Socrate utilise le modèle de
l'art, mais il n'expose pas les raisons de son emploi. Il ne
faudrait pas en conclure qu'il n'a pu faire accéder ce terme
à la dignité de concept. De cela, Socrate est peut-être incapable ou bien il n'en a cure. Il se contente de dire et de
répéter que, pour diriger convenablement sa vie, il n'est pas
nécessaire de faire appel à un bien qui serait supérieur ou
distinct de son propre métier et qu'il suffit de le pratiquer
selon les impératifs qu'il implique. Le sage n'a aucune autre
consistance que celle qui est dévolue au potier.

On pense que l'art n'est pas suffisant parce qu'on le
voit dans le rapport à sa production. Il serait fait pour
autre chose. Ce n'est pas ainsi que Socrate le conçoit : la
production de l'art est d'abord l'artisan qui, en pratiquant
son art, se pratique lui-même et exprime la chose qu'il est.
C'est une production sans doute, mais qui revient toujours
à elle-même. La production peut même être extérieure à
l'artisan, mais elle entre dans la justesse de ce pourquoi et
pour qui elle est produite. Elle sort de lui, mais elle y est
déjà revenue parce que ce qu'elle a produit est encore en
harmonie avec lui. Chaque note de musique résonne pour
les autres notes et c'est ainsi qu'elle reste en elle-même.
Comment pourrait-elle résonner toute seule ? Sa résonance
serait un non-sens. Un art n'est pas seul. Bien qu'il soit suffisant, il faut qu'il y en ait d'autres avec lui.

CHAPITRE 7

LA VERTU NE S'ENSEIGNE PAS

Hippocrate, enthousiasmé à la perspective d'une rencontre avec Protagoras, vient réveiller Socrate pour qu'il se rende immédiatement chez Callias qui le loge. Mais Socrate n'est pas pressé. Il prétexte attendre le lever du soleil et en profite pour donner une leçon de méfiance. Hippocrate sait-il bien ce qu'est un sophiste et quelles seraient les conséquences s'il lui confiait son âme ? Le questionnement va prendre appui ici, comme au début du *Gorgias*, sur la confrontation avec les arts. Si tu allais trouver ton homonyme Hippocrate de Cos, le fameux médecin, en vue de pratiquer son métier, c'est à titre de médecin qu'il recevrait ton argent (*Protagoras*, 311 c). Et si c'était Polyclète et Phidias, ce serait à titre de sculpteurs pour que toi-même tu deviennes sculpteur. En allant écouter Protagoras, ne serait-ce pas que tu veuilles devenir sophiste ? Hippocrate ne sait plus quoi dire, car cette seule évocation est infamante : « Au nom des dieux, est-ce que tu n'aurais pas honte de te présenter devant la Grèce en qualité de sophiste (312 a) ? »

Socrate va continuer à débiter des invectives pour dissuader son interlocuteur de suivre cette voie. L'enseignement des sophistes ne peut produire que des gens habiles à

parler (312 d). Mais si l'on s'interroge sur « l'objet à propos
duquel le sophiste rend habile à parler », on ne sait que
répondre. « Un sophiste, Hippocrate, ne serait-il pas un
négociant ou un boutiquier qui débite des denrées dont
l'âme se nourrit », mais dont on ignore l'usage et dont on
ne peut vérifier la qualité (313 c-314 b) ? La rhétorique, dans
le *Gorgias*, était mise à la même enseigne ; elle ne pouvait
recevoir le titre d'art et se trouvait comparée à la cuisine.

Ici le débat va prendre un autre tour. Socrate ne va pas
discuter de la sophistique pour savoir si c'est un art ou si ce
n'en est pas. C'est sur la possibilité ou non d'enseigner ce
qui fait de bons citoyens que va porter la discussion. En présence de son interlocuteur, Socrate ne s'autorisera plus les
critiques violentes et unilatérales. On aura droit à des
échanges de longs exposés pour Protagoras, de plus brèves
passes d'armes pour Socrate. Le point de départ est précis ;
il s'agit de venir en aide à un jeune homme qui cherche sa
voie. Hippocrate « désire se faire un nom dans la cité et il
estime que le plus sûr moyen d'y réussir est de te fréquenter » (316 c). Protagoras n'a pas d'hésitation. Il prétend,
quoique étranger, pouvoir agir comme sophiste, sans se
cacher dans la poésie comme Homère, dans les initiations et
les prophéties comme Orphée, dans la gymnastique comme
Iccos de Tarente ou dans la musique comme Agathocle.
C'est donc bien un sophiste sans masque que nous allons
rencontrer. Il promet au jeune homme que, chaque jour, à le
fréquenter, il sera meilleur que la veille (318 a). Toujours en
passant par les arts, Socrate demande en quoi Hippocrate
sera rendu meilleur. La question ne se poserait pas s'il allait
voir Zeuxippe. Dans ce cas, il progresserait en peinture. Ou
Orthagoras, et ce serait dans l'art de la flûte. Que propose au
contraire Protagoras ? Il se refuse à enseigner des disciplines spéciales, comme le calcul, l'astronomie, la géométrie, la
musique. L'objet de son enseignement, « c'est le bon conseil

touchant les affaires qui le concernent proprement : savoir
comment administrer au mieux les affaires de sa maison à
lui, et, pour ce qui est des affaires de l'État, savoir comment
y avoir le plus de puissance, et par l'action, et par la parole »
(318 e-319 a). (À partir d'ici, traduction de L. Robin.)

Pour être sûr d'avoir bien compris, Socrate reformule
le propos : « Est-ce effectivement de l'art d'administrer les
cités que tu parles, et dis-tu que tu te fais fort de former
des hommes qui soient de bons citoyens ? » Comme
Protagoras n'a pas d'objection, Socrate affirme, en y glis-
sant le doute, l'opposition qui va courir tout au long du dialogue : « Comme elle est belle la discipline qu'alors tu possèdes comme objet de ton enseignement, [...] si toutefois tu
la possèdes (car, à toi, il ne sera rien dit d'autre sinon ce
que, strictement, je pense !). Moi en effet, Protagoras, je ne
croyais pas que cela pût s'enseigner, et, d'autre part, je me
sens incapable de douter de ce que tu dis (319 a-b) ! »

Voici quelle preuve en est donnée : si on ne l'enseigne
pas et si on ne peut pas la transmettre, c'est qu'elle ne relève
pas d'un art, d'un métier. « Or la raison qui m'induit à penser que cela ne s'enseigne pas, que cela n'est pas non plus
quelque chose que des hommes puissent fournir à d'autres
hommes, cette raison, il est juste que je la dise. Les Athéniens en effet, vois-tu, je suis d'accord avec le reste des Grecs
pour les déclarer des gens avisés. Cela dit, quand nous nous
réunissons pour l'Assemblée, je les vois, dans le cas où il y a
besoin pour l'État de projeter quelque entreprise d'architecture, appeler à eux les architectes en consultation sur les
questions d'ordre architectural, et, dans le cas où il s'agit de
construire des navires, appeler les constructeurs de navires ;
et de même dans tous les autres cas où il s'agit, pensent-ils,
de choses qui s'apprennent et qui s'enseignent (319 b-c). »

Voilà donc comment ils procèdent à propos des choses
qui, à leur avis, sont d'ordre technique. Mais, quand il y a

besoin de délibérer sur les affaires qui intéressent l'administration de l'État, alors se lèvent, pour leur donner ses
conseils sur ces matières, aussi bien un charpentier, aussi
bien un forgeron, un cordonnier, un négociant, un arma-
teur, un riche ou un pauvre, un noble ou un manant »
(319 d).

« Il y a plus : ce n'est pas seulement à l'égard des affaires publiques qu'il en est ainsi ; mais, dans le privé, les plus
avisés et les meilleurs citoyens que nous ayons sont incapables de transmettre à autrui ce mérite (cette vertu de bon
citoyen) qu'ils possèdent. Ainsi, Périclès, le père de ces deux
jeunes hommes, les a, pour tout ce qui relevait d'un enseignement donné par des maîtres, élevés dans la perfection ;
mais, pour ce en quoi il est personnellement habile, pour
cela, ni il ne fait en personne leur éducation, ni il ne la
confie à quelqu'un d'autre. Au contraire, pareils à un bétail
sacré, ils paissent de droite et de gauche à leur fantaisie, en
cas que d'aventure, spontanément, ils rencontrent quelque
part le mérite [...]. J'en suis arrivé à croire que la vertu ne
peut s'enseigner » (319 e-320 b).

L'argumentation de Socrate repose donc sur la conviction que la compétence politique ne peut s'enseigner parce
que ce n'est pas un art. Il distingue nettement ce qui peut
s'enseigner, qui relève d'un maître, et la vertu d'humanité
qui est rencontre de hasard. On peut s'étonner de cette formulation, puisque la vertu ou la justice, comme on l'a vu
dans plusieurs dialogues, sont assimilées à un art. Il n'y a
pas de raison, en effet, pour que l'être bon citoyen, la vertu
politique, échappe à cette règle. Socrate se contredirait
donc ou du moins on devrait reconnaître qu'un dialogue,
sur ce sujet, dirait blanc et un autre noir. S'il n'est pas possible de lever pour l'instant cette objection, il suffit de la
tenir en réserve et d'attendre que le dialogue nous éclaire à
ce sujet.

Au discours de Socrate, Protagoras va répondre avec maestria, d'abord par le récit d'un mythe et ensuite par la reprise point par point de l'argumentation de Socrate. Voici le mythe : les dieux ont chargé Prométhée et Épiméthée de distribuer convenablement toutes les qualités dont devraient être pourvues les races mortelles (320 d). Épiméthée se charge de la besogne. Il donne sans trop compter aux différents animaux, mais il ne lui reste plus grand-chose quand il arrive à l'homme. Prométhée, pour corriger cette étourderie, va voler à Héphaestos et à Athéna les arts du feu et les autres arts. Mais, parmi eux, la justice et le sens de l'honneur[1] auront un traitement à part : tous les hommes les recevront alors que certains seulement seront médecins, architectes ou cordonniers (322 d).

Cette distinction permet à Protagoras de dire son accord avec Socrate : quand on interroge l'Assemblée sur ce qui relève d'une technique, c'est le professionnel qui a droit à la parole. S'il s'agit de prendre conseil sur une question de politique, tout homme et donc tout citoyen dispose des capacités nécessaires pour répondre (322 e-323 c). On retrouve là, dans la bouche de Protagoras, bien que sous une autre forme, la thèse socratique qui fait de la justice la caractéristique première de l'humain : « Tout le monde doit se déclarer juste, qu'il le soit ou qu'il ne le soit pas, puisqu'il n'y a personne qui n'en participe sans quoi il n'appartiendrait pas à l'humanité » (323 b). À une nuance près cependant, car, aux yeux de Socrate, nul ne peut simuler la justice ; il s'y trouve qu'il le veuille ou non.

À partir de ce point d'accord, les deux interlocuteurs divergent. Puisque tous les hommes sont doués de justice et d'honneur, cela ne peut venir, pour Socrate, que de la nature ou du hasard (320 a) et donc on n'a pas à les enseigner. Pour Protagoras, que chacun ait sa part de justice n'entraîne pas qu'elle ne puisse être enseignée. Il suffit de raisonner par le

négatif : si l'on juge qu'un défaut est de l'ordre de la nature ou
du hasard, on n'a pas à s'en irriter. Au contraire, si c'est un
défaut d'apprentissage, on devra infliger une correction.
« Cela montre que les hommes considèrent la vertu comme
une chose qui s'acquiert » (324 a) (de nouveau traduction
Belles Lettres). Protagoras a donc raison de formuler une
première conclusion : « Je crois t'avoir suffisamment démontré, Socrate, que tes compatriotes n'ont pas tort d'écouter sur
la politique les avis du forgeron ou d'un corroyeur et, en
second lieu, qu'ils jugent que la vertu peut s'enseigner et se
transmettre » (324 c). Les termes du malentendu sont désormais clairement posés : Protagoras place la question dans une
perspective d'apprentissage, alors que, comme on l'a déjà vu
et comme on le verra ici, Socrate ignore systématiquement ce
point de vue au profit de celui de l'apprentissage terminé.

   Protagoras doit encore répondre à une autre objection
de Socrate : « Pourquoi les hommes vertueux peuvent bien
enseigner à leurs fils les choses qui relèvent d'un maître et
les y rendre habiles, mais sont incapables au contraire, en
ce qui concerne la vertu où ils excellent eux-mêmes d'y
assurer à leurs fils aucune supériorité (324 d) ? » Une fois
de plus, Protagoras est, au début, d'accord avec Socrate.
Pour que l'existence d'une cité soit possible, il faut non seulement que les différents arts y soient représentés, mais que
tous participent à une chose unique, justice, tempérance,
piété, « en un seul mot la vertu propre de l'homme »
(325 a). Cette convergence posée, les deux interlocuteurs
divergent sur le point de savoir si cette capacité humaine
peut être enseignée. On se souvient que Socrate avait réglé
la question en mentionnant l'impuissance de Périclès comme
père et comme tuteur (320 a). Donc, la réponse était négative. Protagoras, pour prouver le contraire, s'engage dans
une leçon de pédopsychologie. Si la vertu ne s'enseigne pas,
pourquoi la nourrice, la mère, le précepteur, le père sont

LA VERTU NE S'ENSEIGNE PAS   133

infatigables pour expliquer au petit enfant à distinguer le juste et l'injuste, et pourquoi, après l'école, la cité prend la relève de cette éducation (325d-326 e) ?

Reste à répondre à une dernière objection : « D'où vient donc que tant d'hommes de mérite aient des fils médiocres ? » C'est au tour de Protagoras d'utiliser le modèle des arts pour développer la réfutation. Aujourd'hui, affirme-t-il, « la justice et les lois sont enseignées à tous sans réserve et sans mystère, à la différence des autres métiers » (327 b), lesquels nécessitent une spécialisation et donc ne s'adressent qu'à quelques-uns. Mais supposons qu'un art, par exemple celui de flûtiste, soit enseigné à tous avec l'empressement que l'on met à transmettre la justice, « est-ce que par hasard on verrait le plus souvent les fils des bons flûtistes l'emporter sur ceux des mauvais ? ». Dans certains cas oui, mais dans d'autres non. De toute façon, l'enseignement de la vertu qui est donné dans votre cité (Protagoras est d'Abdère, un port à l'est de la Macédoine) rend déjà les citoyens bien meilleurs que les sauvages qui sont laissés à eux-mêmes. « Or, si maintenant, Socrate, tu fais le difficile, c'est que la vertu est enseignée par tout le monde, par chacun dans la mesure où il en est capable, et que tu n'en aperçois aucun maître. C'est comme si tu cherchais le maître qui nous a enseigné à parler grec : tu ne le trouverais pas » (327 e). Donc, la vertu propre de l'homme, bien qu'elle ait un statut spécial parmi les arts, peut être enseignée.

Socrate ne répond pas à la réponse ; il ne défend pas sa thèse. Il se contente d'une remarque désinvolte : « Jusqu'ici, j'avais toujours cru que ce n'était aucun effort humain (*anthropinè épiméleia*) qui rendait bons les hommes bons : maintenant je suis éclairé[2] » (328 e). Remarque nullement désinvolte : elle touche la question en son nerf. On n'a pas d'effort à faire pour être un humain. On l'est, un point c'est tout. Il faut et il suffit, pour que cela apparaisse, de se débarrasser de l'effort qui cache et étouffe la réalité et la vérité. Socrate semble ne pas défendre sa thèse parce qu'il ne raisonne pas comme le fait Protagoras. Le lecteur comprend bien la manière dont ce dernier procède : il raisonne, il argumente et il prouve. C'est lui le philosophe qui se situe dans la pensée et qui s'exprime avec méthode. Socrate a autre chose à faire : il doit *rendre compte d'une expérience*. Une expérience humaine ne se déduit pas, elle s'impose et se montre, et pour la montrer il faut en laisser apparaître les différents aspects. Pour cela, il faut d'abord faire exploser le raisonnement adverse, non par un contre-raisonnement, mais en faisant appel à un détail manquant : « Je suis éclairé, mais une légère difficulté m'arrête encore » (328 e). « Tu dis que la vertu peut s'enseigner, et je m'en rapporterais plus volontiers à toi qu'à personne. Mais je ne manque plus que d'une petite chose pour avoir tout (*smikrou tinos endeès eimi pant'ékein*) » (329 b).

Cette petite chose, ce détail encombrant, est évidemment une énorme chose dont on ne saisit pas du tout le rapport avec la question posée : « La vertu est-elle un tout unique ? » Protagoras, en passant, avait laissé entendre que la justice, la tempérance, la piété (*dikaiosunè*, *sôphrosunè*, *osion*) pouvaient être assimilées à la vertu propre de l'homme (*andros arétè*). Socrate va en profiter sans vergogne pour malaxer cette petite chose sous une multitude de formes. Les vertus sont-elles des parties ? Des parties homogènes ou hétérogènes ? Est-ce que l'existence de l'une entraîne celle de l'autre ? Est-ce qu'elles se ressemblent ou est-ce qu'elles ne se ressemblent pas ? Des pages et des pages ou des heures de distinctions pour en venir à les effacer. Mais où donc veut-il en venir ?

Si on y prête attention, on retrouve, dans ce dialogue sans merci, les deux fils tissés maintes fois ailleurs pour rendre compte de la vertu propre de l'homme. Un fil de trame pour manifester les traits de la vertu (329 c-331 c) et un fil de chaîne pour ceux de la connaissance sous l'égide de la sagesse (332 a-333 d). Socrate en revient une fois de plus à ses fondamentaux inséparables. À travers ces jeux d'interrogation clairs et confus, il cherche à produire des rapprochements entre des éléments qui finissent par se confondre : « Ainsi donc, la sagesse et l'habileté ne feraient qu'un ? Déjà la justice et la sainteté nous avaient paru d'abord bien près d'être une même chose » (333 b). La vertu ne se distingue plus du savoir.

Entre les deux rafales de questions visant l'une puis l'autre, Protagoras intervient pour tenter de remettre les choses en perspective et par là de se tirer des embrouilles socratiques : la diversité peut exister dans l'unité et la ressemblance dans la différence (331 d-e). Il développera le même point de vue à propos de l'utilité (334 a-c) en soulignant la variété des usages du mot. Ce qui aura le don d'exaspérer Socrate et le poussera à esquisser une sortie. Cependant, pour nous, c'est évidemment Protagoras qui a raison et qui fait de bonnes distinctions de bon sens.

L'un et l'autre sont des maîtres en subtilité, ce qui ne les empêche pas de se situer aux antipodes. Protagoras, par souci de clarté, met les mots à leur place et rappelle la bonne réalité évidente. C'est lui le philosophe rationaliste qui prend son temps pour expliquer les tenants et aboutissants d'une question. Il n'a besoin que d'un auditeur, et encore, il semble si plein de son sujet et de lui-même qu'il pourrait parler aux murs. Il s'oppose au simplisme (*cf.* 351 c-d) de Socrate : « Je ne sais trop, Socrate, si je dois te répondre par une formule aussi simple que celle de ta question. » Et il souligne ses confusions : « Il ne me semble pas du tout, Socrate, que la chose soit assez simple pour que je puisse t'accorder que la sainteté soit juste et la justice sainte, et je crois voir là quelque différence » (331 c).

Voici qui va éclairer leur divergence. Protagoras ajoute avec une certaine condescendance à l'égard de celui pour qui une formule en valait une autre : « Mais qu'importe ? Si tu y tiens, admettons que la justice soit sainte et la sainteté juste. » Une telle concession fatiguée a sur Socrate l'effet d'un choc électrique. Lui qui peut être si distant ou si détaché prend brusquement feu et flamme : « Jamais de la vie ! Je n'ai que faire des "si tu veux" et des "si ça te plaît", ce que je veux mettre à l'épreuve, c'est un "toi" et un "moi" » (331 c). Socrate a besoin d'un autre qui s'accorde avec lui pour qu'il s'accorde avec lui-même : « C'est la thèse que j'examine avant tout, mais il en résulte peut-être que j'examine du même coup et moi-même qui interroge et celui qui me répond » (333 c). C'est cela sa recherche de la vérité : trouver quelqu'un avec lequel il puisse s'entendre (*omologein*[3]). Sans doute il s'ingénie d'abord à égarer l'interlocuteur par une tempête de questions auxquelles il faut répondre brièvement, et si possible d'un mot, pour que soit effacé le temps de la réflexion. Mais, au bout du compte, ce qui lui importe, ce dont il a besoin, c'est de l'engagement personnel de l'autre.

Or, à ce sujet, le malentendu est total. Ce n'est pas seulement le contenu de leur pensée qui diverge. Protagoras insistant sur les distinctions nécessaires à l'utilisation convenable des mots, alors que, pour Socrate, c'est le rapprochement des significations qui importe. D'un côté, la hiérarchie des choses et des mots soigneusement posée, de l'autre la circulation des sens qui tous disent à leur manière la position dans l'existence : les vertus se rassemblent dans la vertu propre de l'homme et la sagesse, tout en étant un savoir, ne fait pas nombre avec cette vertu[4].

Mais cette divergence de pensée se prolonge dans une divergence sur le mode de discours ou d'entretien. Socrate se plaint de son peu de mémoire (334 d) pour justifier sa

demande de réponses brèves, mais c'est évidemment un
prétexte. Avec des réponses brèves, il peut harceler l'interlocuteur et changer à sa guise de registre et d'orientation
pour lui faire perdre pied et tête. Protagoras, qui accepte de
temps à autre cette règle du jeu, se récrie et veut lui aussi
imposer sa manière : « J'ai maintes fois, Socrate, en des lut-
tes de discours, rencontré des adversaires, et si j'avais fait
ce que tu me demandes, de parler moi-même selon le désir
de l'interlocuteur, si je m'étais plié à cette règle, je ne paraî-
trais supérieur à aucun autre et la renommée de Protagoras
ne remplirait pas la Grèce » (335 a).

Les deux adversaires campent sur leurs positions ; ils
n'ont donc plus qu'à se séparer. D'ailleurs, ils n'ont pas plus
envie l'un que l'autre de poursuivre la conversation. Mais
c'est Socrate le premier qui s'énerve : « Je n'ai pas le temps
et je ne serais pas capable de rester là auprès de toi tandis
que tu prolonges tes longs discours » (335 c). Il faut l'intervention de Caillias, leur hôte, et de quelques autres, pour
qu'ils consentent à reprendre le débat.

Avant que le rideau ne se lève pour le second acte, le
lecteur ne peut pas ne pas garder en réserve un étonnement : Socrate, au cours du long dialogue sur la vertu et la
sagesse, n'a pas répondu aux réfutations de Protagoras sur
l'impossibilité de leur enseignement. Il n'a même pas mentionné cette question. Ce défaut dans le dialogue s'ajoute à
l'objection faite plus haut dans l'usage contradictoire du
modèle de l'art. Il faut encore attendre pour répondre.

Donc le dialogue reprend. Socrate fait une concession
en proposant d'être le répondant et Protagoras le questionneur. Ce dernier accepte et propose de revenir au thème de
l'enseignement de la vertu mais en faisant un détour par la
poésie[5]. Il veut se tailler un succès en critiquant Simonide,

célèbre poète de leur temps. Critiquer, c'est, pour les
connaisseurs en poésie, montrer que le poète se contredit.
Or il est admis qu'un poème où gît une contradiction ne
peut être beau. Voici la contradiction que Protagoras prétend relever : Simonide dit à un moment que « devenir un
homme bon est chose difficile », mais un peu plus loin il
critique Pittacos qui a dit : « Il est difficile d'être bon »
(339 b-c). Simonide n'aurait pas dû critiquer Pittacos qui
dit la même chose que lui. Simonide ne peut pas dire à la
fois qu'il est difficile de devenir bon et refuser que l'on dise
qu'être bon est difficile. L'assistance et Socrate lui-même
sont abasourdis, car il est grave de s'attaquer à Simonide.
Après un moment de trouble (« J'avais reçu un coup de
point d'un bon pugiliste » [339 e].), Socrate se reprend et
propose, en s'appuyant sur la différence entre vouloir et
désirer, de faire une distinction entre devenir et être. Alors
on peut très bien admettre sans contradiction que devenir
un homme bon (*agathos anthropos*) est chose difficile, mais
qu'être un homme bon est chose facile.

Ce que Pittacos déclare être difficile, ce n'est pas de
« devenir » bon, mais de l'« être ». Or « être » et « devenir »,
selon Prodicos ici présent, sont choses différentes ; et si
« être » n'est pas la même chose que « devenir », Simonide
est exempt de contradiction. Peut-être d'ailleurs Prodicos et
bien d'autres encore seraient-ils prêts à dire que, suivant
Hésiode, il est difficile de devenir bon, et « que les dieux en
effet ont mis devant la vertu la sueur ; mais que pour qui en
a gravi la cime, elle est ensuite facile à garder, malgré la
peine qu'elle donne ».

Protagoras essaie bien de se défendre : « Ta correction,
Socrate, ajoute une nouvelle erreur à ce que tu veux corriger. [...] Le poète serait un grand ignorant s'il croyait la
vertu si facile à garder, alors que c'est la chose du monde la
plus difficile, du consentement de tous » (340 d-e). Cet

appel au bon sens ou à l'opinion commune ne peut le sauver. En réalité, il n'a pas compris, il ne peut comprendre, et
peut-être pas davantage maints lecteurs, la portée de la distinction qui vient d'être opérée : elle répond, en effet, à la
principale question du dialogue et aux objections qui ont
été soulevées[6].

Que signifie, en effet, cette distinction entre « devenir »
et « être » ? Pourquoi est-il difficile de *devenir* un homme
de bien et facile d'*être* un homme de bien ? Devenir un honnête homme, c'est de l'ordre de l'apprentissage. Or l'apprentissage est un parcours qui est fait de l'acquisition d'un
savoir et d'un savoir-faire. Il nécessite donc l'enseignement
d'un maître. L'art de l'artisan, qui suppose de s'être soumis
à un apprentissage, convient donc parfaitement comme
modèle à la vertu ou à la justice si on les considère comme
des arts. Donc, Protagoras a raison.

Mais pourquoi être un homme de bien est-il facile,
pourquoi la facilité, l'absence d'effort, donc de volonté, est-
elle un ingrédient dont ne peut se dispenser la vertu ou la
justice ? Cela, il n'y a que Socrate pour le savoir et nous
avons bien du mal à le comprendre. Premièrement, comme
le disait Aristote, l'art ici considéré a rang de fin. Non pas
qu'il serait un but à atteindre, car, lorsqu'on y est, le rapport
des moyens à la fin disparaît. On est dans la fin, dans l'achèvement, dans l'accomplissement. Deuxièmement, il n'y a pas
de temps, puisque l'apprentissage est terminé. Or c'est
l'apprentissage qui réclame le temps, qui a besoin du temps.
Lorsqu'on est devenu, il suffit d'être. (Il ne s'agit pas d'éternité platonicienne des essences dans le « est ».) Mais cette
expression est inadéquate : on n'avait pas à devenir, Socrate
y insiste souvent, puisqu'on y était déjà depuis toujours.
Troisièmement, il n'y a pas de discontinuité dans cette expérience : tous les éléments sont donnés d'entrée de jeu, sinon
ils ne pourraient plus y entrer, puisqu'il n'y a pas de moyen

et pas de temps qui s'étale. Quatrièmement, il n'y a donc pas
de discursivité. En débitant des items autour de cette expérience, on ne fait que créer la confusion. Ce n'est pas par
hasard si Socrate ouvre son exégèse personnelle du poème
de Simonide par l'éloge du laconisme, des formules brèves et
frappantes qui n'ont pas besoin d'explication (342-343).
Enfin, il faudrait même dire que la connotation de facilité ne
convient pas. Comme le disait Socrate dans les débuts du
dialogue : « J'avais toujours cru que ce n'était aucun effort
humain qui rendait bons les hommes bons » (328 e).

Si l'on tient compte de ces remarques, les objections
rencontrées plus haut vont s'effriter d'elles-mêmes. Socrate
affirmait que la compétence politique ne pouvait s'enseigner,
parce qu'elle n'était pas un art. Il distinguait ce qui peut
s'enseigner et qui relève d'un maître, et la vertu d'humanité
qui est rencontre de hasard. Cela contredisait ce qui est dit
dans maints dialogues, à savoir que la justice est un art. Il y
a de fait contradiction si on considère l'art du point de vue
de l'apprentissage, mais, si on place l'art au rang de fin (dire
qu'il ne s'agit plus de la distinction des moyens et de la fin),
si on le voit dans son accomplissement et comme compétence, si l'on s'y trouve situé comme dans son lieu, la vertu
propre de l'homme peut être comparée à un art. Ou bien on
ne l'acquiert pas et cependant on y est, parce qu'on y est déjà
comme être humain. Ou bien on l'acquiert, mais une fois
que l'on y est, le fait de l'avoir acquis est effacé.

Il n'y a donc pas de contradiction si l'on maintient la
distinction entre l'art en tant qu'il nécessite un apprentissage et l'art comme effectuation d'une pleine compétence.
Socrate ne se fait pas faute de jouer alternativement sur les
deux tableaux. Ici ce qui l'intéresse, c'est de mettre la vertu
ou le mérite, spécialement en politique, à l'abri de la main-
mise des sophistes. Ce sont eux aussi des connaisseurs et
des utilisateurs du modèle de la *technè*. Protagoras a même

écrit un traité intitulé *Sur l'art*[7]. Mais, selon ce dialogue au moins, ils n'accèdent jamais à l'intelligence ou à l'expérience d'un art qui serait la pratique d'une manière d'être accomplie. Socrate au contraire pense du point de vue où l'art est un modèle et, en tant qu'il est une compétence qui s'effectue, il ne peut pas être enseigné.

Une autre objection a été faite : Socrate n'aurait pas répondu aux réfutations de sa thèse par Protagoras et n'aurait donc pas prouvé que le devenir bon citoyen ne s'enseigne pas. De fait, il n'a pas repris ces termes mêmes. Mais qu'a-t-il fait en dissertant sur la vertu et la sagesse, si ce n'est de rappeler une fois de plus, sous une forme à peine différente, sa thèse favorite de l'équivalence de l'excellence propre à l'humain et du savoir ? Or cela ne relève pas de l'enseignement, parce que c'est donné dès l'abord. Socrate n'avait pas à revenir non plus sur le thème de l'enseignement lorsqu'il distinguait « devenir » et « être », car, si être ou demeurer un homme bon est facile, il n'a nul besoin de se faire aider.

Le dialogue va se poursuivre, en revenant au sujet traité en son commencement : la nature de la vertu. Mais ce sera toujours avec le même malentendu. Socrate veut réaffirmer l'unité des différentes parties de la vertu ou l'unité de vertu et savoir. Au contraire, Protagoras ne cesse de préciser les choses en faisant les distinctions qui s'imposent. Il se refuse aux généralisations hâtives et aux confusions : « Tu m'as demandé si les courageux étaient audacieux : j'ai répondu affirmativement ; mais tu ne m'as pas demandé si les audacieux étaient en même temps courageux. Si tu me l'avais demandé, je t'aurais répondu qu'ils ne le sont pas tous. Quant à ce que j'avais affirmé, tu n'as pas démontré que j'eusse tort et que tous les courageux ne fussent pas audacieux.

Après cela, tu établis que ceux qui savent deviennent par l'effet de leur habileté plus audacieux qu'avant et plus que les malhabiles, et tu en conclus que le courage est identique au savoir. À raisonner de la sorte, tu pourrais ramener aussi la force à l'habileté » (350 d-e).

Or c'est exactement ce que veut Socrate. Il y a un malentendu non pas parce que l'un et l'autre ne comprennent pas ce que l'autre dit, mais parce que l'un et l'autre ne comprennent pas le point à partir duquel l'autre le dit.

Dans les dernières pages du dialogue, Socrate va s'emballer et décliner toutes ses thèses : que la science n'est pas un esclave ballotté (352 c), que le bonheur s'obtient par la mensuration de l'agréable (356 d), que se laisser vaincre par le plaisir est pure ignorance (358 c), etc. Protagoras essaiera bien de lui suggérer que c'est un peu plus compliqué : « Je ne sais trop, Socrate, si je dois te répondre par une formule aussi simple que celle de ta question [...]. Il me semble qu'il est plus prudent d'ajuster ma réponse non seulement à ta question présente, mais aussi à l'expérience de toute ma vie (*pros panta ton allon bion ton emon*) » (351 c-d). Mais rien n'y fait. Socrate est possédé, il fait les demandes et les réponses, et décline ses certitudes. Protagoras laisse courir. Pour ménager son interlocuteur, il reste à Socrate, ou à l'élégance de Platon, de proposer un faux retournement aporétique : c'est moi qui pense maintenant que la vertu peut s'enseigner et toi qui le nies.

Cette fin aporétique sent le procédé. Ni Protagoras ni Socrate n'ont changé d'avis et ni l'un ni l'autre n'ont été troublés dans leurs certitudes. Mais ce dialogue a le grand intérêt de cerner avec précision deux abords de l'existence radicalement opposés. Décidément, Socrate n'est pas un sophiste.

CHAPITRE 8

LE NARCOTIQUE

D'après les spécialistes, le *Ménon* relèverait d'une seconde période de rédaction de l'œuvre de Platon. Plus précisément, il revêtirait une forme hybride : la réfutation qui caractérise les premiers dialogues serait caractéristique du début et elle disparaîtrait ensuite[1]. On est donc en présence, ne serait-ce que du point de vue du style, de deux parties bien distinctes. Elles sont séparées par un intermède qui donne son sens à ce qui précède et qui devra être justifié par ce qui suivra. Socrate va tout faire au cours de la première partie pour mettre Ménon dans le doute, c'est-à-dire pour lui faire faire l'expérience du non-savoir. Ce que dévoilera l'intermède. Il conviendra ensuite, dans la seconde partie du dialogue, d'élaborer une justification théorique de cette expérience. Le *Ménon* offre donc un contraste éclatant entre la manière proprement socratique de mener une conversation et la force de pensée qui élabore des théories. La main de Platon est visiblement davantage à l'œuvre dans la seconde partie, bien qu'elle soit déjà présente dès les premières lignes. Il met dans la bouche de Ménon, sans se soucier, comme il le fait par ailleurs, de dessiner un cadre à l'entretien, toutes les hypothèses sur la constitution de la vertu : « Pourrais-tu me dire, Socrate, si la vertu s'acquiert par l'enseignement ou par l'exercice, ou bien si elle ne résulte ni de l'enseignement ni de l'exercice, mais est donnée à l'homme par la nature, ou si elle vient de quelque autre cause encore (70 a) ? »

Comme à son habitude, Socrate ne va pas répondre tout de suite à la question, car il lui faut d'abord situer les interlocuteurs. D'un côté, c'est Ménon sans doute, mais en tant qu'il est disciple de Gorgias. D'où l'évocation des Thessaliens qui ont accueilli ce dernier avec enthousiasme. « Il vous a donné l'habitude de répondre avec une généreuse assurance à toute question, comme il est naturel à des savants et comme il faisait lui-même, s'offrant à répondre sur tous sujets au premier Grec venu, sans jamais se dérober » (70 b-c). De l'autre côté, les Athéniens, compatriotes de Socrate, que la science a quittés et qui sont incapables de savoir si la vertu peut s'enseigner ou si elle s'acquiert autrement, pour la bonne raison qu'ils ne savent pas ce qu'est la vertu. Évidemment Ménon pense que Socrate plaisante. Mais Socrate répond avec la plus extrême violence : « Non seulement je ne sais pas ce qu'est la vertu, mais je ne crois pas avoir jamais rencontré personne qui le sût. » Donc, si Socrate ne répond pas à la question, c'est qu'il ne peut pas y répondre, ou plus exactement c'est que la position correcte pour répondre à la question passe par le non-savoir concernant la vertu ou que la vertu n'est rien d'autre que le non-savoir.

Toute la première partie du dialogue a pour but de déstabiliser Ménon et, pour cela, de défaire la conception de la vertu qu'il a en tête. Mais c'est un peu plus subtil : Socrate va en profiter pour proposer en sous-main sa propre conception de la vertu, laquelle restera une bizarrerie aux yeux de Ménon. Il y a donc au moins trois fils à tenir ensemble et à tisser.

Premier acte

La première façon d'éprouver un interlocuteur et de le mettre sur le chemin de l'étrangeté, c'est de lui interdire tout recours à une quelconque autorité. Pour contredire Socrate qui a l'impudence de prétendre n'avoir jamais rencontré personne qui sût ce qu'est la vertu, Ménon, en appelle à son maître : « Comment ? N'as-tu pas rencontré Gorgias quand il est venu ici ? Et tu as jugé qu'il ne le savait pas » (71 c). C'est l'occasion pour Socrate de sortir le grand jeu : « Je ne suis pas assez sûr de ma mémoire, Ménon, pour te dire au juste, en ce moment, mon impression d'alors. » Ce n'est évidemment pas que Socrate n'ait pas de mémoire, mais il exige de ses interlocuteurs ce qu'il exige de lui-même, qu'ils ne resservent pas des réponses toutes faites ou apprises dans un autre lieu ou un autre temps : « Laisse donc Gorgias tranquille, puisque aussi bien il est absent. Mais toi, Ménon, par les dieux, dis-moi de toi-même ce qu'est la vertu. Parle, fais-moi ce plaisir. Je serai heureux de mon erreur, si tu me démontres que vous savez, Gorgias et toi, ce qu'est la vertu, alors que j'ai affirmé n'avoir jamais rencontré personne qui le sût » (71 d).

Deuxième temps de la déstabilisation : nier la valeur des dires. Désormais, Ménon a endossé son rôle d'interlocuteur responsable ; on peut reprendre la question de la nature de la vertu, préalable à celle de savoir si elle est enseignable ou si elle est donnée par nature ou d'une autre façon. Ménon propose de définir la vertu comme capacité à bien administrer la cité quand on est un homme, sa maison quand on est une femme, et ainsi de suite quand on est un enfant ou un vieillard. Socrate conteste que cette définition soit valable, parce qu'elle donne à la vertu différents visa-

ges. Elle ne formule pas le caractère général, l'*eidos* (720 c),
qui conviendrait dans tous les cas. Autrement dit, il ne faut
pas, pour répondre à la question qu'est-ce que la vertu, se
contenter de donner des exemples. La réfutation de Socrate
est bien fragile, car Ménon n'a pas fait que donner des
exemples : pour chaque cas, il a utilisé les mêmes termes,
ceux de la bonne administration. La preuve que Socrate n'a
rien réfuté, c'est qu'un peu plus tard il reprend à son
compte les mêmes expressions et se contente de traduire le
« bien » de bien administrer en deux adverbes : sagement et
justement (73 a, 73 b). Or ces adverbes qui lui sont chers
reviennent inlassablement dans ses entretiens pour dire
avec une précision suffisante ce qu'est la vertu. Mais il fallait que Ménon ait l'impression que sa définition était
insuffisante et qu'il soit débouté de sa prétention à savoir.

Le troisième temps de la déstabilisation consiste à
faire entrer l'interlocuteur dans des subtilités dont le sens
lui échappe et qui pourtant vont au cœur de la position de
Socrate. Tirant la conclusion des suggestions précédentes,
Ménon affirme que « la justice n'est pas autre chose que la
vertu » (73 d). Socrate devrait être d'accord. Il l'est certainement. Mais, s'il se contentait d'acquiescer, le dialogue
prendrait fin et ce serait sur un malentendu, car Ménon
prendrait les mots dans le sens le plus plat et il n'y aurait
plus de possibilité de le conduire un peu plus loin que lui-
même. Donc Socrate fait une objection : « La vertu, Ménon,
ou une vertu ? » puisqu'il y a d'autres vertus : le courage, la
tempérance, la sagesse, la générosité, et bien d'autres
(74 a). Ménon est réfuté. La question de la nature de la
vertu reste donc inentamée.

Socrate change de tactique. Il ne se contente plus de
pousser son interlocuteur à chercher et trouver la solution ;
il prend les choses en main et se lance dans un excursus
dont les tours et détours à eux seuls ont dû donner des

maux de tête au pauvre Ménon. Donc il ne faut pas dire
que la justice est la vertu, mais seulement une vertu. De
même si l'on parle de la rondeur, on devra dire que c'est
une figure et non pas la figure (73 e) parce qu'il y a d'autres
figures qui en diffèrent. Même chose pour la couleur : le
blanc n'est pas la couleur, mais une couleur (74 c).

On se demande évidemment ce que viennent faire ces
histoires de figure et de couleur. On ne le saura pas tout
de suite. Ce qui importe, c'est que Ménon et le lecteur
avec lui perdent le fil et en même temps aient l'impression qu'ils ne le perdent pas. S'il est parlé de couleur et de
figure, c'est uniquement pour rappeler que l'on ne peut
pas se contenter de présenter une pluralité de cas pour
donner une définition. Car alors on serait conduit à des
impasses. On devrait dire, par exemple, que le rond est
tout aussi bien un droit puisque l'un et l'autre sont nommés figures (74 d).

Ménon s'insurge. Pour le rassurer et en même temps
l'enfoncer un peu plus dans la perplexité, Socrate réaffirme,
en reprenant les images introduites plus haut, que le projet
initial n'est pas abandonné et qu'il s'agit seulement d'accepter un détour : « Qu'est-ce donc alors que cette chose qu'on
appelle figure ? Tâche de me l'expliquer. Si tu répondais à
ces questions sur la figure et la couleur : "Je ne comprends
rien à tes questions et je ne sais pas ce que tu veux dire",
notre homme sans doute marquerait de la surprise et répli-
querait : "Ne comprends-tu pas que je cherche ce qu'il y a
de commun en tout cela ?" Serais-tu aussi capable de
répondre, Ménon, si la question t'était posée sous la forme
suivante : "Qu'y a-t-il, dans le rond, dans le droit et dans
toutes les autres choses que tu appelles des figures, qui leur
soit commun à toutes ?" Essaie de me répondre sur ce
point ; cela te préparera à me répondre ensuite sur la
vertu » (75 a).

Ménon, de fait, ne comprend rien à ces questions et ne saisit pas du tout comment les propos concernant la figure ou la couleur pourraient rendre compte de la nature de la vertu. L'éclaircissement que propose Socrate ne fait que redoubler l'obscurité : « Eh bien, tâchons d'expliquer ce qu'est une figure. Vois si tu acceptes ma définition. J'appelle figure la seule chose qui accompagne toujours la couleur. Es-tu satisfait ? Ou veux-tu chercher autre chose ? Pour moi, si tu me répondais ainsi sur la vertu, je n'en demanderais pas davantage » (75 b).

Ménon, en dialecticien sûr de lui, se moque de Socrate : « Ta définition est naïve. Tu dis que la figure est ce qui accompagne toujours la couleur : je le veux bien ; mais si ton interlocuteur déclarait ignorer ce qu'est la couleur et n'avoir pas plus de lumière sur ce sujet qu'à l'égard de la figure, crois-tu que ta définition aurait la moindre valeur (75 c) ? » Il croit que Socrate tourne en rond : pour que la définition de la figure par la couleur soit valable, il lui aurait fallu auparavant définir la couleur. Mais Socrate n'a pas dit cela. En affirmant que « la figure est la seule chose qui accompagne toujours la couleur » ou (autre traduction) que la figure est « la réalité qui, seule, est précisément toujours consécutive à l'existence d'une couleur[2] », il donne une définition qui est une manière de montrer la chose, de la mettre sous les yeux. En écoutant ces mots, on peut voir la figure se détacher d'une étendue colorée.

Mais alors quel est le sens des propos de Socrate et pourquoi ici même prétend-il à deux reprises (75 a et 75 b) que sa définition de la figure est une bonne introduction à la définition de la vertu ? Il suffit, pour répondre, de prendre au sérieux sa suggestion : la vertu doit être définie comme la figure. Or qu'est-ce qui accompagne toujours la vertu[3] ? Réponse : c'est la science. Une définition qui s'appuie sur ce qui est encore en question est prohibée

(79 d) sauf en ce qui touche à la vertu, à la vertu propre de l'homme, à son excellence[4]. La vertu socratique, en effet, n'est pas une modalité de l'action humaine qui s'ajouterait à l'action elle-même, comme le qualificatif de « bon » peut s'ajouter ou ne pas s'ajouter à l'action elle-même. En ce cas on se trouve dans la morale et dans l'éthique, où des règles, relevant d'une certaine science, sont édictées pour que l'action humaine soit vraiment humaine. À l'opposé, pour Socrate, si l'action n'est pas vertu propre de l'homme, elle n'est tout simplement pas action. Si elle l'est, elle ne peut pas ne pas être science ou connaissance, car encore une fois elle ne relèverait pas du propre de l'homme, de la vertu propre de l'homme.

C'est pourquoi, dans la manière de penser socratique, tous les noms donnés aux vertus, justice, sagesse, tempérance, courage, magnanimité sont interchangeables. On peut dire que la justice n'est pas la vertu, mais seulement une vertu (73 e), on peut dire également que justice, tempérance et le reste sont des parties de la vertu (79 a-b). On peut le dire et on a même l'habitude de le dire. Mais si on « appelle figure la seule chose qui accompagne toujours la couleur » (75 b), si on se permet d'user de cette logique particulière, on est en droit de transposer et de dire : si on appelle vertu la seule chose qui accompagne toujours la science, alors il n'y a qu'une vertu. La justice est la vertu, comme la sagesse, la tempérance, la générosité. Et même, il n'y a plus de vertu du tout, au sens que nous donnons aujourd'hui à ce mot, car cela supposerait que quelque chose puisse être ajouté à l'*eidos*, à l'essence de l'homme.

Ménon n'a compris ni l'évidence ni la portée de la définition. Il a voulu la réduire à une faute de raisonnement. De son côté Socrate, en lui proposant une définition, au lieu de se borner, comme il le fait d'ordinaire, à l'interroger, aura pu penser à tort qu'il était suffisamment entré

dans le doute pour accepter un autre mode de penser, alors
qu'il est resté sur ses positions et qu'il a préservé son goût
pour les querelles verbales. Socrate intervient alors à deux
niveaux : il use de sarcasmes pour détacher Ménon de ses
maîtres, mais sans le mettre en cause directement, et il
l'invite à se hausser à la qualité du dialogue amical : « Ma
définition, je la crois vraie, et si j'avais affaire à un de ces
habiles qui ne cherchent que disputes et combats, je lui
dirais : "Ma réponse est ce qu'elle est ; si je me trompe, à toi
de parler et de la réfuter." Mais lorsque deux amis, comme
toi et moi, sont en humeur de causer, il faut en user plus
doucement dans ses réponses et d'une manière plus
conforme à l'esprit de la conversation. Or il me semble que
ce qui caractérise cet esprit, ce n'est pas seulement de
répondre la vérité, mais que c'est aussi de fonder sa
réponse uniquement sur ce que l'interlocuteur reconnaît
savoir lui-même » (75 d).

  Après quoi, il se lance dans une nouvelle tentative de
définition de la figure, aussi claire que la précédente et
aussi énigmatique pour l'interlocuteur. Pourtant, il a cherché à pallier la difficulté qui lui était présentée. Il va s'effor-
cer, en effet, de partir du connu pour atteindre l'inconnu,
par exemple, en définissant les mots dont il va se servir. Ici
le mot « fin » comme « terme » et comme « limite extrême »
(75 e). De plus il utilise les mots « surface » et « solide »,
des termes de géométrie qui doivent être familiers à
Ménon. Ce dernier le reconnaît : « Oui certes, j'emploie ces
mots et je crois te comprendre » (75 e). Oui, il comprend
les mots, mais pas la chanson. Ces préparatifs (le sens des
mots ou l'utilisation de la géométrie), qui se veulent autant
de concessions, aboutissent en effet à une définition de la
même forme que plus haut : « Tu vas comprendre ce que
j'appelle une figure. Je dis en effet qu'une figure est la
limite où se termine un solide, et je le dis pour toutes les

figures, de sorte qu'en résumé je définirais la figure "la limite du solide" » (76 a). Définition énigmatique, sauf peut-être pour le lecteur familiarisé avec la manière et la pensée de Socrate ; il comprendrait qu'il s'agit là d'une nouvelle interprétation du rapport de la vertu et de la science. Ici l'une et l'autre ne sont pas invitées à s'accompagner toujours, comme dans la définition précédente ; elles sont maintenant l'une pour l'autre une limite. Si la science s'accomplit – la science des choses de la vie –, si elle atteint sa « limite extrême » (75 e), elle rencontre la vertu, elle devient vertu. Et inversement, si la vertu est à son terme, elle est connaissance, c'est-à-dire qu'elle n'a nul besoin d'être justifiée ; elle est à elle-même sa propre justification.

Socrate, même s'il le fait sous le couvert d'un chiffre, n'a jamais été aussi loin pour rendre compte théoriquement de sa position dans l'existence, de son expérience singulière, là où il n'y a plus de distance entre le savoir et l'action juste. Cela, il l'exprime ici, non pas comme la coïncidence des opposés, manière trop radicale et trop aisée de régler la question, mais comme l'appel des opposés l'un vers l'autre, comme l'impossibilité que l'un n'aille pas sans l'autre. Si les termes de la définition se renvoient l'un à l'autre, c'est que l'expérience se constitue comme un cercle où tout est donné d'entrée de jeu, où il n'y a plus d'avant et d'après, parce qu'il n'y a rien à ajouter. L'expérience est complète ou elle n'est pas. Elle peut se dire de différentes façons, mais chacune d'elles, insuffisante parce qu'elle ne peut éviter de choisir un point de vue, n'en dit pas moins cette expérience dans son *eidos* et dans son *ousia*, dans son idée ou dans son essence. L'intelligence de l'action ne se découpe pas et sa plénitude pas davantage.

Face à ces subtilités et à ces abysses, Ménon ne peut que sortir une bourde : « Et la couleur, Socrate ? », demande-t-il. Puisque la figure, pense-t-il, avait été présen-

tée tout à l'heure dans son rapport à la couleur et que
Socrate vient de donner une nouvelle définition de la
figure, Ménon, dans sa logique à lui, attend pour la couleur
elle aussi une nouvelle définition. Cela est pour lui logique,
mais cela montre qu'il a perdu le fil ou que ces nouveaux
éclaircissements lui font perdre un peu plus le fil. On saisit
sur le vif la stratégie de Socrate : plus il avance – certes en
langage codé – dans l'exposé de sa propre doctrine et plus
il égare son interlocuteur.

Face à l'intelligente stupidité de Ménon, Socrate n'a
plus rien d'autre à faire qu'à éclater de rire et à plaisanter :
« Tu te moques de moi, Ménon : tu poses à un vieillard des
problèmes afin de l'embarrasser, et tu ne veux pas rappeler
tes souvenirs pour me dire comment Gorgias définit la
vertu. — Je te le dirai, Socrate, quand tu auras toi-même
répondu à ma question. — Même avec un voile sur les
yeux, Ménon, on reconnaîtrait à ton langage que tu es beau
et qu'on t'aime encore. — Pourquoi cela ? — Parce que tous
tes discours sont des ordres : c'est ainsi que parlent les
voluptueux, ces tyrans, tant qu'ils sont jeunes ; peut-être
aussi as-tu découvert que j'étais faible devant ta beauté.
Quoi qu'il en soit, je suis décidé à te complaire et je répon-
drai. — Fais-moi ce grand plaisir » (76 a-c).

Socrate aurait pu s'attrister ou s'énerver de l'incompréhension radicale de Ménon : il a préféré s'attendrir et jouer
au vieillard sensible à la jeunesse. Mais il se reprend tout
de suite et se décide à une nouvelle concession : « Veux-tu
que je te réponde selon la manière de Gorgias, pour que tu
puisses me suivre plus aisément (75 c) ? » Il s'agit d'exposer
sa thèse à l'aide des théories d'Empédocle sur les effluves et
les pores. En vertu de quoi la couleur serait « un écoule-
ment de figures proportionné à la vue et sensible » (76 d).
Ménon est ravi de ce genre de propos et il en redemande,
mais Socrate, qui l'est beaucoup moins, préfère interrom-

pre ce genre d'explication. Il renonce donc à proposer des solutions et repose à Ménon la question de la nature de la vertu en lui enjoignant d'utiliser pour cela les modèles qu'il lui a fournis (77 a). C'est donc bien que les définitions énigmatiques de la figure et de la couleur, de la figure et du solide ont à voir avec la question posée.

Ainsi se termine le troisième temps de la déstabilisation, c'est-à-dire de l'introduction du brillant jeune homme à l'étrangeté. On pourrait dire la troisième scène du premier acte de la pièce et placer le dialogue sous ce signe. Au cours de ce premier acte, nous avons assisté à quatre scènes successives. Lors de la première scène, tous ses appuis avaient été retirés à l'interlocuteur ; il ne pouvait plus compter sur sa mémoire et en appeler à une quelconque autorité (70 a-71 d). La deuxième scène avait été occupée par la dévalorisation de ses dires ou par leur correction incessante (71 e-73c). Au cours de ces deux premières scènes, l'inconfort de Ménon a eu pour corrélatif l'affirmation des fondamentaux socratiques : parler chacun en son nom propre[5], agir avec justice et vertu. Il en était de même dans la troisième scène (73 d-77 a) puisque le rapport crucial de la vertu et de la science était exposé deux fois avec une inventivité sans égale et que Ménon n'en avait perçu que les paillettes à travers la brillance des citations d'Empédocle et de Pindare.

Reste la quatrième scène[6] (77 b-79 e). Ménon est désormais suffisamment déstabilisé pour que Socrate puisse lui faire admettre le contraire de ce qu'il croit. Le jeune homme pense comme tout le monde : « On peut désirer une chose mauvaise en sachant qu'elle est mauvaise » (77 c), on peut même penser que le mauvais peut être avantageux, mais qu'il peut aussi être nuisible. À l'opposé, l'expérience de Socrate ne se situe pas dans le monde du

pour et du contre, du plus et du moins. Il lui suffira de
quelques répliques pour faire admettre une de ses thèses
favorites : « Nul ne peut souhaiter le mal » (78 a). D'où il
suit que « la vertu selon sa loi propre (*kata ton son logon*)
est le pouvoir de se procurer le bien ». Définition à nouveau
mise en doute et dans les mêmes termes que lors de la première scène : il faut y ajouter les adverbes « justement et
saintement ». Mais il faut aussi que ne tienne aucune affirmation. D'où nouvelle objection : ces termes montrent que
l'on a affaire non à la vertu, mais à des vertus ou à des parties de la vertu. On n'a donc pas trouvé la définition de la
vertu. « Il faut que la même question initiale soit de nouveau posée : qu'est-ce que cette vertu à propos de laquelle
tu parles comme tu le fais ? Réponds-moi donc de nouveau
à partir du commencement : qu'est-ce que la vertu, selon
toi et selon ton ami (79 e) ? »

Entracte

Ménon ne s'embarque pas dans un nième essai de définition. Il dévoile, comme aucun interlocuteur n'avait osé le
faire, sauf Alcibiade à la fin du *Banquet,* le procédé qui
rend compte à lui seul de l'exaspération et de la haine que
Socrate inspire, la raison dernière de son originalité, de sa
liberté et de sa désinvolture, mais peut-être aussi de sa
durable fraîcheur au cours des siècles. Passage mille fois
cité et commenté que l'on peut considérer comme la clef de
l'énigme du Socrate historique :

> Socrate, j'avais appris par ouï-dire, avant même de te ren-
> contrer, que tu ne faisais pas autre chose que trouver par-
> tout des difficultés et en faire trouver aux autres. En ce
> moment même, je le vois bien, par je ne sais quelle magie et
> quelles drogues, par tes incantations, tu m'as si bien ensor-
> celé que j'ai la tête remplie de doutes. J'oserais dire, si tu me

permets une plaisanterie, que tu me parais ressembler tout
à fait, par l'aspect et par tout le reste, à ce large poisson de
mer qui s'appelle une torpille (*narkè*). Celle-ci engourdit
(*narkan poeï*) aussitôt quiconque s'approche et la touche ; tu
m'as fait éprouver un effet semblable, tu m'as engourdi.
Oui, je suis vraiment engourdi de corps et d'âme (*egôge kai
ten psucken kai to soma narkô*), et je suis incapable de te
répondre. Cent fois, pourtant, j'ai fait des discours sur la
vertu, devant des foules, et toujours, je crois, je m'en suis
fort bien tiré. Mais aujourd'hui, impossible absolument de
dire même ce qu'elle est ! Tu as bien raison, crois-moi, de ne
vouloir ni naviguer ni voyager hors d'ici : dans une ville
étrangère avec une pareille conduite, tu ne serais pas long à
être arrêté comme sorcier (80 a-b).

C'est donc là l'expérience que font ceux qui dialoguent
avec Socrate. Souvent, pour traduire leur état, ils se
contentent de la formule[7] : « Je ne sais plus ce que je dis. »
Leur trouble prend d'abord l'aspect d'une incapacité langa-
gière. Ménon est un peu plus explicite : cent fois j'ai fait des
discours sur la vertu et aujourd'hui je ne peux plus dire ce
qu'elle est. Il s'agit donc d'un empêchement à penser.
L'interlocuteur s'installe dans une sorte de confusion mentale, soit que Socrate ne lui laisse pas le temps de rassembler ses idées, soit qu'il l'entraîne dans des impasses où le
silence est la seule issue. Le mot grec *aporia* sous sa forme
substantive est traduit par difficulté, embarras, doute. Mais
il est utilisé également ici sous sa forme verbale *aporeô* être
dans l'embarras, être en manque, être en doute et finalement ne pas savoir. C'est une action ou un état. J'ai été mis
dans le doute, je suis hébété, je fais l'expérience du non-
savoir. Dans tout ce passage et dans le suivant, l'aporétique
est indissolublement couplé avec le narcotique : narcose
par le langage, mais langage spécifique visant à chaque instant la narcose.

Cet état est provoqué par Socrate, qui est poisson torpille, poisson torpeur, *narkè*. Il endort en créant la confusion, il met en sommeil. Ménon dit : « Je suis véritablement narcotisé et d'âme et de corps. » En conséquence, je ne peux plus répondre, alors qu'auparavant je faisais des discours sur la question. Je suis passé d'un état de savoir à un état de non-savoir. Je suis donc en train de faire l'expérience de la fameuse ignorance socratique. Elle n'est pas une ignorance qui consisterait à être ignorant de quelque chose. *C'est une ignorance d'un autre ordre que celle du savoir. Elle n'est donc pas du tout le contraire du savoir, à tel point qu'elle peut même être un autre savoir, un savoir beaucoup plus puissant.* Mais ce savoir passe par la torpeur, par l'engourdissement, par la narcose, par moi Socrate, le narcotique. C'est ce que vous avez du mal à saisir. Sans doute parce qu'il faudrait que vous fassiez l'expérience de l'engourdissement, du sommeil narcotique, de la transe pour ne pas la nommer.

Mais cette expérience est bel et bien de la nature du savoir, sinon elle ne pourrait pas être obtenue par la perte du savoir. *L'engourdissement n'est qu'une frontière.* Or une frontière ouvre sur un autre pays qui diffère, mais qui est encore un pays pour l'être humain. C'est simplement *le pays de l'excellence de l'humain*, alors que le précédent en était l'oubli ou l'ombre. Elle est l'expérience de l'intelligence de la vertu et c'est en ce sens que la vertu est la même chose que le non-savoir. Quand Socrate dit et répète qu'il ne sait pas, c'est comme s'il invitait à user de son narcotique pour commencer et toujours recommencer à savoir et à penser.

En évoquant la torpille, Ménon a touché juste. Mais Socrate, au lieu de s'engager dans le jeu des comparaisons et contre-comparaisons cher aux buveurs dans les banquets[8], se reconnaît volontiers dans l'image qui vient de lui être proposée :

Je ne te rendrai pas image pour image. Pour ce qui me
concerne, si la torpille (*narkè*), avant d'engourdir les autres,
est elle-même en état d'engourdissement, je lui ressemble ;
sinon, non. Je ne suis pas un homme qui, sûr de lui (*où gar
euporôn autos*), embarrasse (*poïô aporein*) les autres : si
j'embarrasse (*tous allous poïô aporein*) les autres, c'est que
je suis moi-même dans le plus extrême embarras (*pantos
mallon autos aporôn outôs*). Dans le cas présent, au sujet de
la vertu, j'ignore absolument ce qu'elle est ; tu le savais peut-
être avant de m'avoir touché (*apsasthai*), tandis qu'à vrai
dire tu es présentement tout pareil à quelqu'un qui n'en sait
rien. Cependant, je suis résolu à examiner et à chercher de
concert avec toi ce qu'elle peut bien être (80 c-d).

Socrate n'est donc pas quelqu'un qui sait et qui,
lorsqu'il rencontre des interlocuteurs, fait semblant de ne
pas savoir pour les inciter à la recherche. Il est réellement
celui qui ne sait pas ou, plus précisément encore, celui qui
se situe au niveau du non-savoir, qui entre dans l'embarras
et dans l'engourdissement, parce que c'est là le lieu de
l'invention et du renouvellement de la pensée. Par exercice,
il renonce au savoir établi, fût-ce par lui-même, pour que
son savoir passe des moments successifs de l'apprentissage
à la connaissance et à l'effectuation de la complexité, qui
est achevée dans l'instant. Si Socrate repose inlassablement
la même question, c'est que la recherche est pour lui quelque chose qui n'a pas de fin, qui commence toujours et qui
garde ainsi toujours sa force et sa fraîcheur. Le non-savoir
est le secret de l'impromptu permanent des dialogues. Il est
donc une expérience qui doit être entretenue et renouvelée
et qui ne fait pas nombre soit avec l'ignorance, soit avec le
savoir.

D'où son insistance. S'il soulève des difficultés qui
embarrassent et qui engourdissent ses interlocuteurs, c'est
qu'il est bien plus (*alla pantos mallon*) qu'eux embarrassé et

engourdi. S'il suffit de l'approcher ou de le toucher pour
être envahi par la torpeur, c'est qu'il éprouve lui-même
cette torpeur, qu'il est lui-même le narcotique. Il s'est lui-
même installé, il se réinstalle sans cesse lui-même dans ce
savoir qui est non-savoir parce qu'il est déjà vertu, parce
que son savoir s'est perdu dans la pratique. Sans doute,
fait-il montre d'une subtilité verbale, d'une aisance éhontée
pour rebondir sans cesse, pour avoir le dernier mot, et
même pour passer parfois les limites de l'honnêteté. On
peut l'interpréter comme un penchant pour la domination,
mais c'est peut-être davantage le plaisir de voir l'autre enfin
perdre pied pour tomber dans ce qu'il est.

On objectera qu'il a des certitudes : par exemple ici
que nul ne veut le mal, ou, dans le *Gorgias*, que, si l'on
commet une faute, il faut aller voir le juge pour plaider sa
culpabilité (*Gorgias*, 480 a-d). Mais ces certitudes sont tellement extravagantes qu'elles ne peuvent relever du savoir
partagé, du savoir sensé. Elles sont en elles-mêmes des apories et elles seraient une menace pour la société, si on en
faisait des principes. Calliclès qui vient d'écouter Socrate
résume bien la situation : « Dis-moi, Socrate, devons-nous
penser que tu es sérieux ou que tu plaisantes ? Car si tu
parles sérieusement et si ce que tu dis est vrai, toute la vie
humaine va se trouver sens dessus dessous » (*Gorgias*,
481 c). Ces convictions sont donc bien le fruit de la narcose, de l'aporie, du savoir qui ne peut se reposer que dans
le non-savoir ; elles ne sauraient faire bon ménage ni avec
la morale ni avec la politique.

Second acte

Il est très beau de prétendre ne rien savoir et de toujours vouloir repartir à zéro. Mais ce point zéro risque fort,
en bonne et vigoureuse logique, d'annuler non seulement

toute démarche particulière, mais d'interdire la possibilité
d'une démarche. Ménon l'a parfaitement compris et le formule de façon lapidaire : « Mais comment vas-tu t'y prendre, Socrate, pour chercher une chose dont tu ne sais absolument pas ce qu'elle est ? Quel point particulier, entre tant
d'inconnus, proposeras-tu à la recherche ? Et à supposer que
tu tombes par hasard sur le bon, à quoi le reconnaîtras-tu,
puisque tu ne le connais pas (80 d) ? »

Socrate renchérit : « Je vois ce que tu veux dire,
Ménon. Quel beau sujet de dispute sophistique tu nous
apportes là ! C'est la théorie selon laquelle on ne peut chercher ni ce qu'on connaît ni ce qu'on ne connaît pas : ce
qu'on connaît, parce que le connaissant, on n'a pas besoin
de le chercher ; ce qu'on ne connaît pas, parce qu'on ne sait
même pas ce qu'on doit chercher » (80 e).

Comment faire pour ne pas tomber précisément dans
une dispute éristique ou dans une aporie formelle ? Comment sortir de ce cercle vicieux, tout en respectant ce qu'a
de spécifique l'expérience de Socrate. Seul le génie philosophique de Platon peut relever le défi. Car c'est Platon qui
reprend la main. On a vu[9] qu'il est en effet admis que,
jusqu'à la fin de l'intermède où Ménon compare Socrate à
une torpille, on retrouve les caractéristiques du style des
dialogues de jeunesse, alors qu'elles disparaissent par la
suite. Le contenu de la pensée est soumis au même
contraste.

Que propose donc Platon pour lever la contradiction
manifeste sur laquelle vient buter l'expérience excentrique
de Socrate ? La théorie de la réminiscence rapportée par
des hommes et des femmes habiles dans les choses divines
(81 a) : « Ils disent donc que l'âme de l'homme est immortelle, et que tantôt elle sort de la vie, ce qu'on appelle mourir, tantôt elle y rentre de nouveau, mais qu'elle n'est jamais
détruite ; et que, pour cette raison, il faut dans cette vie

tenir jusqu'au bout une conduite aussi sainte que possible... Ainsi l'âme immortelle et plusieurs fois renaissante,
ayant contemplé toutes choses, et sur la terre et dans
l'Hadès, ne peut manquer d'avoir tout appris. Il n'est donc
pas surprenant qu'elle ait, sur la vertu et sur le reste, des
souvenirs de ce qu'elle en a su précédemment. La nature
entière étant homogène et l'âme ayant tout appris, rien
n'empêche qu'un seul ressouvenir (c'est ce que les hommes
appellent savoir) lui fasse retrouver tous les autres, si l'on
est courageux et tenace dans la recherche ; car la recherche
et le savoir ne sont au total que réminiscence » (81 b-d).

Cette théorie de la réminiscence rend-elle compte de
l'expérience de Socrate, c'est-à-dire de la forme d'ignorance
qu'il professe ? Il semble bien que ce soit le cas. Je ne sais
pas parce que tout mon savoir est gardé dans ma mémoire
et qu'il faut peine et recherche pour l'en extraire. Mon
savoir est donc quelque chose que je ne tiens pas à ma disposition, en quoi il ressemble à ce non-savoir qui me hante.
J'ai tout su, mais dans une vie antérieure, aujourd'hui je
suis ignorant. Plus précisément, ce n'est même pas moi qui
ai su, c'est mon âme immortelle. Je suis donc amené à
refaire constamment l'expérience du non-savoir ; elle est la
condition d'un se remémorer.

Platon aurait compris Socrate, puisqu'il s'agit d'expliquer comment il est possible à la fois de prétendre ignorer
et manifestement de savoir, les deux choses ne se passant
pas dans le même temps. En réalité, la théorie de la réminiscence n'éclaire rien de l'expérience de Socrate[10]. Elle lui
tourne même le dos. D'abord, en ce qui concerne Socrate,
cet entrelacement de torpeur, d'ignorance, de savoir et de
non-savoir se passe dans le même temps et ne se réfère
jamais à l'immortalité. Ensuite, ce qui en est inséparable, il
n'est pas question pour lui d'isoler l'âme, ce que fait Platon
allègrement[11]. Ménon dit bien (80 b) qu'il est engourdi « de

corps et d'âme[12] », c'est-à-dire en totalité. L'engourdissement, comme figure de l'ignorance, est un état global. Il ne
porte pas sur quelques oublis particuliers et pas non plus
sur l'ensemble des souvenirs oubliés. Enfin le problème
pour Socrate n'est pas l'oubli dont il faudrait sortir, mais
bien l'inverse : Ménon ne se souvient que trop de ce qu'il a
appris, il lui faut apprendre à oublier. Car *le non-savoir
auquel il s'agit d'aboutir par l'engourdissement ou qui s'identifie à lui est bel et bien une forme d'oubli, celle qui rend possible d'effectuer une action avec aisance et plénitude.*

Comment ne pas supposer tout de même que l'expérience de Socrate n'a pas échappé à Platon ? Sinon, aurait-
il pu la rapporter comme il le fait ? Pourtant, sur chaque
trait où l'on pourrait attendre un rapprochement, la divergence apparaît. Platon écrit, par exemple, comme on vient
de le lire : « La nature entière étant homogène et l'âme
ayant tout appris, rien n'empêche qu'un seul souvenir lui
fasse retrouver tous les autres » (81 d). Socrate ne pourrait-
il pas signer un tel propos ? En aucune façon. Car le non-
savoir ne porte pas sur des éléments distincts. Si jamais ils
existaient auparavant, l'engourdissement les ferait plutôt se
fondre les uns dans les autres. *Penser, pour Socrate, ce n'est
pas se ressouvenir, c'est se situer avec justesse et avec
sagesse.*

L'opposition entre Socrate et Platon est sensible sur
une série d'autres thèmes. Au cours du premier acte,
Socrate reprochait à Ménon de ne pas respecter l'esprit de
la conversation et il ajoutait : « Or il me semble que ce qui
caractérise cet esprit, ce n'est pas seulement de répondre la
vérité, mais que c'est aussi de fonder sa réponse uniquement
sur ce que l'interlocuteur reconnaît savoir lui-même »
(75 d). Cela signifiait que l'interlocuteur doit avoir fait
sienne toute pensée qu'il exprime. Même s'il l'a apprise
d'un autre, il doit la prendre à son compte et y engager sa

propre existence. Les sujets traités concourent à cette fin. Or, dans le second acte, une formule semblable n'aura pas du tout la même résonance. À propos de l'esclave qui a répondu aux questions posées sur un problème de géométrie, le Socrate platonisant demande à Ménon : « Que t'en semble ? A-t-il exprimé une seule opinion qu'il n'a pas tirée de lui-même (85 b) ? » Ménon accorde qu'il « a tout tiré de son propre fond ». Et Socrate conclut : « C'est donc que ces opinions (*doxai*) se trouvaient déjà en lui. » Elles se trouvaient déjà en lui comme un objet dans une boîte, elles n'y étaient pas comme quelque chose qui lui tenait à cœur et sur quoi il aurait misé son existence.

Ou encore que la vertu ne s'enseigne pas, cette thèse est affirmée maintes fois par Socrate dans d'autres dialogues et ici puisque l'on ne peut même pas dire ce qu'est la vertu. Thèse intrinsèquement liée à la conception de la vertu comme essence de l'humain. Si on abandonnait cette évidence, l'expérience socratique n'aurait aucun fondement et aucun sens. Il n'y aurait plus immédiateté de l'accès à l'humain ni évidence d'une justice qui s'impose d'elle-même. Sur ces points capitaux, l'extravagance de Socrate disparaîtrait. Or que fait Platon de cette thèse dans le second acte du dialogue ? Il l'entoure d'une valse-hésitation. Au lieu d'affirmer bille en tête, comme le fait Socrate, que la vertu ne s'enseigne pas, il prend des précautions d'intellectuel raffiné et propose « d'examiner par hypothèse » (86 a) si la vertu peut s'enseigner ou non et il explique longuement avec gourmandise ce que signifie « par hypothèse ». Résultat : il ne faut surtout pas s'engager dans une réponse et celle-ci de toute façon sera sans impact existentiel. Ce sera seulement un exercice mental. Si la vertu est une science, elle peut être enseignée (87 c). Mais il est possible que ce ne soit pas une science. Et si la vertu est utile ou nuisible quelles seront les conséquences pour son statut de science ?, etc. La conclusion, après avoir parcouru des dédales de distinctions et de contre-distinctions, c'est qu'il faut en cette matière laisser la science à sa perfection et se contenter de l'opinion vraie. Socrate est sur cette question aux antipodes : la vertu ne s'enseigne pas parce qu'elle est science, parce que science et vertu sont interchangeables.

Platon veut suivre Socrate au plus près, il veut rester dans ses pas, mais il lui manque le lest de l'expérience. C'est caricatural à propos de l'*aporia* et du *narkè*, de l'embarras et de l'engourdissement. Ces termes apparus au cours de l'entracte sont repris dans le second acte. On a envie de dire sont pieusement repris ; mais, avec la piété, leur force s'est évanouie. Ménon avait utilisé les mots embarras et engourdissement pour exprimer les effets provoqués sur lui par Socrate. Maintenant c'est à un personnage fictif qu'ils sont appliqués : « En le mettant dans l'embarras, en l'engourdissant comme fait la torpille, lui avons-nous causé du tort (84 b) ? » De plus, le personnage est dans une position inverse à celle de Ménon ; il est en train d'apprendre et il vaudrait mieux qu'il ne soit pas engourdi corps et âme. Il a plutôt intérêt à être éveillé, alors que Ménon passe d'une lucidité évidente, puisque maintes fois il a expliqué avec succès en quoi consiste la vertu (80 a), à une confusion proche du sommeil. Socrate s'est employé à un désapprentissage, alors que Platon se sert maintenant du nom de Socrate pour effectuer un apprentissage laborieux de la géométrie.

Sur un autre point encore la divergence est manifeste. Platon a bien entendu que, pour Socrate, science et vertu sont interchangeables, mais il ne peut pas en rester à cette proposition brute. Il lui faut donc exprimer au plus près ce que peut être cette sagesse pratique. Et il propose ici pour en rendre compte le concept d'opinion vraie qui sert de guide (97 b). C'est sans doute une solution excellente qui ne

trahit pas l'équivalence socratique et qui en efface cependant le caractère énigmatique. Ce qui n'était intelligible que
dans le registre de l'action est compris, mais perd en même
temps la force de transformation qui était incluse.
D'ailleurs cette solution n'est que provisoire : elle sera
abandonnée lorsque la présence de Socrate se sera estom-
pée et lorsque Platon aura déployé son propre génie.

Est-ce Socrate qui a raison et Platon qui a tort, ou bien
l'inverse ? Question absurde. Il suffit de reconnaître qu'ils
ont, sur des sujets essentiels, des manières d'être et de penser qui n'ont que peu à voir entre elles. C'est que Platon est
philosophe et que Socrate ne l'est pas, quoique le travail
déstabilisateur qu'il pratique ait pu ouvrir à une philosophie. À condition de « mécomprendre » ou d'escamoter
l'expérience qu'il entend instaurer. Ce que fait justement
Platon. Faire l'expérience du savoir qui est vertu, donc du
non-savoir, faire faire à un autre cette expérience, n'en rien
écrire et même n'en rien dire, ce n'est pas la même chose
que de vouloir la penser.

Socrate est vraiment un être à part. Au fond personne
ne l'entend. Mais il n'en a cure, il continue son chemin soli-
taire et ne cherche pas plus qu'hier à être compris dans sa
démarche. C'est tout simplement que le doute lui est congé-
nital et qu'il n'a donc besoin d'aucune reconnaissance. Il lui
suffit de vérifier à chaque rencontre qu'il parle pour ne rien
dire.

CHAPITRE 9

XÉNOPHON

La figure de Socrate est déjà bien dessinée par ce que nous en livrent Aristote et Platon. Leurs témoignages convergent, même si l'angle qu'ils adoptent pour dire ce qu'ils voient diffère. Les traits généraux retenus par Aristote étaient à l'œuvre dans les dialogues de Platon (le non-savoir, le rapport aux dieux, l'interchangeabilité du savoir et de la vertu, etc.). Il s'agit bien du même personnage, de la même orientation de pensée et d'action. Mais, lorsqu'on aborde les textes où Xénophon présente le maître, on est impressionné par la différence de visée et de tonalité, comme s'il s'agissait d'une autre personne du même nom. Est-il possible de respecter les divergences entre les témoignages et de les rendre en même temps plus compatibles ?

On peut adopter comme point de départ deux évidences mises en relief par un spécialiste de Xénophon. La première : « En ce qui a trait à la fameuse déclaration d'ignorance, qui est, dans la liste de Vlastos[1], la quatrième thèse où le témoignage d'Aristote confirme la représentation de Socrate offerte par les dialogues de jeunesse, on ne la trouve jamais exprimée, en termes explicites, dans les

Mémorables. Cette absence peut étonner de prime abord,
tant la profession d'ignorance est traditionnellement et
étroitement associée à Socrate, au point de passer pour sa
"marque de commerce"[2]. » La seconde évidence nous est
proposée immédiatement à la suite par le même auteur :
« Mais, si l'on y réfléchit bien, il n'y a pas lieu d'être surpris
outre mesure de son absence dans les *Mémorables*. En effet,
l'intention de Xénophon, en composant les *Mémorables*, est
clairement apologétique : il s'agit avant tout de montrer
que Socrate, loin d'avoir corrompu ses compagnons, leur a
au contraire rendu le plus grand service, puisqu'il les rendait vertueux. Or Xénophon considère qu'il n'y a rien à
attendre de l'ignorance, fût-elle l'ignorance très particulière
que Platon attribue à Socrate, de sorte qu'un maître qui
proclame son ignorance ne saurait faire progresser ses
compagnons sur le chemin de la vertu. »

On peut se contenter de juxtaposer ces deux évidences
sans se soucier de la possibilité d'un lien entre elles. Cela
donnerait : bien que la profession d'ignorance soit la marque de fabrique de Socrate, la visée apologétique de
Xénophon ne pouvait pas en tenir compte. Mais on peut
estimer aussi qu'une telle décision n'a pas été sans conséquence. On aurait donc ceci : parce que Xénophon a laissé
de côté le label socratique, il a dû forger une autre image
de Socrate. Ou encore plus explicite : Xénophon savait fort
bien que Socrate avait fait profession d'ignorance et que
c'était devenu dans l'opinion un signe de reconnaissance.
Mais, puisqu'il ne voulait pas entendre parler de ce fait
avéré et qu'il voulait cependant faire un portrait de
Socrate, il a été contraint de peindre l'histoire de son maître avec d'autres couleurs. On peut aller encore un peu plus
loin : Xénophon n'a pas compris la portée de la profession
d'ignorance et donc de tout ce qu'elle inclut[3]. Car cette soi-
disant profession d'ignorance n'est que l'expression répé-

tée, insistante, d'un non-savoir, d'un doute radical, d'une expérience de l'aporie, de *l'aporie comme expérience*. Xénophon étant incapable de nous donner à voir quelque chose de ce genre, l'image de Socrate qu'il nous propose a perdu de son extravagance, sans doute, mais dans le même temps de son originalité.

Ce qui laisserait au lecteur le choix entre deux hypothèses aux antipodes l'une de l'autre : Xénophon n'a jamais entendu parler des dialogues socratiques de Platon (ou d'autres écrits socratiques) et a tracé son portrait à partir de sources propres. Ou bien Xénophon écrit les *Mémorables*, son *Apologie* et son *Banquet* en réaction à l'image de Socrate dessinée par Platon. C'est la seconde hypothèse qui est ici retenue ; peut-être pourrait-elle permettre de mieux saisir les caractéristiques propres de l'œuvre de Xénophon et de mesurer son apport pour renforcer, compléter ou nuancer les traits déjà visibles du Socrate d'Aristote ou de Platon.

Il faut d'abord constater que les efforts pour dégager du texte des *Mémorables* une cohérence interne sont voués à l'échec. On voit bien, par exemple, que le premier livre dresse le portrait religieux et moral de Socrate, que le deuxième traite de l'amitié, que le troisième fustige les jeunes militaires ou les futurs gouvernants, que le quatrième est consacré à l'enseignement des disciples. Mais ce rangement est grossier et souffre de nombreuses exceptions. Les interprètes, en effet, cherchent en vain l'unité de l'œuvre. Ils ne sont même pas d'accord sur certains rapprochements entre tel passage et tel autre qui pourraient sembler évidents[4].

Toute généralisation censée rendre compte de l'œuvre est contredite par des exceptions. Par exemple, lorsqu'il est dit que Xénophon « se concentre presque exclusivement sur les échanges de Socrate avec ses compagnons ». Il faut

168 LE SECRET DE SOCRATE

ajouter immédiatement : « Rien de surprenant alors de n'y
voir apparaître que deux sophistes, Antiphon et Hippias[5]. »
Ou encore : « La dialectique de Socrate chez Xénophon a
par ailleurs cette particularité de reposer, le plus souvent,
sur les opinions communément partagées[6]. » Dans certains
dialogues ou morceaux de dialogue, le désaccord et la
réfutation sont à l'honneur, comme par exemple avec
Euthydème (IV, 2). Le « Socrate de Xénophon conserve son
rôle de "questionneur", c'est-à-dire son rôle de guide. Dans
le cas où l'interlocuteur est invité à réagir, sa réponse, dans
la très grande majorité des cas, exprime un accord enthou-
siaste et total[7]. » Toutes ces remarques pertinentes veulent
définir le style propre de Xénophon. Mais elles sont mises
en échec au moins partiellement.

Car à ces « presque exclusivement », « le plus souvent », « dans la majorité des cas » s'oppose un jamais, plusieurs fois répété, qui est l'indice de la seule généralisation
possible : « Le Socrate de Xénophon ne fait jamais de
déclaration d'ignorance[8]. » Ne serait-ce pas là marquer un
rapport et peut-être même une raison, comme si l'absence
de déclaration d'ignorance faisait, à elle seule, obstacle à la
généralisation des autres caractéristiques ? Autrement dit,
s'il n'y a pas de généralisation possible à l'égard du projet
d'écriture de Xénophon, c'est sans doute que quelque
chose, cette déclaration d'ignorance, refait surface, trouble
ce projet et aurait dû être effacé au profit d'une meilleure
cohérence interne. On tiendrait ici la clef de l'envers de
l'unité interne des *Mémorables*. Tout y est conforme à
l'image d'un Socrate pieux, moral, maître bienveillant ou
plutôt tout y est *presque* conforme. Pour nombre d'interprètes, la tentation est grande d'oublier les « presque » et de
dessiner un portrait cohérent que Xénophon serait seul à
nous avoir transmis[9]. La fidélité de ce témoignage, dit-on,
pourrait être universellement reconnue et révélerait « l'abs-

tinence volontaire, la vie mendiante, l'école, l'étroite et journalière communauté de vie avec les élèves[10] ». Mais ce n'est pas possible. Il y a trop d'exceptions.

Dès le début des *Mémorables*, il est patent que Xénophon ne réussit pas à tenir Socrate en laisse. Par exemple, le premier livre est consacré tout entier à décrire la piété et la tempérance de Socrate. Rien à signaler au premier abord. Xénophon veut que sa description du personnage soit la plus conforme possible à l'opinion que s'en fait n'importe quel Athénien : surtout Socrate ne doit pas trancher sur le commun. Mais il reste Socrate. On a beau vouloir effacer ce trait spécifique dont il a marqué l'histoire, la gomme n'est jamais assez puissante. C'est l'ennui qu'a connu Xénophon. Il aurait voulu son écriture soumise à un seul impératif : que les faits rapportés n'aient aucun rapport avec le non-savoir et ses conséquences. Mais cet impératif s'est dédoublé sous sa plume sans toujours le prévenir. Certains n'ont en réalité aucun rapport avec ce non-savoir et il n'est pas dangereux de les consigner, mais d'autres *semblent* ne pas entretenir de rapport, et en avoir un plus ou moins caché ; dans ce cas, en les exposant, Xénophon, sans le savoir ou en le sachant, relaie une figure de Socrate qu'il voudrait laisser dans l'ombre[11].

Dès le début des *Mémorables*, on est confronté à cette forme de divergence. Xénophon veut disculper Socrate du crime d'impiété. Il honorait les dieux reconnus par l'État, car « on le voyait souvent sacrifier dans sa maison, souvent aussi sur les autels communs de l'État, et il ne se cachait pas quand il avait recours à la divination ». Jusqu'ici tout va bien. Mais voici comment le texte se poursuit : « C'était en effet un bruit répandu que Socrate prétendait recevoir des avertissements d'un démon, et c'est principalement pour cela, je crois, qu'on l'a accusé d'introduire des divinités nouvelles[12] » (I, 1, 2). Xénophon se rend compte qu'il a

ouvert la boîte de Pandore et il cherche à corriger le tir en
banalisant le fait de la divination et en soulignant que non
pas les oiseaux, mais les dieux sont, pour Socrate, au principe de la clairvoyance. Par là, il aggrave son cas puisqu'il
en fait un devin qui gagne à tous les coups : « Il *aurait*
passé pour un imbécile ou un imposteur si, annonçant des
choses soi-disant révélées par un dieu, il eût été ensuite
convaincu de mensonge. Il est donc évident qu'il n'eût pas
fait de prédictions, s'il n'avait eu foi qu'elles se vérifieraient.
Mais quel autre qu'un dieu pouvait lui inspirer cette
confiance (I, 1, 5) ? » Xénophon s'emmêle. Si la piété de
Socrate se fonde sur son rapport secret avec son dieu, cela
ne s'accorde pas avec sa soumission prétendue à ceux de la
cité et qui devrait être suffisante à tout expliquer. De plus,
en se référant au fameux démon, il utilise un trait spécifique du personnage de Socrate, précisément lié à cette expérience étrange du non-savoir[13]. Dire que Socrate ne déroge
en rien au canon commun en invoquant, fût-ce de façon
tronquée, une pratique qu'il est seul à revendiquer, cela
prouve exactement le contraire.

En tout cas, Xénophon montre par là qu'il est passé à
côté des subtilités et des ambiguïtés de la position de
Socrate concernant la piété, telles qu'elles apparaissent
dans l'*Euthyphron* ou dans le bref dialogue avec Mélétos
rapporté par Aristote[14]. La piété incluse dans le non-savoir,
et tout ce qu'il implique, suffit à Socrate. Il y a bien une
« piété du non-savoir socratique[15] ». Comme cela était déjà
vrai pour nombre de ses contemporains, on peut dire de lui
qu'il croit aux dieux ou qu'il n'y croit pas, sans que l'on
puisse en décider. Qu'il sacrifie aux dieux, pourquoi pas ;
cela ne suppose pas que c'était dans le même esprit que la
majorité de ses compatriotes. Mais Xénophon ne nous fait
rien soupçonner de cette différence. Il se contente de pousser les croyances et pratiques communes jusqu'à l'absurde.

En conclusion, la piété et la tempérance de Socrate, sous la plume de Xénophon, ne tiennent pas tout à fait en place : elles sont victimes des exceptions.

Autre exemple au chapitre suivant. Xénophon se propose de faire l'éloge de Socrate comme étant « le plus continent (*enkratestatos*) et le plus sobre des hommes, et, en second lieu, le plus endurci (*karterikôtatos*) au froid, au chaud et aux fatigues de toutes sortes, et qui, de plus, avait appris à restreindre ses besoins au point qu'avec un tout petit avoir, il avait facilement de quoi se suffire[16] » (I, 2, 1). Il explique qu'il ne fait que du bien à ceux qui l'entourent, qu'il excelle à se faire des amis et à enseigner la vertu. Mais ici, de nouveau, le projet apologétique va déraper. Xénophon a en point de mire l'objection connue : certains disciples, en l'occurrence Critias et Alcibiade, sont devenus de mauvais gouvernants et ils en veulent à leur mentor. Ils accusent Socrate d'exciter « ses disciples au mépris des lois établies, en disant que c'est folie de nommer les magistrats à la fève, alors que personne ne veut s'en remettre à la fève pour le choix d'un pilote, d'un charpentier, d'un joueur de flûte ou de tout autre ouvrier du même genre, dont les fautes sont bien moins nuisibles que celles de ceux qui gouvernent l'État » (I, 2, 9). Première escarmouche qui montre à l'évidence que Socrate ne se prive pas de critiquer les lois établies. Voici la seconde : « Critias était épris d'Euthydémos et tentait de jouir de lui. » Socrate, toujours aimable et modéré dans ses propos, dit à Critias qu'il lui semble être « dans le cas d'un cochon puisqu'il désire se frotter contre Euthydémos comme les cochons contre les pierres » (I, 2, 30). Plus tard, Critias, faisant partie des Trente, a été désigné pour rédiger les lois. Il en rédige une pour interdire d'enseigner l'art de la parole (*logôn technè*). C'est Socrate qui est visé. Il n'avait pas ménagé ses critiques et traité Critias et ses complices de mauvais bergers qui maltrai-

taient les bœufs dont ils avaient la charge. D'où ce dialogue
d'anthologie :

> Cette parole leur ayant été rapportée, Critias et Chariclès
> firent venir Socrate, lui montrèrent la loi et lui défendirent de
> s'entretenir avec les jeunes gens. Socrate leur demanda s'ils lui
> permettaient de les interroger sur ce que leurs ordres pou-
> vaient avoir d'obscur pour lui. Sur leur réponse affirmative :
> « Eh bien, dit Socrate, je suis tout disposé à obéir aux lois ;
> mais, afin que l'ignorance ne me les fasse pas violer à mon
> insu, voici ce que je désire savoir clairement de vous. Pensez-
> vous que l'art de la parole consiste à raisonner juste ou à rai-
> sonner faux, quand vous ordonnez de s'en abstenir ? Si c'est à
> raisonner juste, il est clair qu'il faudra s'abstenir de raisonner
> juste ; si c'est au contraire à raisonner faux, il est clair qu'il
> faut essayer de raisonner juste. » Alors Chariclès s'emportant :
> Puisque tu ne nous entends pas, Socrate, nous allons nous
> faire mieux comprendre : nous te défendons absolument de
> t'entretenir avec les jeunes gens. — Eh bien donc, reprit
> Socrate, pour qu'on ne puisse chicaner et dire que je fais autre
> chose que ce qui est commandé, définissez-moi jusqu'à quel
> âge les hommes sont censés être des jeunes gens. — Tant
> qu'on ne peut être sénateur, puisqu'on n'est pas encore sage,
> répondit Chariclès. Ne parle donc pas aux gens qui ont moins
> de trente ans. — Et si j'ai quelque chose à acheter, dit Socrate,
> est-ce que je ne pourrai pas demander le prix, si le vendeur a
> moins de trente ans ? — Pour cela, si, répondit Chariclès ;
> mais tu as, Socrate, l'habitude de poser des questions, alors
> que tu sais généralement ce qu'il en est ; ce sont ces questions-
> là dont tu devras te dispenser. — Alors, il ne faut pas que je
> réponde, demanda-t-il, à un jeune homme qui me demande-
> rait où habite Chariclès. Alors Critias prenant la parole : Je
> vais te dire de quoi tu devras t'abstenir, c'est des cordonniers,
> des charpentiers, des menuisiers ; m'est avis que tu les as
> complètement usés à force d'en parler. — Alors, dit Socrate, il
> me faut renoncer aussi à ce qui s'ensuit, à la justice, à la sain-
> teté et autres choses du même genre ? — Oui, par Zeus, dit
> Chariclès, et aux bouviers aussi ; sinon, prends garde de dimi-
> nuer, toi aussi, le nombre des bœufs (I, 2, 34-37).

Ainsi, l'homme dont la piété, la continence et la soumission aux lois sont sans égales nous est présenté en même temps comme celui qui critique les règles instituées par l'État, qui injurie les gouvernants et les ridiculise en public. Xénophon fait tout pour ramener Socrate à des normes établies, pour en faire un homme supportable, un individu simplement meilleur que les autres. Mais c'est un tout autre personnage qui lui glisse des mains. Certain interprète se demande si ce récit est ironique[17]. Comme s'il fallait garder toujours son sérieux devant Socrate et enfermer ce bref dialogue dans le répertoire de questions bien balisées par les hellénistes patentés. On aurait le droit de se demander si un texte du grand Xénophon est « ironique » ou pas, on n'aurait pas le droit de constater qu'il nous a fait le récit d'un gag dont on puisse rire. Comment s'interdire de juger ce dialogue comme relevant du comique le plus douteux ? Un individu, dans la plénitude de son talent de dialogueur et d'amuseur, s'amuse aux dépens des gens en place. Ne serait-il pas tout simplement un sale gamin, rompu, par les joutes verbales de la rue, à la réplique insolente ? Il exaspère le bourgeois par son sang-froid et sa malice.

Critias et Chariclès ont d'abord été pris au piège. Ils auraient pu répéter le texte de la loi et envoyer promener Socrate. Quelle erreur de lui avoir fait une première réponse ou même de lui avoir laissé le loisir de poser une question ! On retrouve bien ici l'interrogateur inlassable et celui qui utilise l'accomplissement des métiers pour signer la vertu[18]. Avec un pareil individu, il est préférable de ne pas commencer à ouvrir la bouche. Donc, la machine à faire des distinctions, ou à solliciter l'interlocuteur à l'utiliser, a été mise en marche. D'où la précipitation d'une cascade de questions de plus en plus inutiles et cocasses. Et les réponses conduites jusqu'au point où

il n'est plus possible de répondre, si ce n'est en parta-
geant l'absurdité. D'où encore l'exaspération, la colère et
la profération de menaces et même de menaces de mort.
Cet individu nous met hors de nous ; il doit disparaître.
Une chance que Xénophon ait été témoin fidèle au point
de rapporter cette scène incongrue. On ne peut que se
rendre à l'évidence : Socrate, celui qui devait être seulement bon, pieux et vertueux lui a encore une fois
échappé.

   Mais d'où peut bien sortir la possibilité de ce dialogue ? Certainement pas du personnage compassé et siru-
peux que Xénophon voudrait nous imposer. D'où peuvent
provenir cette liberté de ton, ce mépris des gens en place,
cette astuce pour rebondir, cette fraîcheur amusée ? Sans
doute un entraînement au dialogue, à la dialectique, aux
jeux de langage depuis l'enfance et dans un milieu haute-
ment cultivé. Mais ce personnage pas comme les autres
doit être passé, doit avoir été forgé par, doit s'être appuyé
sur une expérience singulière. Sinon, il ne pourrait pas
avoir cette assurance. Xénophon ne peut rien nous en dire,
mais, en nous présentant ce genre d'anecdote, il dévoile
encore une fois l'envers de son projet.

   On le verra encore par la suite : comme la visée de
Xénophon n'est pas lestée par le soupçon que Socrate a fait
l'expérience de quelque chose de trop évident, que son
extravagance dit un quelconque trop simple, la « vertu
humaine », l'excellence humaine, le fait d'être humain,
alors son pouvoir de répartie, son extrême plaisir à ridiculiser l'interlocuteur, son goût pour les applaudissements de
la galerie ont un brin de vulgarité. Cette exagération sans
contrepartie des instruments dialectiques dont dispose
Socrate sera manifeste dans la suite des *Mémorables*, mais
également dans l'*Apologie* et dans le *Banquet* du même
auteur.

Pour retrouver dans Xénophon le Socrate original, celui qui tranche sur ses contemporains, il faut patienter et attendre qu'il se montre. Il ne doit pas contrevenir à l'affirmation de son savoir, puisque la proclamation d'ignorance lui est interdite, mais ce savoir peut aller trop loin et développer des anomalies.

Avec cette clef, il est possible de poursuivre la lecture. Une fois close la parenthèse concernant Critias et Chariclès, Xénophon retrouve son ton habituel jusqu'à la fin du premier livre. L'incartade n'a pas duré longtemps. On a droit à nouveau à l'éloge de Socrate, de sa tempérance et de sa continence, de sa foi en la providence (I, 3, 4, 5). Et même, lorsque, à la fin du livre I, Antiphon apparaît et tente de déstabiliser Socrate, rien n'est ébranlé. Socrate a beau être traité de « maître de malheur » (I, 6, 3) parce qu'il vit pauvrement et ne se fait pas payer, ou de juste peut-être, mais certainement pas de sage « puisqu'il ne sait rien qui ait de la valeur » (I, 6, 12), la réponse est tranquille, conforme à l'image inoffensive : « L'abstinence volontaire, la vie mendiante, l'école, l'étroite et journalière communauté de vie avec les élèves[19]. »

Cela continue livre II. Xénophon y fait presque exclusivement l'éloge de l'amitié et en donne des exemples. Rien de bien extravagant non plus dans tout cela. Seulement l'un ou l'autre récit savoureux. À cet homme, par exemple, qui voit sa maison envahie par des sœurs, des nièces, des cousines qui ont dû s'enfuir au Pirée depuis que « la ville est en dissension » (II, 7) et qui ne font rien parce qu'elles sont de condition libre, Socrate conseille de les mettre au travail au risque de sembler en faire des esclaves. Totale réussite qui n'est pas due à l'intervention d'un maître en « art de la parole », mais tout simplement à des conseils astucieux dignes d'un bon intendant. Ou bien à un vieux camarade qui ne peut plus travailler de ses mains, il suggère de deve-

nir l'intendant fidèle et indispensable d'un homme riche.
« C'est ainsi, à mon avis, conclut Socrate, que tu auras le
moins de reproches, que tu trouveras le plus de secours
contre le dénuement, et que tu t'assureras la vie la plus
facile, la plus sûre et la mieux pourvue sur tes vieux jours »
(II, 9, 6). Encore un conseil de bon aloi qui présente le maître en vertu à l'étiage d'un travailleur social avisé.

Au livre III, le décor change. Le père tranquille va se
muer en *serial killer* sans pitié. On savait bien que le
Socrate des dialogues platoniciens en était capable, mais
cela atteint ici un paroxysme. Benoîtement, Xénophon pose
le décor : « Comment Socrate était utile à ceux qui aspi-
raient aux dignités, en les portant à étudier les arts qu'ils
désiraient pratiquer » (III, 1, 1). Eh bien, comment par
exemple ? Il monte un véritable guet-apens. Il a appris
l'arrivée à Athènes de Dionysodoros, professeur d'art militaire. Il invite donc ce jeune homme qui aspire au commandement à se rendre à cette école. Quand il en revient,
Socrate se frotte les mains à l'idée de se payer sa tête
devant un petit rassemblement. Le jeu consiste à lui poser
un certain nombre de questions pour tester ses connaissances. Il prétend avoir appris la tactique, mais que connaît-il
des impedimenta, du train des équipages, de la manière de
ranger une armée ? Sait-il comment on distingue les bons
et les mauvais soldats ? « Non, par Zeus, il ne me l'a pas
appris. Aussi est-ce à nous de distinguer par nous-mêmes
les bons des mauvais. » (III, 1, 9). « Mais, si tu ne sais pas
cela, comment feras-tu pour ranger tes hommes pour la
bataille en fonction de ce qui les meut ? — Je comprends,
dit le jeune homme. — Mais, reprit Socrate, s'est-il borné à
la tactique, ou t'a-t-il appris aussi où et comment il faut
user de chaque formation ? — Pas du tout, répondit-il. — Il
y a pourtant beaucoup de cas où il ne faut ni ranger ni
conduire les troupes de la même manière. — Ces cas-là, par

Zeus, il ne les a pas expliqués. — Eh bien, par Zeus, dit
Socrate, retourne chez lui et interroge-le ; car s'il les
connaît et s'il n'est pas un impudent, il rougira (il aura
honte, *aischuneitai*[20]) d'avoir pris ton argent et de t'avoir
renvoyé mal instruit » (III, 1, 11). Ce faisant, Socrate a fait
d'une pierre trois coups : il a déconcerté l'élève, il a
ridiculisé[21] le maître et il a fait cela en public pour déconsi-
dérer l'un et surtout l'autre. Socrate n'apparaît donc pas du
tout ici comme le bon maître tempérant et continent qui
veut le bien et la vertu pour ceux qui le fréquentent. Il ne
veut pas seulement embarrasser, en vue de préparer une
réforme de l'entendement et de l'existence, il veut humilier
sans ajouter un mot d'encouragement et de consolation. Un
bateleur satisfait de son numéro. S'il avait simplement
conduit son interlocuteur à la découverte de son ignorance,
ce Socrate-là aurait été conforme au portrait inoffensif que
voulait peindre Xénophon. Mais si Socrate cherche à
réjouir le parterre aux dépens d'un maître en art militaire,
autant dire d'un sophiste, c'est qu'il cherche à atteindre
l'adversaire d'autant plus sûrement que c'est par personne
interposée, qu'ainsi l'adversaire ne peut pas se défendre,
que sa réputation est défaite dans son dos. Il n'est plus
question de débat et d'argumentation. Il ne s'agit même
plus d'enseigner quelque chose, ce fameux enseignement de
la vertu dont il semble que Xénophon veuille faire de
Socrate un champion. Le Socrate à l'œuvre dans ces
pseudo-dialogues est un histrion qui se pavane en écrasant
des faibles d'esprit. Le portrait du philosophe et du sage a
été lacéré : à croire que la langue de Xénophon a fourché,
entraînant sa plume, qu'elle a été trompée ou s'est laissé
tromper par le séducteur.

La lecture peut se poursuivre, assaisonnée avec les
mêmes ingrédients. Des enseignements et quelques humi-
liations de jeunes gens suffisants (III, 2-7). Il leur est mon-

tré qu'ils ne savent rien de ce qu'ils prétendent savoir. Mais
cela ne se fait pas à travers un jeu d'affirmations et de réfutations ; il s'agit seulement d'énumérer les disciplines ou les
parties de disciplines au sujet desquelles l'ignorance est
rendue immédiatement manifeste.

Et puis nouvelle surprise, et de taille celle-là. Renversement unique dans la littérature socratique. Un élève, un
instant, veut prendre au maître sa place[22] : « Aristippe cherchait à confondre (*elenkhein*) Socrate comme Socrate
l'avait confondu naguère » (III, 8,1). Cet Aristippe connaît
toutes les ficelles du dialogue socratique et va donc poser
une question qui rendra ambiguë et donc insuffisante toute
réponse, parce qu'on l'aura voulue universelle. « Aristippe
lui demanda s'il connaissait quelque chose de bon, afin
que, si Socrate mentionnait quelque bonne chose, comme
la nourriture, la boisson, la richesse, la santé, la force ou
l'audace, il lui démontrât alors que c'est quelquefois un
mal. » Mais Socrate connaît la manœuvre pour la lui avoir
enseignée. Il rétorque donc en particularisant tout de suite
la question, si bien que la tentative de réfutation est immédiatement stoppée. Aristippe est contraint de poser une
autre question : « S'il connaissait quelque belle chose. »
Socrate donne un gage à l'interlocuteur en lui donnant une
réponse positive. Aristippe croit tenir son adversaire, car le
beau n'est pas identique dans toutes ses apparitions. Mais
Socrate s'est déjà échappé en faisant passer sa réponse sous
la diversité des fonctions. La beauté est inséparable de
l'usage.

Ce qui nous intéresse ici, ce n'est pas tant la subtilité
ou la vivacité des échanges, ce n'est pas non plus le fait que
Socrate puisse être mis en difficulté et qu'il se sorte du
piège qui lui est tendu, c'est de constater que le débat est
purement formel, que l'exercice de réfutation n'est rien de

plus qu'un exercice de réfutation. Voilà qui nous en dit beaucoup sur le style de Xénophon. Lorsqu'il abandonne le territoire de l'enseignement stéréotypé de la piété et de la vertu et en même temps lorsqu'il s'aventure dans le pays de l'invention socratique, il ne peut en percevoir que l'échafaudage ou que la structure ; il n'en capte pas le poids ou l'enjeu.

Cela se comprend aisément. Comme on l'a vu, toute l'épaisseur de l'humanité est exprimée par lui et pour lui dans les représentations qui sont partagées par tous dans la cité. D'où l'impossibilité pour l'extravagance de Socrate de trouver une place dans ce registre. De cette extravagance, nous n'aurons plus que des restes qui devront émigrer ailleurs. Ici dans le domaine ou le registre de la conversation, où il n'est plus question, où il peut ne plus être question de la vertu humaine, de l'excellence humaine qui, chez Xénophon, retombe sans cesse dans l'ordinaire de la piété et de la morale. Ici l'originalité de Socrate est dispensée de refondre ces domaines, et l'art du discours (*logôn technè*), déchargé de cette contrainte, apparaît donc dans sa pureté légère, une pureté peut-être même plus visible que dans les dialogues platoniciens, où cet art est lesté par la pensée en acte.

Entre Aristippe qui voudrait bien se payer la tête du maître et Socrate qui, sans violence et sans perfidie, ne cède rien de sa suprématie, il n'y a aucun enjeu de doctrine ou de vie. « Ce passage présente la singularité de faire état de formes quelque peu codifiées d'imitation du maître[23]. » On n'y découvre rien de plus, mais c'est beaucoup pour l'historien, que la tentative gratuite de modifier pour un moment le rapport de forces. Un élève qui a bien appris la leçon ne serait pas mécontent de mettre le professeur dans l'embarras. Xénophon nous donne donc à voir certains procédés de la méthode socratique. Mais cette méthode ici ne

tourne que sur elle-même. On ne voit pas qu'elle ait d'autre
but que de rétablir l'autorité du maître. Mais pourquoi
cette autorité ? Pour rien ou alors seulement pour que le
maître reste le maître. Il n'y a là nulle recherche de vérité,
aucune mise en question des certitudes établies. On
s'amuse seulement à jongler avec les *logoi*. Mais la conséquence s'impose : l'art du dialogue et de l'argumentation
n'a aucun rapport avec le Socrate pieux, tempérant et
continent. S'il y a deux Xénophon, comme le suggère Livio
Rossetti, c'est qu'il y a deux Socrate : l'un est un citoyen
conformiste et l'autre est un jongleur invétéré, l'un est le roi
des moralisateurs et l'autre un vieillard espiègle.

On va retrouver ce second aspect dans la pièce maî-
tresse du livre IV des *Mémorables*[24]. Euthydème est un
jeune homme qui se pique d'érudition et qui pense n'avoir
nul besoin d'un maître. Socrate a décidé de lui prouver le
contraire. Il passe et repasse près de lui, entouré de sa
petite troupe de fidèles, et disserte sur ces gens qui se veulent autodidactes. Euthydème reste à l'écart, mais Socrate
s'aperçoit bientôt qu'il a capté son attention et il l'interroge
sur ses projets, puis l'engage à parler de la justice qui est au
cœur de la préoccupation de l'homme d'État. Socrate propose de faire deux colonnes et d'inscrire sur l'une les
œuvres de la justice et sur l'autre celles de l'injustice (IV, 2,
14). Mais les colonnes deviennent poreuses et les qualités
de l'une semblent pouvoir convenir à l'autre. La tromperie,
par exemple, est manifestement du côté de l'injustice, mais
s'il s'agit « d'un général, voyant son armée découragée, qui
lui fait accroire qu'il va recevoir des renforts et que, par ce
mensonge, il relève le courage de ses soldats, de quel côté
mettrons-nous cette tromperie (IV, 2, 17) ? » Et s'il s'agit de
tromper un parent en lui faisant prendre un remède pour
un aliment, etc. Le pauvre Euthydème n'en peut plus :
« Ah ! Socrate, je n'ai plus confiance en mes réponses ; car

tout ce que j'ai dit auparavant me paraît à présent tout différent de ce que je croyais d'abord » (IV, 2, 39). Pourtant, comme le dit Rossetti : « Euthydème aurait certainement pu distinguer entre le verdict des caractères généraux ("ceci est injuste") et la variété des cas particuliers auxquels la règle ne peut pas s'appliquer toujours de façon mécanique[25]. » Mais les rafales de questions de Socrate interdisent à Euthydème de reprendre pied.

Après un intermède où Socrate demande à son interlocuteur s'il a été à Delphes, s'il connaît le précepte inscrit dans le temple, si donc il se connaît lui-même, l'interrogatoire reprend de plus belle. Euthydème a le malheur de prétendre qu'il suit le précepte. Socrate le jette à nouveau et pour de bon dans la plus grande confusion, car tout peut se retourner en son contraire que ce soit la santé, la force, le savoir, le bonheur ou la richesse. Euthydème n'en peut plus et abandonne la partie : « "Je suis forcé d'avouer que tu as encore raison sur ce point, et je ne suis évidemment qu'un sot. Aussi je me demande si je ne ferais pas mieux de me taire ; car je crains bien de ne rien savoir du tout." Et il s'en alla tout découragé, dégoûté de lui-même et convaincu qu'il n'était réellement qu'un esclave » (IV, 2, 39).

Quels traits pouvons-nous puiser dans ce dialogue pour affiner ou rendre plus vraisemblable la figure de Socrate ? Rossetti nous propose de considérer un moment notre point de vue de lecteur. Nous pensons d'abord que « Socrate est incisif, mais pas trop incisif, mais que pour autant son attitude ne cesse pas d'être indiscutablement bienveillante, qu'elle implique un intérêt pour l'autre, un respect et une volonté de faire quelque chose pour son bien », en second lieu que « Socrate est manifestement supérieur à Euthydème et qu'il offre à ce dernier une précieuse occasion de se rendre compte des limites inhérentes à sa manière de se repré-

senter la justice et l'injustice », enfin que l'histoire est crédi-
ble et que l'on aura tendance à se reconnaître inférieur à
Socrate et pas plus fort qu'Euthydème[26]. « Dans cette opti-
que, la dureté du philosophe aurait donc la saveur d'une
thérapie de choc, d'une pilule amère à faire avaler à l'interlocuteur pour son bien[27]. »

Cependant, dans ce tableau d'un Socrate un peu rude
mais bienveillant, Rossetti aperçoit deux ombres. Tout
d'abord, les arguments de Socrate sont souvent faibles, en
particulier dans son usage immodéré des contre-exemples.
Ensuite il se présente sans cesse comme le maître incon-
testé et incontestable : pas question de laisser entrevoir une
quelconque parité avec lui. Socrate serait-il alors, sous la
plume de Xénophon, un pur homme de pouvoir ? Car sa
manière de traiter Euthydème, sans lui fournir aucune aide
pour sa « conversion » au cours du dialogue, et de le laisser
« découragé, dégoûté de lui-même et convaincu qu'il était
réellement un esclave » (IV, 2, 39) n'est que la reproduction,
sous une forme plus sophistiquée et plus implacable, de ce
qu'il a montré qu'il savait faire, au livre III des *Mémorables*,
avec les jeunes militaires et les futurs gouvernants. En ces
cas, Socrate « n'exprime pas de convictions et n'est pas porteur d'un enseignement, mais se consacre presque exclusivement à la *pars destruens* ; et la recherche de définition elle-
même ne conduit pas à des résultats appréciables[28] ».

Le Socrate expert en communication, qui échappe à la
plume conformiste de Xénophon, n'est donc pas plus relui-
sant. On n'a plus affaire à un militaire plutôt rigide ; on est
tombé sur un prestidigitateur du langage qui donne le tournis à ses interlocuteurs et se contente de détruire leurs certitudes. Il ne leur laisse d'autre choix au terme d'un entretien
où il les a poussés à bout que de disparaître accompagnés de
ses sarcasmes ou de devenir ses disciples. « Beaucoup de
ceux que Socrate avait ainsi confondus ne s'approchaient

plus de lui et il les jugeait d'autant plus sots. Euthydème, au
contraire, sentit qu'il ne pouvait devenir considéré (*ouk an
allôs anèr axiologos genesthai*) qu'en fréquentant Socrate
aussi assidûment que possible. Aussi ne le quittait-il plus, à
moins d'y être forcé. Il adopta même certaines pratiques
familières à Socrate, qui, le voyant dans ces dispositions, ne
le harcela plus et lui expliqua très simplement et très clairement ce qu'il était, selon lui, indispensable de savoir et ce
qu'il y avait de mieux à pratiquer » (IV, 2, 40). On ne sait pas
ce qui est le plus triste, d'être traité de sot parce que l'on
n'apprécie guère d'être ridiculisé ou de devenir durablement
un sot à suivre Socrate pour être considéré. Il est certes possible d'admirer les prouesses communicationnelles de
Socrate, mais on peut être affligé du résultat. Produire des
disciples n'est pas plus noble que cultiver le ridicule.

Mais alors, où est donc passé le Socrate qui s'entraîne
à douter pour revenir au non-savoir comme à son lieu pri-
vilégié ? Il y a plusieurs solutions. Soit c'est Xénophon qui
ne peut pas comprendre ce Socrate-là et qui ramène tout à
des affaires de prestige et de reconnaissance sociale. Par ce
biais on légitime le maintien du Socrate aperçu chez Platon
ou Aristote ; le Socrate de Xénophon n'étant qu'une dégradation du précédent. Soit réellement Socrate use de ses
habiletés et de ses inventions langagières sans autre but
que d'asseoir sa domination ; et celui-là est le vrai Socrate.
Mais cela contredit la perception du Socrate dont on a
commencé à suivre la piste.

Une autre solution serait possible. Socrate n'est pas
toujours un philosophe sérieux ; il ne l'est peut-être déjà pas
toujours chez Platon. Mais Xénophon, sans le savoir ou en
le sachant, a beaucoup accentué le trait. Socrate s'amuse
avec les jeunes prétentieux, avec la courtisane (III, 11) à
laquelle il enseigne la séduction, avec Hermogène au sujet
de sa mort prochaine. Il a le droit de s'amuser, il a le droit,

et de plus en plus quand il avance en âge, de ne pas supporter les imbéciles, de ne plus se fatiguer du tout pour laisser
transparaître ce qu'il a perçu et sur quoi se fondent sa tranquillité et sa liberté. Socrate n'est pas stoïcien, il n'est pas
non plus chrétien. Il n'a pas à se contenir et pas davantage
à être aimable. Il n'a pas non plus besoin de reconnaissance.
Si l'on veut l'approcher et s'entraîner avec lui à perdre la
tête, il n'a rien contre. Donc, Xénophon, qui n'est pas entré
dans cette obscurité du non-savoir, qui a toujours voulu voir
clair sans discontinuer, a dû se passionner pour ces jeux de
langage, ces joutes oratoires où son idole gagnait toujours,
ces petites assemblées de fidèles en extase perpétuelle. Mais
il est tout de même passé à côté de l'essentiel.

Et puis Socrate a ses petits côtés. Quel est le génie ou
le créateur qui n'a jamais arboré un narcissisme de collé-
gien ? Oui, moi Socrate, j'ai besoin autour de moi de gens
qui m'applaudissent, parce que je n'ai besoin de personne
et que, de temps en temps, le doute finit par me ronger, ce
doute où je me trouve pourtant si bien. Et pourquoi je ne
serais pas mesquin et méchant, si ça me plaît ? Ce n'est pas
des choses de ce genre que mon démon m'interdit, c'est
d'oublier d'être égal, c'est d'omettre de supporter et de goûter également. Bien sûr qu'il y a une tentation du maître de
se prendre pour un maître. Il a fait une expérience qui le
sort du commun, qu'il le veuille ou non. La question est de
savoir s'il ne peut pas en profiter de temps en temps, juste
pour voir ce que cela donne, donc s'adonner un peu ou
pourquoi pas beaucoup au plaisir d'écraser le menu fretin.

Mais on peut voir le paysage sous un tout autre
angle. Entre la « cruauté mentale » et l'« acte suprême de
confiance[29] » peut-être n'y a-t-il pas si loin. Ce qui pas-
sionne Socrate, c'est de provoquer l'expérience décisive,
celle où l'abandon des certitudes et des savoirs conduit à
l'assurance du non-savoir. Mais, pour en arriver là, il faut

risquer de n'avoir plus aucun recours et surtout de ne plus pouvoir compter sur le recours au maître puisqu'il s'emploie à retirer tous les étais. La cruauté de cet exercice serait vaine cruauté si elle n'impliquait une conviction que l'interlocuteur sera parfois capable de passer l'abîme. Et s'il n'en est pas capable, il retournera à sa médiocrité après avoir esquivé l'épreuve et grand bien lui fasse. Socrate accorde peut-être crédit à ceux qui l'approchent, peut-être les tient-il en suffisante estime : ils sont venus pour cela. Ce serait les mépriser que de penser autrement et les injurier que de les entourer de quelque bienveillance.

Est-il possible de prendre maintenant quelque recul et de découvrir le terrain parcouru ?

1) Xénophon a voulu ignorer la proclamation d'ignorance de Socrate, soit le non-savoir.

2) Mais il n'a pas fait attention à une conséquence décisive : l'art du dialogue socratique est indissociable du non-savoir[30] parce qu'il est une interrogation sans fin. Quelle que soit la longueur d'un entretien, il bute sur l'impossibilité de définir, sur la fatalité de l'aporie. La constance de ce processus en fait la base d'une expérience. L'impossibilité de conclure est une possibilité d'existence.

3) Xénophon veut ignorer cette conséquence, mais elle refait surface. Comme elle est ignorée, sa réapparition se fait sur un mode dégradé. Il utilise avec maestria ce qui ne peut plus être que des procédés.

4) Donc la dégradation prend des allures de pureté. L'entretien n'est plus alourdi par des contenus à élucider ; il devient l'épure du dialogue qui réfute pour réfuter. Le non-savoir chez Platon était encombré par la pensée. Chez Xénophon, celle-ci n'est plus nécessaire.

5) La relation à l'interlocuteur ne vise plus alors une modification de son existence. Soit elle se déroule dans la

bienveillance sans provocation et incline à donner des
conseils (encore une banalisation), soit elle tend vers l'humi-
liation sans merci (la cruauté qui augmente avec l'âge), soit
elle cherche à fabriquer des disciples, le comble du dérisoire.

6) Le personnage de Socrate que Xénophon voulait
dans la perfection de la tempérance et de la générosité
n'échappe pas à la mesquinerie du maître qui ne supporte
pas que sa suprématie soit mise en doute. De plus est-il
étonnant qu'il puisse être aussi un homme comme les
autres ? Mais, attention, « il n'y a pas de grand homme
pour son valet de chambre, parce que le valet de chambre
est un valet de chambre ».

Restent le dernier chapitre des *Mémorables* et l'*Apologie*. Xénophon nous y présente un Socrate face à la mort tel
qu'il nous le montrait dans la vie, c'est-à-dire avec des traits
qui hésitent entre l'excès et la platitude. Ici entre le prétentieux et l'utile.

D'abord la prétention. Le discours de Socrate prend les
allures de la vantardise (*megalègoria*), comme le dit la première page de l'*Apologie* et comme le souligne la fin des
Mémorables : « Ne sais-tu pas, dit-il à son ami Hermogène,
que jusqu'à ce jour je puis défier qui que ce soit d'avoir
mené une vie meilleure et plus agréable que la mienne ?
[...] Or j'ai conscience d'avoir eu ce bonheur jusqu'à ce
jour, et, en me mêlant aux autres hommes et en me compa-
rant à eux, je n'ai pas cessé d'avoir cette opinion de moi-
même » (IV, 8, 6-7). Certes, quelque chose de cette tonalité
se retrouve dans l'*Apologie* de Platon, mais elle y est adou-
cie, comme on le verra, par un double filtre de moquerie et
de provocation. Ici, nul écran tamiseur : la prétention
fleure la vulgarité. Sans doute de telles manières sont-elles
plausibles, car Socrate devait avoir conscience de sa supériorité et ne se souciait pas de la cacher. Mais ces déforma-
tions du visage ou ces exagérations viennent peut-être aussi

du peintre qui ne dispose pas de la palette du non-savoir et donc d'un certain art de la distance.

Ensuite l'utilité. Sa condamnation est pour Socrate une bonne aubaine qu'il ne faudrait surtout pas laisser passer : « Si je vis plus longtemps, il me faudra sans doute payer mon tribut à la vieillesse, je verrai et entendrai moins bien, mon intelligence baissera, je serai plus lent à apprendre, plus prompt à oublier, et je tomberai au-dessous de ceux qui jusqu'alors m'étaient inférieurs » (IV, 8, 8). Rien de plus évident. Après cet âge – Socrate a 70 ans –, on ne peut avoir que des ennuis. Il est donc temps de s'en aller. Comment ne pas saisir l'occasion, surtout si l'on vous propose une euthanasie légale ? C'est encore mieux. Non seulement les juges ont eu la bonne idée de lui procurer la fin au bon moment, mais ils lui ont choisi la manière la plus douce, l'empoisonnement par la ciguë : « Il me sera donné d'avoir la fin jugée la plus facile par ceux qui se sont occupés de la question » (*Apologie*, 7). Tout va bien, camarades, ceux qui me condamnent ne pouvaient pas faire mieux.

Les lecteurs, savants ou non, ne manquent pas d'être choqués par un tel niveau d'exigence, car les considérations sur la mort en restent là : spéculation nulle et idéal zéro. Voilà bien ce qui étonne : « La raison pour laquelle Socrate, dans notre *Apologie*, accepte facilement de mourir a paru à certains déconcertante et peu digne du philosophe, puisqu'il s'agirait uniquement pour lui d'éviter les inconvénients et les misères de la vieillesse. » Ou encore : « On peut estimer que Xénophon a accordé trop d'importance à ces propos de Socrate, en présentant la pensée qu'ils expriment comme le motif essentiel de l'attitude du philosophe devant ses juges[31]. » C'est bien là ce qui fait problème pour tout lecteur qui veut protéger une image de Socrate noble et grandiose. Mais, si l'on cherche une justification, on peut distinguer le peintre et le modèle. Que Xénophon n'ait

retenu aucune autre préoccupation de Socrate à l'approche
de la mort, c'est l'affaire de Xénophon ; en revanche, qu'il
ait retenu cet aspect, à moins de mettre en doute son
témoignage, cela devient l'affaire de Socrate.

Pourquoi Socrate ne serait-il pas, entre autres, réaliste
et terre à terre ? En réduisant la mort à son utilité première, celle de le débarrasser de sa vieillesse, il est possible
qu'il acquière une grandeur inattendue et nous indique une
voie de sagesse très précieuse. De la mort, il ne fait pas un
plat. Il n'en a pas peur, il ne se pose donc pas à son sujet
des questions métaphysiques, il n'en fait pas non plus un
moment extraordinaire, qui devrait nous éclairer sur notre
vie ou le sens de la vie. Ma mort, pense-t-il, n'est pas un
drame. Elle n'est pas tragique, elle est seulement bienvenue
à ce moment et sous cette forme. La recouvrir de banalité
est encore la meilleure manière de la respecter et de l'estimer. Vantard et profiteur devant la mort, c'est sa façon de
rester désinvolte et de la maintenir à l'écart des constructions savantes qui en minimisent la banalité.

CHAPITRE 10

LE PROCÈS

Socrate a 70 ans. Il est accusé de ne pas croire aux dieux de la cité, d'introduire d'autres dieux et de corrompre la jeunesse. Lors de son procès, il ne va pas répondre d'abord sur ces trois points. Il pense, en effet, qu'il lui faut affronter au préalable les calomnies qui courent sur son compte depuis plusieurs décennies. C'est par ce biais qu'il va pouvoir définir son originalité. Les auteurs comiques[1], et en particulier Aristophane[2], ont fait de lui l'emblème du sophiste. Leur caricature se dessine en quelques traits : ces gens-là cherchent à scruter les secrets de la nature, ils enseignent en se faisant payer. Or Socrate réfute ces allégations. Sur le premier point, il est impossible à quiconque de l'avoir « entendu disserter, si peu que ce soit sur de tels sujets », bien qu'il ne faille pas comprendre par là qu'il veuille « décrier cette science, si quelqu'un la possède » (*Apologie*, 19 d). Pas davantage il n'a fait profession d'« enseigner à prix d'argent », tout le monde le sait. En particulier, s'il ne méconnaît pas « combien il est beau d'être capable d'instruire les autres » (19 e), car il serait fier s'il savait en faire autant, il affirme ne pas le savoir (19 c).

Point capital, car la plaidoirie va se développer en contrepoint à la possibilité de savoir comment instruire les autres. Socrate commence par répondre à une question qu'il suppose être celle des auditeurs : « Si tu ne faisais rien d'exceptionnel, comment parlerait-on tant de toi ? Et, si tu vivais comme tout le monde, d'où cette réputation (20 c) ? » D'où tire-t-il, en effet, cette notoriété sulfureuse ? « Écoutez donc. Peut-être quelques-uns vont-ils s'imaginer que je plaisante. Non, croyez-le bien, ce que je vais dire est la pure vérité. Je le reconnais donc, Athéniens, je possède une science (*sophia*) ; et c'est ce qui m'a valu cette réputation. Quelle sorte de science ? Celle qui est, je crois, la science propre à l'homme (*èpér estin isôs anthrôpinè sophia*). Cette science-là, il se peut que je la possède ; tandis que ceux dont je viens de parler en ont une autre, qui est sans doute plus qu'humaine ; sinon, je ne sais qu'en dire ; car moi, je ne la possède pas, et si quelqu'un me l'attribue, il ment et cherche à me calomnier[3] » (20 d).

Ceux dont il vient de parler sont les maîtres dans l'art de la parole comme Gorgias, Prodicos, Hippias qui sont « habiles à développer les qualités propres à l'homme et au citoyen » (20 a-b). Mais en quoi s'oppose-t-il à eux ? Autrement dit, quelle est la différence entre Socrate et les sophistes ? Elle semble bien mince. Puisqu'il s'agit pour le premier de « la science propre à l'homme », et pour les seconds de l'habileté à « développer les qualités propres à l'homme et au citoyen » ou, autre traduction, pour le premier l'enjeu est « une sagesse d'homme », et pour les seconds « la connaissance de ce genre de mérite, qui est celui de l'homme et du citoyen » (20 d et 20 b)[4]. Mais, à y regarder de plus près, la position de Socrate et la pratique des sophistes ne se ressemblent pas. Eux connaissent l'art (*technè*) ou l'habileté nécessaire à former des hommes et ils peuvent donc l'enseigner. Socrate à l'inverse ne possède pas cette connaissance et, précise-t-il, « si quelqu'un me l'attribue, il ment et cherche à me calomnier » (20 e). Pourquoi ce ton menaçant ? Parce qu'il y a un abîme entre la capacité et l'incapacité d'enseigner[5]. Que Socrate, contrairement aux sophistes, ne se fasse pas payer, c'est un aspect secondaire que l'on aurait tort de placer sur le devant de la scène. Ce qui est au premier plan, la différence radicale qui les sépare, c'est que Socrate n'est pas en possession de ce qui permet d'enseigner : donc *il n'enseigne pas*[6]. Propos difficile à entendre, car enfin qu'a-t-il fait d'autre ? Mais évidence première puisque tout est fondé chez lui sur cette science ou sagesse humaine qu'il possède et qui est un savoir nul (23 b).

Comment va-t-il le montrer ? Bien qu'il ait prévenu que « quelques-uns dans l'assistance vont imaginer qu'il plaisante, alors qu'il va dire la pure vérité » (20 b) et qu'il puisse « paraître présomptueux », que l'on puisse penser que c'est un peu gros (*mega legein*), il ne se lance pas moins dans un récit rocambolesque[7]. Devant ce tribunal, il s'agit pour Socrate de dire sans ambages ce pourquoi il est là et de le dire solennellement. Une mise en scène s'impose donc qui soit à la hauteur de l'événement. Voici l'histoire. Son ami Chéréphon, qui est mort depuis, mais dont le frère peut confirmer le témoignage, est allé un jour interroger le dieu qui est à Delphes et lui a demandé s'il y avait quelqu'un de plus savant que Socrate. « Or la Pythie lui répondit que nul n'était plus savant[8] » (21 a). Ce récit extraordinaire va lui servir de tremplin pour exprimer ce qui est le cœur de son existence et la raison dernière de son originalité. Malgré la modestie affichée, l'arrogance est proche : « "Voyons, que signifie la parole du dieu ? quel sens y est caché ? j'ai conscience, moi, que je ne suis savant ni peu ni beaucoup. Que veut-il donc dire, quand il affirme que je suis le plus savant ? Il ne parle pourtant pas contre la

vérité ; cela ne lui est pas possible." Longtemps je demeure
sans y rien comprendre. Enfin, bien à contrecœur, je me
décidai à vérifier la chose de la façon suivante » (21 b).

Socrate entreprend alors de faire la tournée des différentes catégories de citoyens pour mettre à l'épreuve la véra-
cité du dire de l'oracle. Il commence par un homme d'État,
assez connu pour n'avoir pas à être nommé : « Il me parut
que ce personnage semblait savant à beaucoup de gens et
surtout à lui-même, mais qu'il ne l'était aucunement. Et
alors, j'essayai de lui démontrer qu'en se croyant savant il
ne l'était pas » (21 c). Conclusion : « À tout prendre, je suis
plus savant que lui... Seulement, lui croit qu'il sait, bien
qu'il ne sache pas ; tandis que moi, si je ne sais rien, je ne
crois pas non plus que je sais. Il me semble, en somme, que
je suis tant soit peu plus savant que lui, en ceci du moins
que je ne crois pas savoir ce que je ne sais pas » (21 d).

Après les politiques, il rend visite aux poètes. Le résultat est semblable. S'ils disent de belles choses, c'est par inspiration divine, mais ils ne savent pas ce qu'ils disent
(22 c). « Je les quittai alors, pensant que j'avais sur eux le
même avantage que sur les hommes d'État. » Viennent
enfin les artisans. Ces gens-là savent beaucoup de choses,
mais ils pensent que cela leur donne le droit d'intervenir
dans d'autres domaines où ils ne savent rien. Dans chaque
cas, la forme du non-savoir est différente. Les politiques ne
savent pas parce qu'ils croient savoir. Les poètes ne savent
pas parce que la source du savoir est ailleurs qu'en eux. Les
artisans ne savent pas ce qui est en dehors de leur
compétence[9]. C'est donc toute la société qui a été passée au
crible et qui a été reconnue incapable de soutenir l'épreuve.
Tous se sont appuyés un moment sur un savoir auquel ils
prétendaient sans pour autant le posséder.

À lire ces pages, on pourrait se contenter de conclure
que Socrate, en bon pédagogue, se borne à réfuter les faus-

ses allégations ou les ignorances. Mais l'enjeu est d'un autre calibre. Il suffit de lire. La conclusion du passage se fait par le rappel de la formule utilisée au début. Socrate, pour se distinguer, avait dit qu'il avait une science et que cette science était tout simplement la science propre à l'homme. Maintenant il affirme ne pas être mieux loti que ses interlocuteurs : « Chaque fois que je convaincs quelqu'un d'ignorance, les assistants s'imaginent que je sais tout ce qu'il ignore. En réalité, juges, c'est probablement le dieu qui le sait, et, par cet oracle, il a voulu déclarer que la science humaine est peu de chose ou même qu'elle n'est rien » (23 a). Et il insiste : je ne suis qu'un paradigme. Voici ce que le dieu a voulu dire à travers moi : l'humain « le plus savant est celui qui sait qu'en fin de compte son savoir est nul[10] ». Tout à l'heure, il affirmait qu'il avait le savoir ou la sagesse propre à l'homme (*anthropinè sophia*) (20 d) et maintenant il reprend la même expression pour souligner que cette science est peu de chose, qu'elle est sans valeur, qu'elle n'est digne de rien (*axia oudénos*) (23 a), à l'image de ce que sait Socrate et qui, évidemment, n'est digne de rien (*oudénos axios*) (23 b). Sous la variété des ignorances représentée par celle des différentes catégories de citoyens, celle des politiques, celle des poètes ou celle des artisans, c'est la nullité du savoir humain ou plutôt le savoir humain comme nullité qui se manifeste.

Que le mot *ouden* soit martelé à maintes reprises au cours de ces quelques pages ne peut pas être un hasard. Ce qui caractérise le mieux le savoir humain, c'est donc le rien, qui n'est pas un manque de savoir, ou une ignorance qui pourrait être corrigée. Tout ce que l'on peut apprendre pour devenir sage et savant, c'est à savoir que, irrémédiablement, on ne sait rien, c'est demeurer au niveau du non-savoir. Mais comment demeurer dans cette évidence, dans ce fond de certitude, si ce n'est par l'exercice qui va devoir à chaque instant défaire le savoir qui se pense et se croit quelque chose ? Éprouver qu'il n'est rien, c'est ce qui est pour Socrate au cœur de son existence. Le faire éprouver est ce qui est sa tâche unique et inlassable.

Il n'y a plus à s'étonner qu'il n'enseigne pas et qu'il n'ait donc rien à voir avec les sophistes puisque son but est à chaque instant.de défaire le savoir, quelle que soit la forme sous laquelle il apparaisse. Il est bien exact que le savoir ou la sagesse qu'il défait dans sa rencontre avec les politiques ne ressemble pas à celui ou celle que défendent les poètes, et pas davantage aux extrapolations indues des artisans. C'est cependant toujours la même visée qui est maintenue par Socrate. Il n'y a pas à s'attarder à la diversité des convictions ou des croyances rencontrées, puisque toutes doivent être pulvérisées. Pas question de réduire l'entreprise à l'obtention pour chacun de la modestie : qu'il ne prétende pas savoir plus qu'il ne sait. Il s'agit *à partir de tout savoir de faire expérimenter le rien de tout savoir*. Voilà qui clôt la réfutation des calomnies anciennes, celles qui ont été entretenues par les auteurs de comédies.

La réponse aux accusations actuelles va s'opérer sur un tout autre mode. Les adversaires sont là dans la proximité physique. C'est à Mélétos que Socrate va s'adresser pour se défendre. On est loin de l'évocation à distance du même Mélétos dans le dialogue avec Euthyphron. Socrate s'y montrait léger et le marché qu'il prévoyait de proposer à Mélétos restait une fiction sans conséquence. Ici le ton est devenu sérieux. Socrate ne peut plus jouer et c'est sans doute pourquoi il a déjà perdu. L'art du dialogue, des distinctions, des solutions extrêmes va se retourner contre lui, car Mélétos ne concède rien et ne redoute pas de soutenir les contrevérités. Autrefois, Socrate engageait le dialogue à la faveur de grands détours dont l'interlocuteur ne percevait pas les tenants et aboutissants, ce qui le conduisait à des impasses. Ici le stratagème est par avance éventé. Socrate demande qui est capable de rendre les jeunes gens meilleurs ; il voudrait qu'on lui trouve cet homme et que l'on définisse ses qualités. Mélétos répond : les lois. Socrate est déconcerté. Mais, au lieu de reposer sa question dans les mêmes termes, il la reformule en acceptant le point de vue qui vient de lui être proposé : « Quel est l'homme qui les rend meilleurs, celui qui tout d'abord connaît au mieux ces lois ? » Dès cet instant, le contrôle de l'entretien lui échappe. Il n'est plus maître du terrain. Chaque fois, en effet, que Socrate propose une alternative et que Mélétos est contraint de répondre, ce dernier propose la solution la plus défavorable, si bien qu'à chaque avancée Socrate se trouve poussé dans un recoin plus inconfortable. « Alors les juges sont seuls capables de rendre meilleurs ? — Oui. — Tous ou certains ? — Tous. — Et les membres du Conseil. — Tous. — Et les citoyens de cette Assemblée ? — Tous. — Et tous les Athéniens ? — Tous. — Alors, je suis seul à les corrompre ? — Évidemment. » Socrate a beau crier à l'imposture : « Tu fais assez voir que jamais tu n'eus souci des jeunes gens » (25 c). C'est pourtant bien lui qui s'est laissé entraîner dans ce cul-de-sac, ne mesurant pas qu'il est maintenant seul à jouer le jeu des questions-réponses, que l'accusateur n'a plus l'ombre d'un scrupule et aucun reste de bonne foi.

Puisque Socrate semble avoir oublié l'art de la feinte, Mélétos va en profiter pour l'envoyer une seconde fois dans les cordes. Lorsque Socrate finit par poser la question cruciale : « En m'accusant de corrompre les jeunes gens, de les porter au mal, prétends-tu que je le fais à dessein ou involontairement (25 d) ? » Il est sidéré par l'effronterie de la réponse : « À dessein, certes », à dessein, quant à moi (*ékonta egôgé*). Et la preuve qu'il n'en revient pas, c'est qu'il

réplique avec le triste et banal argument du grand âge :
« Qu'est-ce à dire, Mélétos ? Jeune comme tu l'es, me
surpasses-tu tellement en expérience, moi qui suis âgé ? »

Il a été entamé. Mais il se reprend dans la troisième
partie du dialogue. En guise d'exergue, il commence à
demander à l'auditoire s'il lui accorde « de parler à sa
manière habituelle » (27 b). Il entreprend donc d'enfermer
Mélétos dans une contradiction. Ce dernier l'accuse de ne
pas croire aux dieux de la cité, ce qui équivaut pour lui à
une profession d'athéisme. Mais, par ailleurs, il est avéré
que Socrate croit à certains démons. Le raisonnement de
Socrate qui fait apparaître la contradiction est le suivant :
si je crois à des démons, je crois donc aux dieux dont ils
sont issus, car il faut bien qu'ils aient une origine. Mais
alors, si je crois à ces dieux, je ne suis pas athée. Comme
Mélétos a pris le pli de tout nier dans les moments du dialogue qui précèdent, il est victime de sa rigidité. En affirmant sans plus de nuance que Socrate est athée, il se prive
de relever que Socrate a escamoté le nerf de l'accusation :
on lui reproche d'être athée, non parce qu'il nierait les
dieux en général, mais les dieux de la cité. Pour les juges,
en effet, il reste athée, au sens traditionnel, même s'il en
appelle à d'autres dieux. Il aurait été loisible de lui faire
remarquer que son argumentation aggravait son cas. Mais
Mélétos n'entre pas dans ce genre de subtilité et Socrate a
beau jeu de lui dire qu'il se contredit.

Socrate a donc repris le dessus, mais c'est en vain. La
contradiction dans laquelle tombe l'interlocuteur ne le
conduit pas ici, comme dans d'autres dialogues au rougissement de honte (*aiskhron*). Car Socrate n'a jamais réussi à
impliquer Mélétos dans le dialogue et à le mettre dans
l'embarras lorsqu'il bute sur des apories. Pas un instant ce
dernier ne considère comme ayant quelque sens les propos de
celui qui veut encore se présenter comme un maître à penser.

Toutefois, l'échec de la plaidoirie, l'impossibilité de persuader l'auditoire de son innocence, la fermeture de Mélétos à toute forme de réfutation, tout cela oblige Socrate à renoncer au détour du questionnement et à revenir encore une fois sur ce qui le meut, sur le pourquoi et le comment de sa manière d'être inédite. L'évocation de l'oracle de Delphes avait fait apparaître l'importance de l'exercice du non-savoir. Il est possible maintenant de préciser comment ce non-savoir est obtenu. C'est par l'interrogation, la mise à l'épreuve et la réfutation (29 e). Tout cela on le savait depuis longtemps puisque les dialogues sont définis comme socratiques lorsqu'ils présentent ces marques. Mais, dans l'*Apologie*, cette manière de discourir apparaît dans toutes ses dimensions.

On se trouve devant une figure complexe dont tous les éléments se rapportent les uns aux autres. Cet examen permanent est le fruit d'une assignation par le dieu (*to theon*[11]) à tenir une place. Mais tenir cette place, qui consiste en permanence à interroger pour faire apparaître la nullité du savoir, exaspère les interlocuteurs. D'où leur inimitié et leur haine qui font courir le risque de mort. Cette mort menaçante n'est pas à craindre. Comment pourrait-on, en effet, craindre une chose dont on ne connaît pas les effets ou dont on ignore si elle est profitable ou dommageable ? C'est donc encore le non-savoir qui est à l'œuvre et qui désamorce la crainte de la mort. De plus, si l'on veut rendre meilleurs les autres, c'est-à-dire pratiquer et faire pratiquer la vertu, il suffit d'examiner soi-même et les autres, de les faire chuter de leurs prétentions, de les faire tomber par là dans le rougissement de la honte. Et la divinité réapparaît, car Socrate a inventé cette forme de dialogue parce que la divinité l'a envoyé auprès des Athéniens pour les piquer à la manière d'un taon et pour les tenir éveillés. Le dialogue socratique est donc une variante de la pratique de la vertu. Il n'est pas

l'exercice intellectuel de la critique, mais l'acte par lequel on
tient sa place dans l'existence lorsqu'elle est confrontée à la
mort, comme Socrate en a fait l'expérience pendant les
campagnes de Potidée, d'Amphipolis et de Délion. Le religieux, le moral, l'intellectuel ne sont même pas des aspects
différents d'une même réalité ; ils ne se distinguent pas les
uns des autres parce que chacun exprime l'ensemble.

On peut se permettre d'insister. Quel que soit le point
de départ que l'on prenne, c'est tout le reste que l'on tire
comme si l'on avait affaire à un écheveau indémêlable. Et
c'est là sans aucun doute une des difficultés majeures à la
compréhension de l'énigme socratique. Mais on saisit tout
de même, par exemple, de quelle nécessité interne a pu sur-
gir la forme très spécifique du dialogue. Si la sagesse
humaine ne valait rien, il fallait, pour le faire apparaître,
inventer un style qui porta l'interrogation à sa limite, de telle
sorte que nulle conclusion ne soit possible et que l'on ne
puisse aboutir qu'à une autre interrogation. Embarras fait
de honte, aporie d'étrangeté et cela à renouveler sans fatigue
parce que le rien de sagesse est toujours prêt à se récrier en
prétention et qu'il se perd s'il n'en reste pas, s'il n'est pas
remis sans cesse à son degré zéro. Opération logique, dont il
ne faut pas parfois trop regarder à la logique, car l'essentiel
est de perdre pied et de faire perdre pied. Si le but est
atteint, c'est toujours au détriment de l'impayable fierté du
logos. Alors cessons d'ergoter sur les moyens. Car il y va de
la vertu. On bascule sans préavis et sans intermédiaire de la
plus belle intellectualité à la rigueur de l'action. Et d'ailleurs
il n'y a pas de différence. Il n'y a pas d'intelligence sans mise
en œuvre. Une intelligence qui supprime la distance parce
qu'elle est entrée dans la chose même. Enfin, cette réussite
est l'affaire du dieu, de ce qui lie et qui dépasse.

Socrate sait en quoi consiste le fait de tenir la position
assignée. Mais, de temps à autre, « même à propos

d'actions de peu d'importance » (39 c), il est tenté de
l'abandonner ; alors le démon intervient pour la lui faire
regagner. Comme il se doit, le démon est une force négative : quelque chose de divin et de démonique (*Theion ti kai
daimonion*), « une certaine voix (*phonè tis*) qui, lorsqu'elle
se fait entendre, me détourne toujours de ce que j'allais
faire, sans jamais me pousser à agir » (31 d). C'est, en effet,
un signe divin (*to tou theou sèmeion*) (40 b) qui n'a pas
contrarié son désir de rester en prison et d'y attendre la
mort. Mais pourquoi le démon ne lui suggère-t-il rien de
positif, pourquoi n'a-t-il pas besoin de signe qui lui indique
la bonne voie, pourquoi ne s'attendrait-il pas à être inspiré,
pourquoi lui suffit-il de l'interprétation des oracles et des
songes (33 c) ? C'est tout simplement que les choses à faire
sont inscrites dans sa position, dans le poste qu'il occupe et
qui résulte du perpétuel examen de lui-même et des autres.
L'exercice du non-savoir lui procure une incessante retom-
bée dans la compétence ou dans l'excellence de l'être
humain (*anthropinè arétè*), c'est-à-dire dans le rien de la
sagesse humaine où l'on est assuré de devenir meilleur. La
voix du démon se fait entendre lorsqu'il y a une fausse
note, lorsque cela ne s'accorde plus. Si la voix était allemande, elle dirait seulement de ce mot intraduisible : « *Es
stimmt nicht.* » Remets-toi dans ton lieu.

Mais pourquoi dit-il à ses juges : « Vous ne trouverez
pas facilement mon pareil » (31 a), pourquoi est-il non pas
seulement seul, comme dans *Criton*, mais unique ? On
comprend l'exaspération qu'il est capable de susciter avec
cette façon de n'en plus finir de questionner et de ne laisser
à ses interlocuteurs aucune possibilité de répit. Mais il ne
se réduit pas à cette position. Il s'entretient sans cesse et il
prétend ne pas enseigner. Or c'est cela qui est insupportable à ses contemporains. Ne plus distinguer la religion de la
morale et la morale du travail de la pensée est incompré-

hensible et menace les fondements mêmes de la culture. Il
doit mourir.

Ce ne sont pas seulement des esprits bornés et mal-
veillants qui n'ont pas pu accepter ce qu'il recherchait et
pensait avoir trouvé. Ce sont ceux-là mêmes qui l'ont suivi
ou estimé. Ni Platon, ni Xénophon, ni Aristote n'ont pu
emprunter sa voie et n'ont finalement pu faire leur la fine
pointe de ce qu'il avait proposé et expérimenté. Le cas de
Platon est singulier. Il a rapporté la manière et la pensée de
Socrate dans les dialogues dits de jeunesse. C'est là que
Socrate applique sa méthode caractérisée par les mots de
l'*Apologie* : questionner, éprouver, réfuter (29 e). Ce qui
suppose qu'il n'enseigne pas, et tout spécialement qu'il
n'enseigne pas la vertu. Car cette dernière est incluse dans
la réfutation. S'il n'en était pas ainsi, il n'y aurait aucune
possibilité d'affirmer l'équivalence du savoir et de la vertu :
autre évidence socratique qui dit la même chose en d'autres
mots. La réfutation, qui ne s'enseigne pas, mais se pratique,
est bien le moyen terme indispensable entre savoir et vertu.
Or, si on lit la lettre VII qui est attribuée à Platon, on cons-
tate qu'il ne doute pas de la nécessité de l'enseignement
pour former un homme politique. Son échec en Sicile ne le
fait nullement revenir sur cette certitude. Comment donc
espérer transmettre la vertu, nous dirait-il, si elle ne s'enseigne pas ? Ce qui est diamétralement opposé à ce qui fait
l'originalité de Socrate.

Il n'y a pas à s'étonner que la pratique de la réfutation
ait été peu à peu abandonnée par Platon au fur et à mesure
de sa prise de distance à l'égard de Socrate. « Dans les derniers dialogues de Platon, le répondant ne semble déjà plus
tenu de répondre en fonction de ses opinions personnelles.
Que l'on pense, entre autres, au *Sophiste* (246a-249d), où
l'Étranger demande à Théétète de défendre tour à tour la

position des "matérialistes" et celle des "idéalistes"[12]. »
Théétète qui peut défendre le pour et le contre n'est pas
plus impliqué personnellement dans l'une que dans l'autre
position. Il ne peut donc être soumis à la réfutation socratique qui nécessite de parler en son nom. Plus curieux
encore : l'exacte description de la réfutation et de ses effets
cathartiques, qui est un portrait de Socrate, devient une
définition du sophiste. Elle en est la sixième définition et
elle est une anomalie dans cet environnement[13]. À quoi joue
Platon en insérant ce portrait dans cette liste ? Il s'installe
sciemment dans l'ambiguïté. Sa description, en effet, montre à l'évidence qu'il connaît fort bien l'originalité de
Socrate, donc qu'il sait que Socrate n'est pas un sophiste,
mais, comme il ne peut pas le suivre sur ce terrain, mala-
droitement ou très habilement, il laisse croire que son
ancien maître est un sophiste parmi d'autres ?

On a vu, au chapitre précédent, que Xénophon n'avait
pas supporté la profession d'ignorance de Socrate parce que
le non-savoir socratique était toujours interprété comme
une ignorance. Il ne peut évidemment pas comprendre que
la réfutation à elle seule soit susceptible d'engendrer la
vertu. Car la réfutation n'est pas un pur exercice intellectuel,
une simple opération logique, elle vise la défaite d'une position dans l'existence pour qu'une autre apparaisse sans qu'il
soit besoin de l'expliquer. Xénophon aurait très bien pu saisir le nerf de la chose, puisque, dans la conversation entre
Socrate et Euthydème qu'il rapporte, il a bien noté que la
vie de ce jeune homme avait été bouleversée sans que le
maître ait eu besoin de lui enseigner quoi que ce soit. Il
avait suffi qu'il le laisse débouté de toute argumentation,
désemparé, sans réassurance et sans explication. Le réflexe
vital s'était chargé de la transformation. On peut supposer
que, par le seul effet de cette destruction mentale, l'orientation vertueuse avait été prise de façon durable.

Mais de cela Xénophon n'a rien vu. À ses yeux la réfutation à elle seule est incapable de conduire à la vertu. Et l'on en donne pour preuve le fait que maintes personnes soumises à cette réfutation ne sont pas devenues vertueuses. Cet argument serait valable si ceux qui avaient volontiers écouté les discours avaient tous été inexorablement modifiés. La réfutation devrait être réduite à une manière de « démasquer les faux savoirs[14] » et serait donc tout au plus un préalable à l'enseignement de la vertu. C'est pourquoi, dans les *Mémorables*, Socrate apparaît d'abord et avant tout comme un professeur de morale. Quelques dialogues, où la réfutation apparaît, le montrent sous un autre jour, mais Xénophon n'en profite pas pour revoir sa conception des rapports de la vertu au savoir. Son Socrate, le plus souvent, ne dialogue plus et ne dialogue plus pour embarrasser. Il se contente de conseiller et d'exposer une doctrine. Pour défendre la mémoire de Socrate, Xénophon a cru nécessaire de le dépeindre conforme à l'opinion que les Athéniens pouvaient avoir d'un sage ou d'un philosophe. Il le rendait donc lui aussi proche des sophistes.

Reste Aristote. Lui a parfaitement compris et défini la position spécifique de Socrate[15]. Il sait que, pour Socrate, il n'y a pas de distance entre savoir et vertu, que ce sont là seulement deux aspects d'une unique réalité, que le modèle choisi et abondamment utilisé par lui est celui de l'artisanat. Sans oublier que l'artisan est vu dans la plénitude de sa compétence, à laquelle donc rien ne peut être ajouté. Aristote souligne encore que Socrate ne dit pas les moyens pour arriver au but. Il se place dans ce dernier et juge tout à partir de là. Au sens strict à ne jamais oublier, on n'acquiert pas la vertu ; donc, on ne l'enseigne pas, parce qu'on n'a pas à l'enseigner. On la possède d'entrée de jeu : elle est indissociable du caractère d'être humain qui a bien évidemment sa science propre.

Il a suffi au génie d'Aristote de quelques mots pour dessiner la position originale de Socrate. Mais il ne l'accepte pas. Que la vertu doive s'acquérir, fût-ce par la coutume ou par l'habitude, cela ne peut pas faire de doute. Le but n'est pas donné d'emblée ; il faut bien un chemin pour y accéder. Et puis ce chemin à son tour, il faut bien que ce soit quelque sorte d'enseignement qui le montre. On ne peut que s'avancer progressivement : impossible de disposer d'un seul coup de tous les paramètres constitutifs d'une situation avant d'y intervenir. Il faut bien que l'intelligence les rassemble et que de plus ce geste soit toujours insuffisant. Dans l'acte sans doute y a-t-il unité, mais cet acte est précédé et on ne saurait d'aucune façon ignorer ce temps préalable.

Quant à la réfutation proprement dite, qu'elle soit liée ou non à l'acquisition de la vertu, Aristote évite d'avoir à trancher. Il utilise non pas le substantif *élenchos* ou le verbe *élenchein*, mais *anaskeuazein* et *anairein*. « Étant donné que le terme *élenchein* conserve, en vertu de son emploi originel et de sa tradition, et en dépit des modifications sémantiques qui l'ont affecté, une connotation morale, celle d'épreuve ayant pour but de révéler la véritable nature ou valeur d'une personne, Aristote abandonne ce verbe[16]. » Pour lui, la réfutation est confinée au niveau logique ; elle vise un discours et non pas des individus.

Ils sont donc tous les trois d'accord. Pour défendre Xénophon, L.-A. Dorion a raison d'écrire : « Pour ce qui est de la présumée vertu éthique de l'*élenchos*, c'est-à-dire de ses effets bénéfiques supposés eu égard à l'acquisition de la vertu, on ne peut pas non plus lui [Xénophon] reprocher de ne pas y souscrire, puisque Platon lui-même a finalement délaissé l'*élenchos* et qu'Aristote s'est empressé d'amputer la réfutation de toute visée éthique[17]. » Si tous les trois ne disent pas explicitement que Socrate pervertit la jeunesse, ils n'en sont pas loin. Comment peut-il prétendre la rendre meilleure, son grand mot maintes fois répété, s'il n'enseigne pas les règles de bonne conduite, s'il se contente de mettre dans l'embarras, d'endormir ou de droguer ses interlocuteurs, soi-disant pour les piquer et les tenir éveillés. Qu'est-ce donc que cette histoire ? Ils ne le disent pas, mais ils ne peuvent pas ne pas se demander si finalement, comme le pensent les autres, ils n'ont pas affaire à une sorte de sophiste. Un parleur éblouissant qui trouve toujours à objecter, du moins tant qu'il ne tombe pas sur un mauvais drôle insensible à la séduction. Eux ne souhaitent pas le voir mettre à mort, car ils l'aiment ou l'estiment. Mais enfin son entreprise ne tient pas debout. Comment veut-il nous faire croire que l'être humain est déjà vertueux par le fait qu'il serait humain, qu'il aurait l'*arétè anthrôpinè* parce qu'il aurait l'*ousia anthrôpinè* ?

Quel sens peuvent avoir ces expressions ? À quelle expérience peuvent-elles se référer pour recevoir un sens ? Si ce que Socrate avait de spécifique a été reconnu, mais a été jugé inacceptable par les plus grands de ses contemporains ou successeurs, qu'est-ce qui leur a échappé, qu'est-ce qui était à ce point étranger à leur expérience ? Ou encore qu'est-ce qui leur répugne, qui semble à la fois toucher à la racine de leur culture et ne pouvoir supporter d'être entendu ? Toutes ces questions peuvent être adressées à Socrate : sur quoi s'est-il appuyé pour adopter cette méthode dont le nerf échappe à la compréhension ? D'où vient qu'il ait pu adopter cette posture étrange ? Sur quoi a-t-il pu construire sa solitude et son arrogance ? Comment a-t-il pu tenir dans l'incompréhension généralisée ?

CHAPITRE 11

LA TRANSE

Un texte, dont la forme est unique dans le corpus platonicien, fait directement le portrait de Socrate. C'est le fameux éloge de Socrate par Alcibiade à la fin du *Banquet* de Platon. Pour certains commentateurs[1], ces pages auraient été rédigées avant le reste du dialogue et pourraient donc être lues sans tenir compte du contexte où elles sont insérées. Elles sont propices à poser une nouvelle fois la question de la nature de l'étrangeté socratique et peut-être même de son origine.

Alcibiade a été disciple de Socrate, mais sa participation calamiteuse aux affaires de l'État a jeté une ombre sur son maître comme si ses actes étaient le fruit de l'enseignement qu'il avait reçu[2]. Il va nous dire cette ambiguïté qui l'habite et qui pourrait expliquer la pertinence et la limite de son jugement. Il aime assez Socrate pour l'avoir observé sans ménagement, il le hait avec assez de force pour ne pas celer ses incongruités. On veut voir Alcibiade en amoureux éconduit. Peut-être, mais ne montre-t-il pas également bien autre chose ? S'il est ce jeune homme à qui Socrate s'est refusé, ne serait-ce pas d'abord parce qu'il a refusé l'expérience proposée par Socrate ?

Alcibiade commence par cerner exactement par une double comparaison contrastée la nature et les effets de l'influence de Socrate. Après lui avoir aimablement fait entendre qu'il était laid comme un silène, nez camus, regard bas, gros ventre, ou qu'il reproduisait l'image d'un satyre, il ajoute : « Quant aux autres ressemblances, eh bien, écoute à présent. Tu es un être insolent (*ubristès eî*) » (215 b). Ou : « Tu es un violent. » Mais quelle est la nature de cette violence ? C'est la violence ressentie par ceux qui sont possédés. Ici cependant la possession est non pas l'effet des chants ou de la musique, mais des paroles. « Marsyas se servait d'instruments quand il charmait les hommes par la puissance de son souffle. [...] Toi, tu diffères de lui sur un seul point : tu n'as pas besoin d'instruments, et de simples paroles te suffisent pour produire les mêmes effets. » Comme Marsyas, le joueur de flûte, tu fais de nous des possédés (*katechestai*) (215 c). Sans aucun instrument de musique, par tes seules paroles, nous sommes frappés de stupeur et sommes possédés (*ekpeplègmenoi esmen kai khatechometha*[3]) (215 d).

Alcibiade utilise le mot courant de « possession ». Mais il est assez malin pour comprendre que ce qui se passe avec Socrate est quelque chose de plus singulier. L'opposition entre musique et parole ne suffit pas à le caractériser. À l'intérieur même de la parole, il y a un autre contraste entre l'effet des dires de Socrate et celui du discours d'un orateur : « Quand je l'écoute, en effet, mon cœur bat plus fort que celui des Corybantes en délire, ses paroles font couler mes larmes [...] Or, en écoutant Périclès et d'autres bons orateurs, j'admettais sans doute qu'ils parlaient bien, mais je n'éprouvais rien de pareil, mon âme n'était pas bouleversée, elle ne s'indignait pas de l'esclavage auquel j'étais réduit » (215 e).

Qu'a donc de spécifique la parole de Socrate pour qu'elle puisse être située dans le registre de la possession ? C'est qu'« il est tout pareil à ces silènes qu'on voit exposés dans les ateliers des sculpteurs, et que les artistes représentent un pipeau ou une flûte à la main ; si on les ouvre en deux, on voit qu'ils contiennent, à l'intérieur, des statues de dieux » (215 b). Socrate, avec ses paroles, produit le même effet que les joueurs de flûte qui sont capables de « manifester ceux qui ont besoin des dieux comme de leurs initiations » (215 c). Ou encore, dit Alcibiade un peu plus loin : « Quand il est sérieux et que le silène s'ouvre, je ne sais si quelqu'un a vu les images fascinantes (*agalmata*) qu'il contient. Moi je les ai vues déjà, et elles m'ont paru si divines, et précieuses, et parfaitement belles, et extraordinaires, qu'il me fallait en un mot exécuter toutes les volontés de Socrate » (216 e-217 a). Socrate est assimilable à un sorcier ou à un chaman en ce qu'il introduit au divin et que l'on ne peut pas s'opposer à la force qu'il porte en lui. Il s'en distingue cependant, comme on l'a vu, par son usage exclusif de la parole.

Mais il y a encore une autre différence révélée par Alcibiade : *la possession induite par Socrate vise la forme de vie. Elle n'est pas un moment de transport ou d'intense émotion susceptible d'être répété sans laisser de trace ; elle est un pouvoir intrusif qui exige un changement.* « Même à présent[4], j'ai conscience encore que, si je consentais à lui prêter l'oreille, je serais sans résistance ; que, bien plutôt, je ressentirais les mêmes émotions ! Il me force en effet à en convenir : il y a une foule de choses dont personnellement je manque, et pourtant je continue à n'avoir pas souci de moi-même, tandis que je m'occupe des affaires des Athéniens (216 a) ! » Le discours de Socrate est donc une force à laquelle on ne saurait tenir tête. *Elle fait cesser la maîtrise de soi et conditionne le souci de soi.* Donc si l'on s'y prête, on perd la *carteria* (*ouk an cartérèsaimi*), cette fermeté de caractère dont Socrate ne se serait jamais départi.

N'y a-t-il pas là quelque chose de troublant ? La possession est la condition du changement. Cela est affirmé négativement : Alcibiade reconnaît qu'il ne prend pas souci de soi parce qu'il n'écoute pas longtemps Socrate et ne se laisse pas réagir à ses enchantements. Mais que se passe-t-il si le souci de soi (*emautou amelô*), requis pour devenir le meilleur possible (*beltiston genesthai*), suppose la perte de la maîtrise de soi, inscrite dans la possession, alors que la *carteria*, la maîtrise de soi, la fermeté de caractère, semble être un aboutissement et s'identifie au devenir meilleur ? La solution de cette énigme ne fait pas difficulté, si l'on prend la peine de penser l'expérience socratique non seulement comme un état, mais également comme un processus par lequel il faut passer et repasser. Cela commence par la possession ou la perte de maîtrise, comme il y avait la torpeur de Ménon ou la honte de Gorgias, quelque chose qui vient d'ailleurs, que les Grecs nomment le divin, donc quelque chose qui déconcerte et qui trouble. Ce quelque chose apparaît ensuite sous les traits d'une contrainte à prendre soin de soi et à devenir le meilleur possible. C'est alors seulement que pourra être pratiquée la *carteria* ou l'*egkrateia*, l'empire sur soi-même qui prend, dans ce contexte, une forme particulière. L'expérience proposée par Socrate est à décrire selon trois temps. Le premier est à double face : du côté de ce qui est reçu, le divin[5], et du côté de qui reçoit, la non-résistance. Le deuxième est le changement de la forme de vie par le devenir le meilleur possible[6]. Le troisième temps est, comme on le verra plus loin, un comportement dans l'existence marqué par la liberté et l'indifférence.

Mais Alcibiade ne veut pas de ces cheminements compliqués parce qu'il est incapable d'un engagement au souci de soi. Pour se libérer de ce fardeau à répétition, il n'existe qu'un seul moyen : éviter la fréquentation de Socrate. Ce qu'il redoute, en effet, c'est de n'en jamais plus finir de cette pression et de cette exigence. Il a fait une ou plusieurs fois l'expérience, cela lui suffit. On ne l'y reprendra plus : « Aussi est-ce en me bouchant de force les oreilles, comme pour me défendre des Sirènes, que je m'en vais en fuyant, pour n'avoir pas, assis en ce lieu même, à attendre la vieillesse aux côtés de ce bonhomme (216 a) ! »

Il se souvient en particulier d'avoir éprouvé le plus désagréable ou le plus insupportable pour un Athénien : la honte. Il se croyait à l'abri de pareille mésaventure, en tout cas, nulle circonstance ou nulle personne ne lui en avaient donné l'occasion. Il a fallu que ce soit Socrate qui s'en charge : « Enfin, il est le seul au monde vis-à-vis de qui j'ai éprouvé un sentiment dont la présence en moi pourrait sembler incroyable, celui de la honte vis-à-vis de quelqu'un ; or il n'y a que lui envers qui j'aie honte (216 b) ! » Pourquoi donc Alcibiade n'est-il pas sensible à la honte, pourquoi a-t-il fallu, pour l'y conduire, l'empire exceptionnel de Socrate ? Tout simplement parce qu'Alcibiade ne veut que faire miroiter la surface de sa propre peau. Tout à l'heure, à la faveur d'un rapport sexuel désiré, il voudra échanger sa beauté contre la sagesse du maître[7] : « J'espérais bien, en retour du plaisir que je ferais à Socrate, apprendre de lui tout ce qu'il savait » (217 a). Il se comporte comme une folle rencontrant une célébrité dans un bar à la mode avec l'espoir d'y puiser du génie. En lui, rien ne prend racine ; entiché de sa beauté et de sa richesse, il ne peut que séduire ou être séduit. S'il est possédé un instant par le souffle qui passe, il ne le laisse pas pénétrer en lui pour en faire une puissance capable de le modifier. Son inconstance et son inconsistance, il les étale sans vergogne. Il sait, en effet, ne pouvoir se défendre ni des suggestions de Socrate ni des applaudissements des assemblés : « Ma conscience m'atteste à moi-même, d'une part mon incapacité à prouver contre lui qu'on n'est pas obligé de faire ce que, lui, il commande, et, d'autre part, la facilité avec laquelle, dès que je me suis éloigné, je me laisse vaincre par le souci d'être considéré de la foule » (216 b). S'il pouvait résister aux enchantements de Socrate, il pour-

rait être aussi un homme d'État vigoureux. Mais ce genre de
responsabilité lui échappe.

Ainsi ballotté entre l'impossibilité de se protéger de
l'influence de Socrate, à laquelle il ne peut répondre par un
changement personnel, et la nécessité de trouver une
consistance illusoire grâce aux flatteries du grand nombre,
il sent monter en lui une haine meurtrière : « Maintes fois
même, c'est avec joie que j'aurais vu sa disparition du nombre des hommes ; mais je sais fort bien en revanche que, si
cela arrivait, j'en serais encore bien davantage peiné. Bref,
je ne suis pas à même de savoir comment m'y prendre avec
ce diable d'homme (216 c) ! » Encore un, pour ses raisons
à lui, qui ne serait pas mécontent de la mort de Socrate.
Mais, il reste lui-même : un bouchon sur la mer, un dandy
qui n'a pas la force de porter sa haine jusqu'à ses conséquences et qui peut seulement ne pas laisser agir sa fureur
parce qu'il redoute la culpabilité qui déferlerait en lui.

C'est dans ce contexte qu'il faudrait comprendre le récit
des manigances d'Alcibiade pour obtenir les faveurs sexuel-
les de Socrate. Il a fait plusieurs tentatives, invitant Socrate
à dîner avec lui, à s'attarder et à dormir sur place. Le soir où
il a réussi à retenir son hôte et après avoir congédié les ser-
viteurs, il fait à Socrate la proposition suivante : « Pour moi[8],
voici mon sentiment : il est tout à fait stupide, à mon avis, de
ne pas te faire plaisir en ceci, comme en toute chose où tu
aurais besoin de ma fortune ou de mes amis. Rien en effet
ne compte plus à mes yeux que de devenir le meilleur possible, et je pense que dans cette voie personne ne peut m'aider
avec plus de maîtrise (*kuriôteros*) que toi » (218 c et d). Il a
donc le culot de reprendre des mots maintes fois employés
par Socrate pour dire le but dont ne s'écarte pas l'action
humaine : *ô ti beltiston genesthai*, devenir le meilleur possible, et en même temps user de ces mots pour obtenir les ulti-

mes faveurs. S'il avait voulu se payer la tête de son amant
tant désiré, il ne s'y serait pas pris d'une autre manière.
Comment dans ces conditions, en effet, Socrate aurait-il pu
répondre à de telles avances ? Comment aurait-il pu supporter un tel renversement de perspective, une telle perversion
des paroles ? Sa réplique n'esquive rien. Il accepte l'échange
que lui propose Alcibiade, mais à condition de lui en préciser
les termes et de désigner sur quoi va déboucher la fin de la
partie : « Mon cher Alcibiade, tu ne dois pas être frivole, si ce
que tu dis sur mon compte est vrai, et si j'ai quelque pouvoir
de te rendre meilleur (*su genoio ameinôn*[9]). Tu vois sans
doute en moi une beauté peu commune et bien différente de
la grâce qui est la tienne. Si donc cette observation t'engage
à partager avec moi et à échanger beauté contre beauté, le
profit que tu penses faire à mes dépens n'est pas mince. Tu
n'essayes pas de posséder l'apparence de la beauté, mais sa
réalité, et tu songes à troquer, en fait, le cuivre contre de l'or.
Eh bien, mon bel ami, regarde mieux, de peur que, n'étant
rien (*ouden ôn*), je t'illusionne » (218 d-219 a).

L'échange serait donc bien avantageux pour toi,
Alcibiade. En place du cuivre que tu me proposes, tu rece-
vrais de l'or. Mais cet or que je suis, tu ne sais pas que sa
teneur ne peut être pour toi qu'une illusion, car je suis rien.
Alcibiade peut-il comprendre le sens que Socrate donne à ce
mot ? Certainement pas. Il avait essayé de se moquer de lui
en ridiculisant son penchant pour le rien. « Socrate est dans
une disposition érotique à l'égard des jeunes gens, il ne cesse
de tourner autour d'eux et d'en être transporté. Mais il se
donne l'air de tout ignorer et de ne rien savoir » (216 d).
Autrement dit, Alcibiade, avant la foule des lecteurs de
Platon, ne peut voir dans le rien qu'est Socrate autre chose
que l'émergence de l'ironie, et dans celle-ci rien d'autre
qu'une feinte ignorance. Il aurait pu au contraire prendre le
mot au sérieux et l'entendre comme la radicalisation du non-

savoir, le non-savoir en personne. Il lui aurait fallu comprendre que le rien de savoir et le rien d'existence ne sont, avec la
perte de maîtrise, que des aspects de la possession ou des
délires philosophiques (è *philosophou mania*) dont il se dit
habité (218 b). Mais tout cela dépasse son entendement.

Outragé, Alcibiade ne veut trouver d'autre explication
au refus de Socrate que dans sa supériorité de caractère,
dans sa sagesse et dans sa fermeté, sa *carteria* (219 d). Les
lecteurs et les commentateurs[10] de Platon ont par la suite
repris à leur compte cette interprétation. On tiendrait là le
paradigme du comportement sexuel de Socrate, un exemple
de l'amour platonique. Pourtant, à cette présentation, on ne
peut manquer de faire de sérieuses objections. S'il était
connu que Socrate se tenait toujours et sans exception à distance convenable et respectable des jeunes gens, il eût été
incongru pour Alcibiade de se lancer dans pareille aventure
et il n'aurait pas été étonné à ce point du comportement de
Socrate. De plus s'il s'avère que Socrate tourne sans cesse
autour des jeunes gens et qu'il a à leur égard des dispositions
érotiques, disons amoureuses pour nuancer, il faudrait le
prendre alors, dans sa force de caractère et son intelligence,
pour un perpétuel excité qui ne passe jamais à l'acte[11].
Comme lorsqu'il entrevoit de Charmide l'intérieur de son
vêtement et qu'il s'enflamme (*Charmide*, 155 d). Une sorte de
saint Antoine qui aurait besoin pour survivre d'une éternelle
tentation. Enfin et surtout, on devrait négliger la manière
dont Alcibiade continue le portrait de Socrate : un monsieur
qui prend l'agréable et le désagréable avec la même élégance.

Si Socrate résiste à Alcibiade, ce n'est pas d'abord par
vertu ou force d'âme, même s'il n'en manque pas. Pourquoi
ne serait-ce pas tout simplement parce qu'Alcibiade n'a rien
compris au projet de Socrate et qu'il ne peut donc pas vraiment entrer dans son intimité ? Certes, il a vu, ouvrant le
silène, des *agalmata*, des figurines fascinantes qui font pen-

ser aux dieux (216 e), mais il n'a pas supporté de les lier à
une modification de la forme de vie, au devenir le meilleur
possible. Alcibiade a été proche de Socrate, peut-être pendant longtemps, mais il est fort probable que le maître a
vite compris que ce jeune homme très doué avait trop
besoin d'éblouir pour pouvoir devenir un proche.

Si on généralisait cet épisode, c'est-à-dire si le comportement sexuel de Socrate qui s'y fait jour avait toujours été
du même type, cela ne serait pas cohérent, comme on vient
de l'indiquer, avec le reste du portrait tracé par Alcibiade.
Que raconte-t-il en effet ? Qu'il s'est retrouvé avec Socrate au
siège de Potidée. Il souligne l'égalité de la réponse de Socrate
aux circonstances : « D'abord ce qui est sûr, c'est que pour
résister aux fatigues, il était plus fort non seulement que
moi, mais que tous les autres. Quand nos communications
étaient coupées en quelque point, comme cela arrive en campagne, et que nous devions rester sans manger, nul autre
n'égalait son endurance. Au contraire, si l'on était bien ravi-
taillé, il savait en profiter mieux que personne, en particulier
pour boire ; il n'y était pas porté, mais, si on le forçait, il surpassait tout le monde et, c'est le plus étonnant, jamais personne n'a vu Socrate ivre » (219 e-20 a). Même chose à
l'égard du froid et de la chaleur : il ne modifie pas, en fonction du temps qu'il fait, sa manière de se vêtir. « Pour supporter le froid de l'hiver, car les hivers sont terribles là-bas, il
était étonnant. Ainsi, par exemple, quand tout le monde évi-
tait de sortir, ou bien ne sortait qu'emmitouflé de façon
étonnante, chaussé, les pieds enveloppés de feutre ou de
peaux d'agneau, Socrate sortait, lui, dans ces conditions-là,
avec le même manteau qu'à l'ordinaire, et marchait pieds
nus sur la glace plus facilement que les autres avec leurs
chaussures : les soldats le regardaient de travers, croyant
qu'il voulait les braver » (220 a-b). Socrate semble donc
n'être déconcerté ni par les variations de température ni par

les aléas de l'alimentation ; pourquoi ne disposerait-il pas de la même égalité de traitement[12] dans les rapports amoureux ou sexuels ? Si des occasions lui en étaient données, c'était bien pour lui et, sinon, c'était encore pour lui une fort bonne chose. Autrement dit la sexualité ne sort pas ici du régime de l'*enkrateia*, telle que la présente Platon. Alcibiade aurait donc eu tort de faire de sa propre beauté, pour Socrate, une occasion rêvée d'exercer sa fermeté et son caractère. Et les lecteurs seraient mal avisés de chercher dans cet épisode un paradigme du désir, car il faut replacer ces jeux sexuels dans l'ensemble de l'éloge, ce dont Alcibiade, aveuglé par ses dons, est incapable, ou d'en faire un modèle du gouvernement de soi, car la *carteria* a un autre sens chez Platon.

(L.-A. Dorion a souligné la distance qui sépare sur ce point Platon et Xénophon. Le Socrate de Platon montre sa maîtrise de lui-même en accueillant avec le même front l'abondance et la disette, le chaud et le froid. « C'est là une forme d'*enkrateia* qui n'est jamais illustrée par le Socrate de Xénophon, car sa maîtrise réside avant tout en une aptitude à restreindre ses besoins, et non pas en une faculté de ne pas être affecté par les excès alimentaires (boisson et nourriture) auxquels il se livre à l'occasion[13]. » Le mot *enkrateia* se rencontre chez Xénophon, mais, à ma connaissance, il ne fait pas partie du vocabulaire de Platon à propos de Socrate. En tout cas, ce sont les mots *carteria*, *carterein*, *carteros* qui sont utilisés dans cet éloge d'Alcibiade. Ce qui caractérise le Socrate de Platon, ce n'est pas le contrôle de soi, la facilité à faire taire ses passions, c'est la liberté d'en jouer. L'*enkrateia* de Xénophon s'épanouira chez les stoïciens, celle de Platon pourrait se retrouver accentuée chez les cyniques. C'est un monde qui sépare les deux interprétations : l'une portant sur le contrôle, l'autre sur le jeu et la liberté.)

Mais quel est le secret qui préserve cette égalité d'humeur devant les circonstances ? « Un jour, là-bas, en campagne, ayant concentré ses pensées dès l'aurore sur quelque problème, planté tout droit, il le considérait, et, comme la solution tardait à lui venir, il ne renonçait pas, mais restait ainsi planté, à chercher ; c'était déjà midi, les hommes en faisaient la remarque, et, pleins d'étonnement, ils se disaient l'un à l'autre : "Depuis le petit jour, Socrate est là debout, en train de méditer quelque chose !" Finalement, le soir venu, quelques-uns de ceux qui l'observaient, ayant, après leur dîner, transporté dehors (car on était alors en été) leur couchage, joignaient ainsi à l'agrément de dormir au frais la possibilité de surveiller Socrate, pour voir si, toute la nuit, il demeurerait ainsi, en plant. Or il resta planté de la sorte jusqu'à l'aurore et au lever du soleil. Ensuite il s'en alla de là, après avoir fait au soleil sa prière » (220 c-d).

Alcibiade, comme d'habitude, ne peut éviter de conter cette anecdote sans lui retirer son épaisseur. Pour lui, si Socrate se concentre, ce ne peut être que pour résoudre un problème[14]. La concentration, la méditation, la réflexion doit avoir un objet distinct de soi. Mais cette manière restrictive de décrire ce comportement singulier n'est peut-être pas inévitable. On peut supposer, en effet, qu'il s'agit là d'une expérience un peu plus forte que la recherche de la solution d'un problème. Que Socrate reste là sans bouger pendant vingt-quatre heures, d'une aurore à l'autre, cela seul oblige à sortir des schémas coutumiers de la recherche intellectuelle. Socrate ne serait-il pas emporté dans quelque ailleurs ? Ne s'est-il pas absenté ou n'a-t-il pas été rendu absent ? Interprétation d'autant plus plausible que ce comportement fait écho à un autre semblable rapporté au début du même *Banquet*. Se rendant chez Agathon avec un groupe de convives, Socrate s'était arrêté à leur insu. Le serviteur que l'on avait envoyé le chercher a constaté que « sa retraite est le porche de ses voisins, où il est en plan ». Aristodème qui l'accompagnait demande qu'on laisse « plu-

tôt Socrate en paix, car c'est son habitude de parfois s'écarter ainsi et de rester en plan là où d'aventure il se trouve »
(*eniote apostas opoi an tukhè estèken*) (175 a-b).

   Impossible donc de banaliser ces manières étranges qui
ne se sont pas seulement manifestées un jour à l'armée, mais
qui font partie en quelque sorte du quotidien socratique.
C'est son habitude, c'est son *ethos* à lui (*ethos gar ti touto
eckei*) (175 b). Et cela semble lui tomber dessus à l'improviste, au hasard ; ce qui l'oblige à s'arrêter et à se mettre à
l'écart. Ce n'est pas un état permanent. Socrate n'est pas un
homme qui vit à part. Il est entouré de jeunes gens, on le voit
circuler dans la ville, il répond aux invitations à dîner et, par
exemple, si l'on en croit le *Banquet* de Xénophon, il n'est pas
le dernier à proposer des jeux de société, parfois même plus
ou moins scabreux. *Socrate n'est pas un ascète. Ce n'est peut-
être même pas un sage*. Il est facétieux, arrogant, provoca-
teur. Alors de quoi s'agit-il dans ce qu'il faut bien appeler
une forme de possession ? Ou une transe au sens où quelque
chose de ce genre est connu de toutes les cultures sur tous
les continents, un mode d'être, partagé par tous les humains.
   Se tenir à l'écart, c'est créer un lieu pour se retirer, un
lieu où il ne se passe rien, mais où les contraires sont possibles en même temps, lieu de liberté et de souplesse où les
positions s'ouvrent et se ferment. Espace de jeu qui prépare
l'*enkrateia* à la socratique, égalité élégante à l'égard des
opposés, traduction comportementale de la transe. Un lieu
extérieur, le porche voisin, mais déjà un lieu intérieur ; se
mettre en retrait chez un voisin, un écart voisin, déjà à
l'intérieur de soi, le vestibule du plus proche, le vestibule
des choses et des êtres.
   Se retirer, comme il l'a fait tant de fois, dans le vide de
la parole réfutée, par toute parole vidée de son sens. Se
tenir à l'écart pour exercer le non-savoir, se mettre à l'écart

pour retrouver le commencement. Le degré zéro de l'existence, lorsque la pensée n'a pas encore commencé, lorsqu'il
n'y a pas encore eu de sentiment, ni d'intention, ni d'émotion, l'existence nue. Il n'y a jamais eu de passé, il n'y a pas
encore le moindre commencement d'avenir. À peine même
la certitude d'exister, plutôt une plénitude qui ne se pense
et qui ne se sent. Le retrait comme degré zéro du faire et
du penser. À l'inverse, tout peut y être résolu parce qu'il n'y
a plus rien d'idéal, rien qui surplombe ; la pensée s'est
réduite à la chose. La transe comme retour à la nature
d'homme, la réapparition de l'*ousia* humaine sans plus, de
la sagesse en tant qu'humaine (*anthropinè sophia*), de
l'excellence humaine ou de la vertu humaine (*anthropinè
arétè*). Se réduire à cela, c'est-à-dire ne rien dire, ne rien
penser, ne rien faire, être là simplement en tant qu'humain,
ou mieux encore être là comme on est, identique à ce que
l'on est et bien sûr sans savoir ce que l'on est. La transe si
ramassée sur elle-même que, sous aucune forme, elle n'a
encore déployé ses possibles. S'il n'y a plus de comparaison, plus d'estime ou de mésestime, plus de valeur ni plus
de jugement, on y trouve la vertu humaine, l'excellence
humaine, ou la justice ou ce qui est juste avec la justesse,
un joyau auquel il n'est rien besoin d'ajouter.

Ou encore le retrait à l'écart des autres comme inertie.
Une formidable inertie, l'inertie de Socrate devant ses juges,
devant ses concitoyens, une énergie inépuisable qui se
renouvelle sans cesse par retour à l'inertie. Je ne peux pas
ne pas parler, et même si vous me l'interdisiez, si vous en
faisiez une condition pour me laisser en vie, je ne pourrais
pas. Inamovible, vous ne pourrez pas me déplacer, me faire
prendre une autre place, une autre forme d'existence. Inertie qui est ma liberté, mon insoumission radicale, mon rire
et mon mépris. Insensible aux séductions et aux flatteries.
C'est cette inertie qui est mon refuge et ma tranquillité.

C'est de plus sans doute un sommeil, non pas le sommeil de l'oubli, mais le sommeil de l'intensité de la présence et d'une vigilance accrue, celle de Socrate dans la bataille : « On battait en retraite ; c'était déjà la débandade parmi nos hommes ; lui, il marchait de conserve avec Lachès... En cette occasion, mieux encore qu'à Potidée, j'ai considéré Socrate à l'œuvre, car j'avais moins à craindre, du fait que j'étais à cheval : premièrement, il l'emportait de beaucoup sur Lachès pour la présence d'esprit ; en second lieu, j'avais tout à fait le sentiment (ça, c'est de toi, Aristophane !) qu'il circulait là, tout comme si ç'avait été dans Athènes : avec la majesté d'un héron, et lançant, de ses deux yeux, un coup d'œil de chaque côté ; inspectant avec tranquillité les mouvements des amis comme ceux des ennemis, se révélant à tous, même de fort loin, comme un homme qui se défendrait tout à fait vigoureusement si l'on s'avisait de s'y frotter » (221 a-b).

Livio Rossetti, ce fin connaisseur en *Socratikoi*, rejoint Kierkegaard qui voit en Socrate un représentant éminent et mémorable de l'excès d'optimisme en morale. Pour Socrate, en effet, il serait facile d'exercer un contrôle efficace sur ses passions. Nietzsche pense comme Kierkegaard et tous deux « parlent d'un moralisme beaucoup trop optimiste, à la limite même de l'hypocrisie[15] ». D'autant plus que la Grèce classique avait très bien perçu les faiblesses de la volonté et les conditions multiples de son exercice. Par son rigorisme et en prêchant l'*enkrateia*, le contraire de l'*akrasia*, Socrate aurait ouvert la voie à l'idée d'une séparation de l'âme et du corps et de l'immortalité de l'âme.

Tout cela semble parfaitement fondé et relève de l'évidence ou de la conception courante de la moralité. Tout cela est incontestable, mais à condition d'oublier l'expérience rapportée par Alcibiade à laquelle Socrate a coutume de se soumettre ou de se laisser être soumis. Ce retrait habituel change tout et d'abord parce qu'il est habituel ; c'est une donnée qui ne cesse d'être présente au comportement de Socrate, à la manière qu'il a de se situer dans l'existence et, par voie de conséquence, à sa conception de l'existence humaine. Il est facile, quand la transe est à portée de main, quand elle a chance d'arriver à l'improviste, quand elle a remplacé au cœur même de la situation et de sa complexité, il est facile de contrôler soi et ses passions[16]. Plus exactement, la question ne se pose plus. Comme l'avait bien vu Aristote[17], sans pouvoir l'admettre, il n'y a plus de dualité entre *logos* et *pathos*, entre raison et passion, si bien que la volonté n'a pas à entrer en jeu. Qu'elle soit forte ou faible n'est d'aucun intérêt, car ici elle ne fait pas nombre avec l'intelligence. *Quand on est à sa place, les problèmes sont résolus en même temps qu'ils sont posés.*

Rien n'est donc passif, parce que la transe, l'état de transe, transforme tout en acte, intègre tout dans l'acte quotidien, ne distingue pas l'acte le plus banal de l'acte le plus grave, parce qu'il n'y a plus de différence entre la banalité et la gravité. Il suffit que ce soit. On est entré dans l'espace de l'échange et, dans cet espace, Socrate peut être sérieux ou rire, raisonner finement ou de travers, braver la mort ou être plongé dans le doute : c'est la même chose. Chacun, chaque chose se met en mouvement réciproque et respecte chacun et chaque chose. Il s'agit donc bien, lorsque l'on voit ce genre de comportement de l'extérieur, d'une fausse facilité et d'une hypocrisie qui a dépassé les limites. Donc ce que nous montre ou nous raconte Socrate, ce ne serait pas vrai. Mon œil que ça marche comme ça. *Eppur si moeve.* Mais, pour pouvoir le penser et le dire, il faut se situer à l'intérieur du mouvement, comme un animal qui ne se pose pas de question, et qui agit et réagit en tenant compte à la fois de toutes les circonstances. *Cette mise en retrait qui est la possession ou la transe est la clef de l'intelli-*

*gence de ce que l'on a pris à tort pour la doctrine morale de
Socrate.* Il est ridicule de penser que personne ne fait le mal
volontairement ou qu'il faut se précipiter au tribunal si l'on
a commis un méfait. L'admettre conduirait à ébranler les
fondements de la société ou plutôt ce serait se placer en
dehors de la société. Mais, au contraire, si l'on reste, avec
Socrate, situé à l'écart, c'est-à-dire si l'on reprend tout
l'extérieur à l'intérieur et inversement si l'on projette tout
l'intérieur au dehors – du seul fait que l'on se tient en ce
lieu quelque peu éloigné ou quelque peu autre –, alors il n'y
a plus que de la facilité d'action : un poisson dans l'eau.

En d'autres termes, si l'on néglige – et pourquoi ne le
ferait-on pas ? – le récit de cet exercice habituel de Socrate,
il sera légitime de voir en lui un optimiste impénitent et
même un faussaire. Mais on devra concéder que l'on a ainsi
perdu la clef de son étrangeté, c'est-à-dire de son égalité
devant les circonstances contraires, de son indifférence
devant la mort, de sa présence impressionnante, de sa
désinvolture, de son invention du dialogue à rebondisse-
ment infini, voire de sa vulgarité. Car, lorsqu'il se tient
debout d'une aurore à l'autre, c'est pour créer et recréer un
espace de jeu, la condition de cette liberté qu'Aristophane
est dit lui envier[18].

Resterait à se demander quel rapport peut entretenir
cette expérience cruciale de Socrate avec la philosophie ou
avec les commencements de son histoire. Mais ce serait
l'objet d'un autre livre. Henri Joly affirmait : « Que Socrate
ait été le dernier des chamans et le premier philosophe
fait partie désormais des vérités anthropologiquement
admises[19]. » Pour ajouter immédiatement : « Mais cette
vérité, qui jette une lumière étrange sur l'apparition même
de la philosophie, n'est pas claire pour autant, ni pour la
philosophie ni pour l'épistémologie. »

NOTES

AVANT-PROPOS
DE SOCRATE, PERSONNE NE VEUT

1. *Euthydème*, 276-277, *Sophiste*, sixième définition.

2. Traduction abrégée de L. Rossetti dans *Platone, Eutifrone*, L. Rossetti (dir.), Rome, Armando Editore, 1996, p. 32. Je dois beaucoup aux différents travaux de Livio Rossetti. Helléniste, très au fait des techniques de communication, il a su, à partir de là, mettre en évidence l'originalité du Socrate historique. En particulier, il a comparé la rhétorique de Socrate à celle de Gorgias. Alors que ce dernier « ne mobilise que l'intelligence de ses destinataires », Socrate « sait toucher et faire résonner une pluralité de cordes ». Ce que Socrate « s'efforce d'atteindre est tout à fait susceptible de devenir un acquis permanent, critère de jugement et principe pour la conduite quotidienne ». « La rhétorique de Socrate », *in Socrate et les socratiques*, Vrin, 2001, p. 161-185.

3. « L'art ne délibère pas » (*è technè ou bouleuetai*), Aristote, *Physique*, II, 199 b 28.

CHAPITRE PREMIER
LES EXCENTRICITÉS DE SOCRATE

1. *Banquet*, 215 a, *in Œuvres complètes*, traduit par L. Robin, Gallimard, « Bibliothèque de la Pléiade », t. I, p. 752.

2. Par exemple dans le *Banquet* entre le discours de Socrate sur l'amour et ses comportements durant les campagnes, il n'y a strictement aucun lien. Ce qui est dit sur l'amour, qui résonne comme du Platon, ne s'accorde pas avec le Socrate marchant pieds nus sur la glace ou faisant peur aux ennemis.

3. « Aristote n'a pas, de but en blanc, regardé les dialogues comme des rapports authentiques des enseignements de Socrate, mais les a, au contraire,

soumis à un jugement indépendant. » W. Ross, cité par A. Diès, *Autour de Platon*, Les Belles Lettres, 1972, p. 212.

4. Tous les textes d'Aristote où Socrate est mentionné ont été rassemblés, traduits et commentés par Thomas Deman, *Le Témoignage d'Aristote sur Socrate*, Les Belles Lettres, 1942. C'est sur ce livre que je prendrai constamment appui. Il s'agit des passages « où l'on peut voir une référence, dont la nature est à déterminer, au Socrate de l'histoire ; ou dans lesquels Aristote porte un jugement sur des documents d'intérêt socratique » (p. 10). Livre prudent, modeste, argumenté qui rapporte les opinions des commentateurs d'alors. Je ne prétends pas, à partir de ce livre, retrouver *le* Socrate historique, mais montrer comment le témoignage d'Aristote, par petites touches, sculpte *un* Socrate dont les traits forment une unité.

5. Il s'agit bien ici de l'absence de différence et non pas de la maîtrise de soi. C'est Aristote qui a le mot juste. Plus loin il introduit les mots *akrateia* et *akrasia*, qui seront repris par les commentateurs en oubliant l'*adiaphoros*.

6. T. Deman, *op. cit.*, p. 55.

7. V. Descombes, *Le Raisonnement de l'ours*, Seuil, 2007, p. 76-77 : « Le scepticisme pratique n'a pas besoin de nier la réalité des événements, seulement de les rendre indifférents en valeur. » Peut-être le sage se contente-t-il d'affirmer la réalité des événements et d'y adhérer sans avoir besoin de lui donner une valeur. Il n'atteint aucun fondement et aucune position radicale. Il n'affirme qu'une précarité sans remède.

8. Ceux qui veulent que Socrate transmette une « doctrine cohérente » ne peuvent admettre qu'il n'y ait pas de réponse. Ils vont même jusqu'à penser que certains dialogues sont « (faussement) aporétiques » ou que « le style aporétique est un artifice littéraire ». (L.-A. Dorion, présentation et traduction de *Charmide* et *Lysis*, Flammarion, « GF », 2004, p. 14-15.) Et encore : « Mais est-il certain que le *Lachès* et l'*Euthyphron* sont absolument aporétiques et négatifs ? » (*Lachès, Euthyphron*, introductions et traductions inédites de L.-A. Dorion, Flammarion, « GF », 1997, p. 14.)

9. On verra plus loin que Socrate affirme et défend certaines thèses. Mais Aristote montrera que, en cela, il se trompe, que ses thèses sont fausses. En réalité elles sont paradoxales ou absurdes et relèvent donc encore d'un certain nonsavoir à déterminer.

10. L. Rossetti ne pense pas qu'Aristote ait raison. C'est à Platon qu'il faut attribuer la recherche des définitions et de l'universel. *Platone, Eutifrone, op. cit.*, p. 33. H. G. Gadamer a une autre interprétation : « Socrate, comme le dit Aristote, est celui qui a introduit (l'art de) la définition. Très certainement, mais pour que l'on reconnaisse son ignorance. » *Esquisses herméneutiques*, Librairie philosophique J. Vrin, 2004, p. 67. Les deux opinions doivent être vraies. Pour Socrate, la recherche de la définition est un leurre qu'il agite pour piéger l'interlocuteur. Pour Aristote, on doit être sérieux : si on cherche à définir, c'est que l'on cherche l'universel.

11. Sur les tenants et aboutissants de cet épisode, voir A. Laks, *Introduction à la « philosophie présocratique »*, PUF, « Libelles », 2006, p. 5 *sq*.

12. « Aristote vient d'établir que la nature d'un organisme ne doit pas être recherchée dans les éléments dont il est composé mais dans le logos qui les unit. » (T. Deman, *op. cit.*, p. 74.)

13. Les *Nuées* sont datées de 423. Socrate avait alors 46 ans. Il est peu probable qu'il se soit encore intéressé à la physique à cet âge-là, si jamais il s'y est intéressé. En revanche, il avait autour de 40 ans lors des campagnes auxquelles il a participé. L'âge idéal pour un bouleversement de l'existence !

14. T. Deman, *op. cit.*, p. 76.

15. En *Apologie*, 19 b-d, Socrate nie s'être jamais intéressé à la connaissance de la nature.

16. Voir T. Deman, *op. cit.*, p. 45-46, les doutes de certains commentateurs.

17. L'attribution des *Grandes Morales* à Aristote est controversée. Dans son introduction à l'*Éthique à Nicomaque* (Vrin, 1990, p. 9), J. Tricot rappelle l'opinion de W. Jaeger qui, s'appuyant sur certaines particularités linguistiques, a montré que ce texte ne pouvait pas être de la main d'Aristote et qu'il trahit une origine postaristotélicienne. Mais il ajoute : « Que la *Grande Morale* soit, ou plus probablement, ne soit pas d'Aristote lui-même, il reste que la date de sa composition est très ancienne et suffisamment reculée pour qu'on discerne, sans trop de risques d'erreur, des traces des leçons morales du Lycée. Il est donc permis de la consulter, moyennant quelque précaution, et elle nous a parfois été utile pour éclaircir des passages controversés de l'*Éthique à Nicomaque*. »

18. T. Deman, *op. cit.*, p. 94. Ce « moral » est une expression bien curieuse qui souligne l'embarras du commentateur.

19. *Ibid.*, p. 78-79.

20. *Ibid.*, p. 79.

21. *Ibid.*, p. 107.

22. *Ibid.*, p. 108.

23. V. Descombes (*op. cit.*, p. 117-119) explique qu'un raisonnement pratique est invalide ou irrationnel en particulier s'il n'inclut pas telle prémisse indispensable. Il ajoute : « On sait par ailleurs qu'il est impossible d'expliciter toutes les fins auxquelles tient un acteur. La liste serait interminable. » La position de Socrate implique la sommation des prémisses. Au moment où il devient « impossible d'expliciter », il ne reste qu'à faire un saut et ce saut ne peut être évité.

24. Calliclès dans le *Gorgias* 491 a.

25. « L'art ne délibère pas », Aristote, *Physique*, 199 b, 28. Déjà cité dans l'avant-propos.

26. C'est pourquoi son démon n'aura jamais qu'un rôle négatif. Il peut arrêter une action ou l'empêcher, il ne saurait en être le moteur.

CHAPITRE 2
UN MODE DE VIE

1. Au sujet de ce premier livre qui aurait été rédigé à part et très antérieurement au reste de la *République*, voir l'argumentation de G. Vlastos, *Socrate. Ironie et philosophie morale*, Aubier 1994, p. 341-344. Il cite en particulier

Constantin Ritter et von Arnim qui en « sont arrivés à la conclusion que le premier livre devrait être traité comme un dialogue séparé, écrit durant la première
période de Platon, et utilisé plus tard en guise d'introduction à la *République* ».

2. P. Pachet la mentionne sans enthousiasme : « J'ai de même conservé la
division en livres, bien qu'elle ne soit évidemment pas de Platon, sauf peut-être
pour le premier livre, s'il est vrai qu'il a été rédigé et publié à part. » (*République*,
Gallimard, « Folio Essais », 1993, p. 19.) C'est cette traduction que j'utiliserai le
plus souvent, en particulier parce qu'elle explicite la variété des sens d'un mot.
Par exemple, *arétè* n'est pas seulement « vertu », mais aussi « qualité ou excellence ». Pour traduire *anthrôpeia arétè*, L. Robin avait trouvé une autre solution :
« vertu propre des hommes ». Il s'agit en effet dans ce passage d'exprimer ce qui
caractérise les chiens, les chevaux ou les hommes (335 b-c).

3. *Biou diagôgè* : P. Pachet traduit donc « mode de vie », L. Robin
« conduite de l'existence ». Les Belles Lettres traduisent « règle de conduite », ce
qui oriente Socrate du côté des moralistes classiques.

4. *Tropos krè zen* traduit par L. Robin « la façon dont on doit vivre ». Les
Belles Lettres traduisent « ce qui doit faire la règle de notre vie ». Mais c'est
encore une fois tirer le texte du côté de la norme morale, ce qui n'est pas le cas.

5. À propos d'artisanat et politique : « D'autres exemples de cette recherche en objectivité et en finalité pourraient être inventoriés, notamment dans la
République, au livre I, donc dans la partie ancienne du dialogue. S'agit-il de définir la justice ? On la cerne comme une technique par rapport à des techniques
qui fournissent une série de modèles, principalement artisanaux : pilotage, agri-
culture, cordonnerie, construction nautique. S'agit-il de montrer que l'homme
juste est intelligent et l'emporte sur celui qui ne l'est pas, son intelligence reçoit
d'une référence à la musique et à la médecine le sens de sa technicité. Ainsi les
métiers proposent, non seulement des comparaisons jugées malsonnantes par
les "opposants", mais encore des images et des modèles, dont l'abondance et le
caractère systématique s'expliquent par le premier niveau de rationalité qui les
définit. » H. Joly, *Le Renversement platonicien. Logos, épistémè, polis*, Vrin, 2001,
p. 231. Sur le rapport entre conduite humaine et art, *cf.* chapitre 5, note 9.

6. L. Robin traduit par « vertu propre », ce qui garde le parfum du grec
arétè. P. Pachet explique en note sa traduction par « qualité » : « Qualité : ce que
nous traduisons ainsi est le mot *arétè*, traduit ailleurs par "excellence" : la qualité
de celui qui est *aristos*, le meilleur. Lorsqu'il s'agit d'excellence morale, on
approche de ce que nous nommons "vertu". » On pourrait aussi traduire par
« quiddité », mais ce serait faire appel à une abstraction que toute la pensée
socratique rejette.

7. Comme dans les textes les plus anciens, le raisonnement n'est pas arti-
culé par la syntaxe, mais par la parataxe. La signification est donnée par la position spatiale relative des mots les uns par rapport aux autres. On en verra un
exemple dans le *Charmide* par la mention de l'homme de Thrace au début et à
la fin du dialogue. La lecture de l'*Euthyphron* en fournira d'autres exemples.

8. Les manières de discourir de Socrate, pour le moins peu orthodoxes,
sont redoublées dans les dialogues par la complexité de la communication ins-
taurée par Platon. Il faut lire sur ce point L. Rossetti, « Le côté inauthentique du

dialoguer platonicien », *in La Forme dialogue chez Platon. Évolution et réceptions*, textes réunis par F. Cossuta et M. Narcy, Jérôme Million, « Horos », 2001, p. 99-118.

9. Trad. P. Pachet et L. Robin.

10. Il l'avait déjà fait plus haut (331 c), lorsqu'il était question de ne pas rendre des armes mises en dépôt à qui était devenu fou. La conclusion était : donc, il ne faut pas rendre le dû.

11. On voit dans ce passage comment sont proches et nécessaires les uns aux autres, les mots *technè*, *arétè*, *épistémè*. Autre manière de souligner l'équivalence entre savoir et vertu.

12. Cité plus haut, p. 24.

13. S'il y a un chemin pour l'acquérir, c'est un chemin de doute, d'incertitude, de non-savoir, de perte de la cohérence d'esprit.

14. « Le monde héraclitéen gronde dans le platonisme. Avec Platon, l'issue est encore douteuse ; la médiation n'a pas trouvé son mouvement tout fait. » G. Deleuze, *Différence et répétition*, PUF, 1968, p. 83.

15. *Cf.* note 7.

16. Elle le sera tout naturellement au livre suivant : « Car ce que je désire, dit Glaucon, c'est d'apprendre quelle est l'essence de l'une et de l'autre et quelle propriété chacune des deux, présente en une âme, possède par elle-même et en elle-même » (358 b). Il n'est pas besoin d'être grand spécialiste pour percevoir que le style du livre II n'a rien de commun avec celui du livre I. Ici il s'agissait du bien vivre, là maintenant de construire une société.

17. Après avoir énuméré les raisons qui militent en faveur d'une rédaction du livre I au début de la carrière de Platon, G. Vlastos (*op. cit.*, p. 344) propose cette explication du doute qui envahirait Platon à la fin du dialogue : « Au moment de rattacher le livre I au nouvel ouvrage qu'il est sur le point de commencer, Platon croit approprié de reconnaître au sein même de ce livre que les résultats qu'on y a obtenus par la méthode élenctique ne sont pas sûrs – confession dont on comprendrait parfaitement qu'elle ait pu être ajoutée après coup à une œuvre antérieure, écrite à une époque où la confiance de Socrate dans l'efficacité de cette méthode n'était pas encore ébranlée. »

18. Pour traduire *O ti esti* (littéralement : « ce que c'est »), les traducteurs utilisent parfois ces mots, mais ils n'apparaissent pas en grec dans le premier livre.

CHAPITRE 3

L'HOMME DE THRACE

1. Je suis la traduction des Belles Lettres par A. Croiset.

2. « Hérodote sait que Zalmoxis est un *daimôn* (4.94.1), mais ne tranche pas la question de savoir s'il avait une fois été un homme (96.2). Le compte rendu de Strabon (7.3.5.) donne à penser qu'il était ou bien un chaman héroïsé – tous les chamans deviennent des Üor, des héros, après la mort – ou bien un prototype divin de chaman. » E. R. Dodds, *Les Grecs et l'irrationnel*, Flamma-

rion, 1977, p. 168, note 61. Disant cela, Dodds ne fait aucun rapprochement avec le *Charmide* ou avec Socrate.

3. « Or, en Scythie, et peut-être en Thrace, les Grecs étaient entrés en rapport avec les peuplades qui, comme l'a démontré le savant suisse Meuli, étaient influencées par cette culture chamanique. » *Ibid.*, p. 144-145.

4. Cette dernière phrase, traduction de L. Robin.

5. L.-A. Dorion, *Charmide, Lysis*, Flammarion, 2004, p. 33.

6. « Que Socrate ait été le dernier chaman et le premier philosophe fait partie désormais des vérités anthropologiquement admises. Mais cette vérité, qui jette une lumière étrange sur l'apparition même de la philosophie, n'est pas claire pour autant, ni pour la philosophie ni pour l'épistémologie », H. Joly, *Le Renversement platonicien. Logos, épistèmè, polis, op. cit.*, p. 67. Il cite L. Gernet, E. R. Dodds, J.-P. Vernant. Mais L. Gernet (*Anthropologie de la Grèce antique*) ne cite qu'une fois Socrate pour dire seulement qu'il a pu rencontrer Parménide. Dodds est sans doute celui qui va le plus loin et qui met en rapport chez Socrate les impasses du discours et le recours aux rêves, aux oracles et à la voix de Dieu (*ibid.*, p. 185). A. Croiset se rend compte lui aussi de la difficulté ; il écrit en note de 157 a : « On voit par cette dernière phrase que les incantations dont parle Socrate sont avant tout les discours philosophiques et que le terme d'incantation est employé par lui *cum grano salis* ; mais ce n'est pas sans dessein qu'il s'en sert. Il ne faut pas oublier qu'il y a chez lui comme chez Platon un côté mystique et poétique associé à l'esprit dialectique. Là où la dialectique s'arrête impuissante aux yeux de Platon, le rôle du mythe commence : le mythe ne crée pas la science, mais il fait en quelque sorte pressentir le vrai. De même, Socrate parle souvent d'idées ou de visions qui s'offrent à lui par une sorte de divination (*Lysis*, 216 d). » De cette orientation, il se trouve une autre mention dans *Lysis*, 204 c et ici même dans le *Charmide* où Socrate rapporte un rêve (173 a).

7. L.-A. Dorion, *op. cit.*, p. 14. L'ambiguïté de l'interprétation court tout au long du commentaire. Ainsi, p. 121, note 48 : « Le bonheur véritable ne dépend que d'une seule et unique chose : la connaissance du bien et du mal qui est la condition de tout ce qui est réellement utile à l'homme. » Qu'est devenu le savoir de l'ignorance ?

8. *Ibid.*, p. 119.

9. *Ibid.* p. 70. Ce sont les mots par lesquels L.-A. Dorion termine son introduction au *Charmide*. Il accentue en note son interprétation : « *Cf.* 156 e, 160 e, notes 35, 79, 82 et 111. Au vu des liens étroits entre d'une part la connaissance du bien et du mal, et, d'autre part, les passages précédents qui anticipent sur cette conception de la sagesse, nous devons donner tort aux commentateurs qui considèrent que la dernière partie du dialogue (166c-175a) est une section autonome, sans lien réel avec ce qui précède (*cf.* C. H. Chen, 1978, p. 13 ; N. Van der Ben, 1985, p. 2). » (Voir plus loin note 19.)

10. À partir d'ici, je suis la traduction de L. Robin, avec quelques modifications mineures.

11. Werner Jaeger, *Paideia*, Gallimard, 1964, p. 368.

12. L.-A. Dorion (*op. cit.*, p. 126, note 79) commente ce passage de la façon suivante : « Comme l'homme sage est bon, il doit aussi connaître le bien.

Ce passage peut donc être lu comme une anticipation de la position suivant laquelle la sagesse est la connaissance du bien et du mal (*cf. infra* 174 b-c). » On voit par cette remarque la tentative de tout rapporter à l'interprétation numéro un indiquée plus haut. C'est négliger ici le rapprochement inévitable de *kalos* et d'*agathos*, qui oriente la lecture dans un tout autre sens.

13. C'est une semblable évocation de la cité, mais cette fois positivement, qui mettra, dans la forme d'un rêve, un premier terme à la conversation avec Critias (173 b).

14. Pour ces phrases, traduction Les Belles Lettres.

15. C'est Critias qui introduit cette définition et Socrate la réfute. Interprétation impossible de Dorion qui fait de cette définition une préparation à la connaissance du bien et du mal. (L.-A. Dorion, p. 126, note 79.)

16. Il y a dans Platon d'autres passages plus ambigus sur lesquels il faudra revenir. *Cf.* Le chapitre suivant.

17. Ce rêve est une première clôture du dialogue si l'on donne une place à part à la reprise de la mention de l'homme de Thrace selon un modèle parataxique.

18. On peut imaginer que Platon relisant son dialogue quelques années après sa rédaction ait trouvé un peu léger d'abandonner le lecteur sur l'inexistence de la sagesse. Il lui a donné un os à ronger : il y a un savoir du bien et du mal. Mais il n'a pas voulu que ce soit l'occasion d'une méprise : ce savoir-là n'était tout de même pas la sagesse.

19. On a vu note 9 que L.-A. Dorion cite en note (*op. cit.*, p. 70), pour rejeter leur interprétation, deux commentateurs qui considèrent que la dernière partie du dialogue (166 c-175 a) est une section autonome, sans lien avec ce qui précède : C.-H. Chen, « On Plato's *Charmides* 165c4-175d5 », *Apeiron* (12), p. 13 et N. Van Der Ben, *The Charmides of Plato. Problems and Interprétation*, Grüner, 1985, p. 2.

20. L.-A. Dorion, *op. cit.*, p. 14.

21. Comme le note L.-A. Dorion (*ibid.*, p. 119, note 37), ce sera le cas dans le *Ménon* où le doute sera mis en rapport avec l'engourdissement et la sorcellerie. Mais ici nous n'avons aucun indice de quelque chose de ce genre.

CHAPITRE 4

LE « CONNAIS-TOI TOI-MÊME » N'EST PAS DE SOCRATE

1. *Cf.* p. 83 du présent ouvrage.

2. L.-A. Dorion, présentation et traduction, dans Platon, *Charmide, Lysis*, *op. cit.*, note 126, p. 134.

3. *Ibid.*, note 124.

4. Platon, *Alcibiade*, introduction et note de M.-L. Desclos, Les Belles Lettres, 2002, p. XXIII.

5. G. Vlastos, *op. cit.*

6. Platon, *Alcibiade*, introduction et note de M.-L. Desclos, *op. cit.*, p. XXVII-XXVIII.

7. *Ibid.*, p. XXIV.

8. À l'issue d'une comparaison argumentée entre le *Charmide* et le premier *Alcibiade*, ce dernier dialogue est rangé par E. Dupréel, (*La Légende socratique et les sources de Platon*, Robert Sand, 1922, p. 188) parmi les dialogues anonymes, dans la même groupe que l'*Eryxias* et les *Rivaux*.

9. F. Renaud, dans son compte rendu (*Le Néoplatonisme*, volume 59, n° 2, 2003) du livre de H. Tarrant, *Plato's First Interpreters*, Ithaca, New York, Cornell University Press, 2000 : « *Alcibiade* I, rangé parmi les dialogues "socratiques" (dont l'authenticité est aujourd'hui controversée) figure comme le premier dialogue à lire dans le cursus du moyen platonisme et du néoplatonisme. »

10. D'après L. Robin (note de la p. 247 de sa traduction de Platon), quelques lignes d'*Alcibiade* 133 c proviendraient de la *Préparation évangélique* d'Eusèbe, évêque de Césarée (IIIe-IVe siècle).

CHAPITRE 5

SOCRATE CROIT-IL AUX DIEUX ?

1. « Nous pouvons décrire le *logos sokratikos* en général comme une sorte de drame mi-tragédie, mi-comédie, non plus en vers ni destiné à la forme solennelle de récitation publique, mais réservé à la lecture privée. » L. Rossetti, *Eutifrone, op. cit.*, p. 23. Ce livre est la traduction en italien et le commentaire du dialogue. Son « essai introductif » reprend et discute tous les traits caractéristiques du dialogue platonicien dont *Euthyphron* est un modèle.

2. J'utilise ici la traduction de L.-A. Dorion, Flammarion, « GF », 1997.

3. Si ces mots sont attribués à Socrate, ils ne peuvent avoir le sens que leur donnera plus tard Platon. *Cf.* ce qui a été dit plus haut à propos du livre I de la *République*.

4. *Cf. Charmide, Polymarque, République, Lachès*, 194 b. L. Rossetti souligne que Socrate aurait pu tenir compte de l'essai de définition proposé par Euthyphron en 5 d, 9-10, mais que « tout lecteur se persuade qu'Euthyphron s'est vraiment borné à indiquer un cas singulier ». « Le côté inauthentique du dialoguer platonicien », *in* F. Cossuta et M. Narcy, *La Forme dialogue chez Platon, op. cit.*, p. 105.

5. *Cf. Ménon*, 80.

6. *Cf.* L.-A. Dorion, *op. cit.*, note 131.

7. Traduction T. Deman, p. 62.

8. T. Gomperz (*Les Penseurs de la Grèce*, t. I : *Les Sophistes*, Manucius, 2008, p. 72) cite *Protagoras* d'après Diogène Laerce, IX, 51 : « À l'égard des dieux, je ne puis savoir ni qu'ils sont ni qu'ils ne sont pas ; car beaucoup de choses empêchent de le savoir, surtout l'obscurité de la question et la brièveté de la vie humaine. » Protagoras a été lui aussi condamné à mort pour impiété. Dans la maison d'Euripide, il avait donné lecture de son livre *Sur les dieux* (*op. cit.*, p. 62). Anaxagore et d'autres ont eu quelques ennuis à ce sujet.

9. « À ce propos (allusion au livre de Protagoras *Sur l'État* ou *Sur la Constitution*), nous rappelons la plaisanterie de Platon sur la tendance de Protagoras de ramener l'ensemble des actions, de la conduite des hommes à des *arts*, c'est-à-dire à des systèmes de règles, et nous croyons pouvoir en rapprocher deux phrases du traité *Sur l'art* (écrit anonyme), dont le fond et la forme nous font bien souvent songer à Protagoras : "Comment n'y aurait-il pas d'art lorsque le correct et l'incorrect ont chacun leur limite assignée ? Car je vois une absence d'art dans ce qui ne détermine ni le correct ni l'incorrect." » (*Ibid.*, p. 69.) On voit ici ce qui différencie Socrate des sophistes. Pour lui l'art n'est justement pas un système de règles, mais un ensemble organique. *Cf.* Les chapitres suivants.

10. Importance de la parataxe dans les dialogues platoniciens non seulement pour donner une signification, mais comme mode de raisonnement. Même procédé dans le *Charmide*, à propos de l'homme de Thrace ou dans le premier livre de la *République*.

CHAPITRE 6

LA RHÉTORIQUE N'EST PAS UN ART

1. L. Rossetti a dévoilé plus finement la stratégie de Socrate dans ce passage dans « Le ridicule comme arme entre les mains de Socrate et de ses élèves », *in* M.-L. Desclos (éd.), *Le Rire des Grecs. Anthropologie du rire en Grèce ancienne*, Jérôme Million, 2000, p. 253-268. « La thèse soutenue dans cet article est que Socrate devait être un maître authentique pour tourner en ridicule. Une phrase de *Hamlet* de Shakespeare est à cet égard éclairante : "Si je dois être cruel, c'est seulement pour être bon." »

2. Pour ce chapitre et pour la suite, quand je ne précise pas, c'est que j'ai suivi la traduction des Belles Lettres.

3. Le livre I de la *République* nous a montré que l'art est une science en acte et que la justice est un art. L'*Euthyphron* que la piété est une partie de la justice et qu'elle doit être enfermée dans les arts pour avoir une consistance.

4. Les arts sont à la fois des opérateurs logiques et des prototypes d'existence. D'une part, ils sont le signe qu'une distinction se doit à opérer et ils apparaissent ainsi tout au long d'un parcours pour répondre à la question : « Qu'est-ce que c'est ? » D'autre part et en même temps ils sont des pierres de touche. Quand on les approche d'une question, ils séparent, non pas le bien du mal ou le correct de l'incorrect, mais le vrai du falsifié parce que chacun d'eux est porteur d'un accomplissement.

5. L'autre branche devrait s'énoncer : le rhéteur se moque de la justice. On verra pourquoi elle prend une tournure inverse : « L'homme qui sait la rhétorique est nécessairement juste » (460 c).

6. On a déjà vu cela dans le livre I de la *République*.

7. On a déjà rencontré le même procédé dans le premier livre de la *République* et dans l'*Euthyphron* (note 7 du chapitre 2).

8. Si l'on n'est jamais injuste volontairement, c'est que pas davantage l'on est juste par la volonté. Il y faut une certaine force et un certain art : « Est-ce par

la force ou par la volonté ? Je m'explique : suffit-il, pour ne pas subir l'injustice, de ne pas le vouloir, ou bien faut-il se rendre fort pour l'éviter ? Et pour ce qui est de commettre l'injustice ? Peut-on dire que la volonté de ne pas la commettre suffise pour ne pas la commettre en effet, ou bien faut-il pour cela se procurer une certaine force et un certain art qu'on ne saurait ignorer ou négliger sans être conduit à des actes injustes ? Réponds-moi sur ce point précis, Calliclès : dis-moi si c'est à tort ou avec raison, selon toi, que nous avons été contraints précédemment, Pôlos et moi, de convenir qu'on n'était jamais injuste volontairement et que ceux qui faisaient le mal le faisaient toujours malgré eux (509 d-e) ? » Est-ce Socrate qui donne de si belles explications ou n'est-ce pas le philosophe Platon qui a buté sur une difficulté du discours socratique ? Le rapprochement avec les arts suffisait bien à Socrate.

9. H. G. Gadamer (*L'Idée du bien comme enjeu platonico-aristotélicien*, *Le savoir pratique*, Vrin, 1994, p. 39 et 51) a souligné le rapport entre *arétè* et *technè* : « Celui qui croit savoir ce qu'est une *arétè* se trouve réfuté, et c'est toujours à l'aune des *technai* que se voit naturellement mesuré un tel savoir. » Mais Gadamer minimise la valeur de ce rapport : « Le caractère de savoir de l'*arétè* ne peut être celui de la *technè*... le concept de *technè* s'avère bien insuffisant pour élever à la clarté conceptuelle le savoir du Bien et l'essence de l'*arétè*. » Cela ne fait aucun doute, mais peut-être n'est-ce pas l'avis de Socrate. Il ne semblait pas s'inquiéter de la nature du Bien en dehors de ses implications pratiques. C'est peut-être Platon qui a voulu remédier à cette insuffisance. Occasion de les différencier.

10. Ou, selon le sens premier de l'*ousia*, ne pas être dans son habitation.

11. Sur les rapports subtils de la *technè* et de la *phronésis*, mais qui peuvent être décrits différemment, voir H. G. Gadamer, *op. cit.*, p. 164-165. Gadamer reprend très largement les propos de Heidegger sur le même sujet dans *Platon*, « *Le Sophiste* », Gallimard, 2001 p. 47 *sq*.

CHAPITRE 7

LA VERTU NE S'ENSEIGNE PAS

1. À noter qu'il semble tout naturel à Platon ou à Socrate ou simplement aux sophistes de compter la justice parmi les arts. Ce qui pouvait étonner le lecteur du premier livre de la *République* est un lieu commun pour les sophistes et pour Socrate.

2. A. Croiset traduit « qui rendait les hommes bons ou mauvais », avant de rectifier en note : « qui rendait bons les hommes bons ». Petit remords de traduction qui manifeste l'affrontement de deux mondes intellectuels. Il ne s'agit en rien d'un choix entre bien et mal, mais, puisqu'il y a homme, il y a homme bon. On le verra plus tard : Socrate ne propose pas une morale.

3. *Cf. Gorgias*, 482 b-e, 487 e.

4. « Puisque, en vertu du *kreittôn logos*, les valeurs éthiques sont l'œuvre d'une pensée capable de les imposer de manière universelle à l'ensemble des hommes, il s'ensuit que l'éthique protagoréenne est une éthique constructive. C'est sur ce point que se manifeste de manière patente la différence entre

Protagoras et Socrate. Pour Protagoras, le phénomène éthique, du fait qu'il est l'objet d'une construction, apparaît comme l'œuvre de la volonté ; pour Socrate, il s'agit de le trouver, puisqu'il existait déjà auparavant ; c'est donc un donné qui relève du nécessaire. » M. Untersteiner, *Les Sophistes*, Librairie philosophique Vrin, 1993, t. I, p. 100.

5. F. Cossutta a fait une analyse très fine de la manière de dialoguer de Socrate à propos du poème de Simonide. Cette interprétation du poème par les deux interlocuteurs est-elle séparable de la question fondamentale qui régit le débat entre Protagoras et Platon, à savoir la possibilité ou non d'enseigner la vertu ? « La joute interprétative autour du poème de Simonide dans le *Protagoras* : herméneutique sophistique, herméneutique socratique ? », *in* F. Cossutta et M. Narcy, *La Forme dialogue chez Platon. Évolution et réceptions, op. cit.*, p. 119-154.

6. Plus généralement elle rend compte de l'originalité de Socrate, de ce qui le rend insupportable. *Cf.* l'avant-propos.

7. T. Gomperz, *Les Penseurs de la Grèce*, t. I : *Les Sophistes, op. cit.*, p. 69-99.

CHAPITRE 8
LE NARCOTIQUE

1. Vlastos parle « du *Ménon*, qui est un dialogue hybride, résolument élenctique (fondé sur la réfutation) jusqu'en 80 e, puis résolument non élenctique au-delà ». *Socrate. Ironie et philosophie morale, op. cit.*, p. 162, note 41.

2. Traduction L. Robin.

3. Interprétation confirmée par J. Klein, *A Commentary on Plato's Meno*, The University of Chicago Press, 1975, p. 60. Il suggère le rapprochement entre le rapport figure-couleur et le rapport vertu-science, mais il ne dit rien pour le justifier. Quant au traducteur, dans l'édition des Belles Lettres, il écrit en note de la réplique de Ménon : « La faute intentionnellement commise par Socrate va donner lieu à une leçon de méthode, qui sera utilisée plus loin » (79 d). De fait, en 79 d, Socrate reconnaîtra l'illégitimité de son raisonnement : impossible de s'appuyer pour définir quelque chose sur ce qui est encore en question ou de supposer admis ce qui ne l'est pas. Cela, c'est ce qu'avait compris Ménon. Mais il n'y a aucune faute de raisonnement commise par Socrate. Sa façon de parler est parfaitement adéquate à son objet.

4. *Cf. supra* chapitre 2, note 2.

5. « Non seulement répondre la vérité, mais aussi fonder sa réponse uniquement sur ce que l'interlocuteur reconnaît savoir lui-même » (75 d).

6. On pourrait penser que ces scènes successives constituent les étapes d'un apprentissage de l'embarras, de l'aporie, du doute et finalement du non-savoir. Mais ce serait oublier que cet apprentissage est un désapprentissage, qu'il ne nous fait acquérir ni savoir ni geste, mais qu'il nous fait perdre ceux que nous avions acquis. On n'apprend pas la transe, parce qu'elle arrive comme effet d'une démission.

7. *République*, 334 b ou *Charmide*, 169 c : « Il ne dit plus rien de sensé. »

8. Platon, *Œuvres complètes*, traduit par Léon Robin, Gallimard, « Biblio-thèque de la Pléiade », 1950, note 1 de la p. 528.

9. *Cf. supra*, note 1.

10. L. Rossetti m'a fait remarquer que c'était Socrate qui dessinait les car-rés pour faire la démonstration du théorème de Pythagore. L'utilisation de l'esclave pour rendre compte de la théorie de la réminiscence n'aurait pas la force que l'on voudrait lui donner.

11. *Cf.* à la fin du premier livre de la *République* la mention de l'âme qui fait le lien avec le second livre et qui pourtant n'est nullement préparée aupara-vant. Ou bien au début du *Charmide* l'allusion aux médecins grecs qui ignorent la totalité ; totalité qui devient l'âme. Autrement dit, quand on voit l'âme toute seule apparaître, on peut y voir la main de Platon.

12. L. Robin traduit « mon âme aussi bien que ma bouche » selon la leçon des meilleurs manuscrits. Mais cela revient au même : l'âme n'est pas sans quel-que chose du corps.

CHAPITRE 9

XÉNOPHON

1. G. Vlastos, *op. cit.*, p. 150.

2. Xénophon, « Introduction générale », *Mémorables*, Les Belles Lettres, 2000, livre I, p. XCIII.

3. L.-A. Dorion mentionne dans une note de son introduction aux *Mémo-rables* : « Les principaux thèmes au sujet desquels l'exposé de Xénophon est jugé singulièrement décevant et insuffisant en comparaison du traitement que leur réservent les dialogues socratiques de Platon » (*op. cit.*, p. XCII, note 1). En voici la liste impressionnante : « Il s'agit surtout de la doctrine de la vertu-science, de l'ironie socratique, de la déclaration d'ignorance, de la perspective utilitariste de l'éthique socratique, de la conception de la dialectique et de la réfutation, de la pratique de la définition, du "démon" de Socrate, de l'interprétation de la for-mule "connais-toi toi-même", de l'*akrasia*, de la piété, de la critique de la démo-cratie, de la providence, du finalisme, de la théodicée, de l'intérêt pour l'étude de la nature, de l'homosexualité. » Si on en restait là, on devrait dire qu'il y a deux Socrate incompatibles.

4. L.-A. Dorion (*op. cit.*, p. CXLV) pense, comme allant de soi, que la ten-tative d'Aristippe pour mettre Socrate dans l'embarras (III, 8) est une vengeance de l'« affront » que Socrate lui a fait subir (II, 1). Mais Rossetti fait plusieurs objections à ce rapprochement. D'abord le chapitre II, 1 ne se termine pas par un affront. « Deuxièmement, l'éventualité de renvois d'un chapitre à l'autre à l'inté-rieur des *Mémorables* n'est qu'une conjecture loin d'être certaine. » L. Rossetti, « Savoir imiter, c'est connaître », *in* M. Narcy et A. Tordesillas (dir.), *Xénophon et Socrate*, Vrin, 2008, p. 116, note 4.

5. F. Renaud, « Les *Mémorables* et le *Gorgias* », *in* M. Narcy et A. Tordesillas (dir.), *Xénophon et Socrate*, *op. cit.*, p. 163.

6. *Ibid.* p. 166.

7. *Ibid.* p. 171.

8. *Ibid.* p. 162, 168, 169.

9. L. Rossetti (« L'Eutidemo di Senofonte : Memorabili IV, 2 », *in Il Socrate dei dialoghi*, Levante Editori, 2007, p. 65) raconte qu'il a demandé à M. Narcy pourquoi, à son avis, il y avait peu de commentaires du livre IV des *Mémorables*. Il aurait répondu que les interprètes cherchent d'abord à donner un contenu à la philosophie de Socrate. De là sans doute certains commentaires audacieux : Michel Narcy, « La meilleure amie de Socrate. Xénophon, *Mémorables*, III 11 », PUF, *Les Études philosophiques*, 2004 (2), n° 69, p. 213-234. Ou dans le même numéro de revue, p. 235-252, L.-A. Dorion, « Qu'est-ce que vivre en accord avec sa *dunamis* ? Les deux réponses de Socrate dans les *Mémorables* ».

10. Opinion de T. Gomperz, rapportée par A. Diès, *Autour de Platon, op. cit.*, p. 236.

11. Cela pourrait rejoindre la remarque de L. Rossetti au sujet de « deux Xénophon : l'un vif et pénétrant, l'autre gratifié de généralités, l'un intéressant par son originalité et l'autre foncièrement banal ». Il ajoute en note : « J'aborde à peine ici un sujet qui mériterait de retenir l'attention, étant donné que le Xénophon moins doué nous pousse souvent (et de façon même trop efficace) à oublier les mérites de l'autre Xénophon. » « Savoir imiter, c'est connaître », *in* M. Narcy et A. Tordesillas (dir.), *Xénophon et Socrate, op. cit.*, p. 124. Mais peut-être n'y a-t-il qu'un seul Xénophon qui se laisse déborder de temps à autre par le Socrate intempestif.

12. Traduction P. Chambry, Flammarion, « GF », 1967. Les Belles Lettres n'ont encore publié que le texte et la traduction du premier livre des *Mémorables*.

13. Cette question sera reprise dans le prochain chapitre.

14. « Tel Socrate. Mélétos disant qu'il ne croyait pas aux dieux, il lui demanda s'il affirmait, lui, Socrate, l'existence d'une nature démonique (*eï daimoniov ti legoi*). Mélétos en convint. Sur quoi, il l'interrogea pour savoir si les démons ne sont pas ou enfants des dieux ou d'une nature divine. Et comme Mélétos l'accordait : "Y a-t-il donc quelqu'un au monde, dit-il, qui admette l'existence d'enfants des dieux mais non celle des dieux ?" » (*Rhétorique*, G, 18, 1419 a, 8-12.) Texte cité ici au chapitre 1.

15. L'expression est de H. G. Gadamer, *in Interroger les Grecs. Études sur les présocratiques, Platon et Aristote*, Fides, 2006, p. 161-204.

16. Ici encore l'*enkrateia* dans Xénophon est radicalement différente de l'*enkrateia* telle qu'elle apparaît dans Platon. L.-A. Dorion (*Mémorables, op. cit.* p. 71-73) montre que chez le premier la maîtrise est uniquement répressive, alors que chez le second c'est un égal traitement des choses contraires. Égalité, il faudra le montrer, qui est bien l'effet du non-savoir. *Cf. infra*, chapitre 11.

17. L.-A. Dorion, *op. cit.*, p. 101.

18. Cette allusion aux métiers d'artisan rappelle l'exaspération de Calliclès dans le *Gorgias*. Mais autant elle était intelligible dans le contexte des dialogues platoniciens, autant elle est ici étrange ou tout simplement plaquée. Ne serait-ce pas un indice que Xénophon n'est pas sans connaître ces dialogues et qu'il y prend son bien sans précaution ?

234   LE SECRET DE SOCRATE

19. *Cf.*, note 18

20. Terme qui revient dans le *Gorgias* à la fin de l'entretien avec Gorgias et de l'entretien avec Pôlos. 482 e : « si l'on craint par fausse honte (*aiskuneis-thai*) » et encore en 487 b : « timidité qui les [Gorgias et Pôlos] fait se contredire par fausse honte ». Et 489 a : « et ne va pas céder toi aussi à un mouvement de fausse honte (*aiskunomenos*) ». 494 d : « aussi ai-je frappé Gorgias et Pôlos d'une stupeur mêlée de honte ». En 494 e, c'est Calliclès qui renvoie la balle : « N'as-tu pas honte ? »

21. Sur le ridicule, voir L. Rossetti, note 1 du chapitre 6.

22. Livio Rossetti (*Savoir imiter, op. cit.*, p. 111-125) a fait de ce passage une analyse fine et exhaustive dont je ne peux que reprendre quelques éléments.

23. Rossetti, *op. cit.*, p. 115.

24. Livio Rossetti a fait de ce chapitre un commentaire magistral dont je ne retiens que quelques bribes. *L'Eutidemo di Senofonte : Memorabili IV 2, op. cit.*, p. 63-103.

25. *Ibid.*, p. 76.

26. *Ibid.*, p. 84.

27. *Ibid.*, p. 93.

28. *Ibid.*, p. 97.

29. Tête du chapitre 7 de L. Rossetti : « Socrate impossible à contenter. Cruauté mentale ou acte suprême de confiance en Euthydème », *Ibid.*, p. 93.

30. On peut le vérifier dans le détail. Par exemple : « Ces déclarations de Socrate (déclarations d'ignorance) surviennent habituellement à des moments critiques du dialogue, lorsque par exemple l'interlocuteur sophiste ou rhéteur est sur le point d'abandonner le dialogue. » François Renaud, *op. cit.*, p. 168. La profession d'ignorance en vient donc même à être un opérateur du discours.

31. Notice pour l'*Apologie de Socrate* de Xénophon, Les Belles Lettres, 2002, p. 96-97.

CHAPITRE 10

LE PROCÈS

1. « Il y a au moins quatre auteurs de comédie (Ameipsias, Téléclides, Callias et Eupolis) qui ont pris Socrate pour cible. » L.-A. Dorion, *Socrate*, « Que sais-je », PUF, 2004, p. 27.

2. Dans les *Nuées*, ce n'est pas à proprement parler une caricature de Socrate que propose Aristophane, c'est plutôt un anti-portrait, non pas une exagération de ses traits, mais des anti-traits : il est entre ciel et terre pour scruter les secrets de la nature, il se fait grassement payer et il apprend à faire passer le faux pour le vrai.

3. J'adopte la traduction des Belles Lettres, mais voici pour ce passage la traduction de Robin : « Si en effet, Athéniens, on m'appelle comme on m'appelle, il n'y a à cela nulle autre raison que l'existence chez moi d'une certaine sagesse. De quelle sorte, s'il vous plaît, est cette sagesse ? Exactement ce qu'est sans doute une sagesse d'homme ; car il y a des chances que, réellement,

je sois un sage de cette sorte ! Il est fort possible, d'autre part, que ceux dont je parlais à l'instant, soient des sages d'une sagesse plus haute que celle qui est à la mesure de l'homme. »

4. « Qualité propre » et « mérite » traduisent le mot *arétè*.

5. En 19 d-e, Les Belles Lettres traduisent : « Si quelqu'un vous a dit encore que je fais profession d'enseigner à prix d'argent », alors que L. Robin est plus proche du texte grec qui disjoint les deux opérations : « Pas davantage, en vérité, n'avez-vous entendu dire à personne que j'entreprenne de faire l'éducation des gens et que j'exige de l'argent pour cela. »

6. « Mais on le voit aussi douter que l'*arétè* puisse du tout être enseignée, et cela aussi, je veux bien l'accepter comme étant historiquement authentique. Car, pour Socrate, l'*arétè* est quelque chose qui procède du dedans ; ce n'est pas un ensemble de structures de comportement qui peuvent s'acquérir par l'accoutumance, c'est une disposition conséquente de l'esprit qui est le produit d'une intelligence constante de la nature et du sens de la vie humaine. Par sa conséquence interne, cela ressemble à une science ; mais je crois que nous aurions tort d'interpréter cette intelligence comme une chose purement logique – au contraire, cela implique tout l'homme. » E. R. Dodds, *Les Grecs et l'irrationnel*, Flammarion, 1959, p. 184. M. Untersteiner, *Les Sophistes, op. cit.*, p. 261. Pour Gorgias, « les vertus ne peuvent être enseignées. En cela Gorgias se distingue des autres sophistes ».

7. « Probablement un mythe inventé de toutes pièces par Platon », L.-A. Dorion, *Mémorables, op. cit.*, p. CXIV et p. CXVI, note 1.

8. Au lieu chez Platon d'une fusée à plusieurs étages (vous allez me prendre pour un hâbleur, ce n'est pas moi qui ai posé la question, c'est Chéréphon qui a utilisé le mot savant pour questionner, enfin la Pythie s'est contentée de donner son assentiment), Xénophon nous donne un récit à une seule dimension : « Un jour que Chéréphon à Delphes interrogeait l'oracle à mon sujet en présence de nombreux témoins, Apollon répondit que personne n'était plus désintéressé que moi, ni plus juste, ni plus sage » (*Apologie*, 14). On parierait que Xénophon a connu le récit de Platon et qu'il l'a raplati : il fait de la pythie une conseillère alors qu'elle se contentait de répondre par oui ou par non ; le mot « savant » perd de son relief mêlé à d'autres adjectifs.

9. Ici les artisans ne peuvent plus servir de modèle d'unité de savoir et de vertu, précisément parce qu'ils sortent de leur domaine.

10. Trad. Robin qui calque le grec : « Celui-ci, hommes, est parmi vous le plus sage, qui, ainsi que le fait Socrate, a reconnu que, selon la vérité, il ne vaut absolument rien sous le rapport de la sagesse ! »

11. « On peut se référer ici à l'excellente remarque du grand philologue U. von Wilamowitz-Moellendorf qui affirmait que le terme *Theos*, "dieu", n'est jamais un sujet, mais un prédicat. En d'autres termes, ce n'est pas un "quelque chose" auquel on se rapporte, quelque chose de déterminé qui existe et auquel on peut attribuer des qualités. » Hans Georg Gadamer, *Interroger les Grecs. Études sur les présocratiques, Platon et Aristote, op. cit.*, p. 166.

12. L.-A. Dorion, « La "dépersonnalisation" de la dialectique chez Aristote », *Archives de philosophie*, octobre-décembre 1997, t. 60, p. 605.

13. L.-A. Dorion dans son introduction aux *Mémorables*, *op. cit.*, p. CXL cite les nombreux commentateurs « qui voient dans cette définition un portrait de Socrate ». Il ajoute : « C'est la seule des sept définitions du sophiste dont le point de départ n'est pas l'un des embranchements de la définition initiale de la pêche à la ligne. » Dans *Platon : « Le Sophiste »*, *op. cit.*, p. 336 *sq.*, Heidegger s'efforce de montrer que cette sixième définition est à la bonne place et qu'elle achève la série de définitions qui font du sophiste un *antilogikos*.

14. L.-A. Dorion consacre plus de cinquante pages de son introduction à la notion d'*élenchos*. Il est de l'avis de Xénophon : la réfutation est incapable d'« établir les connaissances positives en quoi consistent les vertus ». Introduction aux *Mémorables*, *op. cit.*, p. CXXXVII.

15. Voir chapitre 1.

16. L.-A. Dorion, « La "dépersonnalisation" de la dialectique chez Aristote », *op. cit.*, p. 604.

17. L.-A. Dorion, Introduction aux *Mémorables*, *op. cit.*, p. CXLII.

CHAPITRE 11

LA TRANSE

1. G. Vlastos, *op. cit.*, p. 53, à propos du discours d'Alcibiade dans le *Banquet* de Platon : « Bien qu'il s'agisse d'un dialogue de la maturité, il est impossible de ne pas voir, dans le Socrate qu'il met en scène, le philosophe de la période antérieure. On reconnaîtra en particulier sa dénégation absolue d'un quelconque savoir, trait frappant du Socrate de la première période dans lequel [...] Platon a recréé le personnage historique. Le discours de Diotime rapporté par Socrate dans la section précédente du texte est un exposé de la doctrine non socratique des formes transcendantes... Et dans ce discours qu'Alcibiade va à présent prononcer – le dernier du dialogue – on voit brusquement resurgir la première image de Socrate, ce Socrate non platonicien qui apparaît aussi au livre I de la *République*. »

2. Xénophon s'est beaucoup soucié de protéger Socrate de cette accusation. Mais c'est qu'il n'a pas compris la nature du rapport de Socrate à ceux qui l'entourent. Si Socrate enseignait, on pourrait l'accuser d'avoir été un mauvais professeur ; si Socrate était un éducateur, on pourrait lui reprocher d'avoir élevé des criminels. Mais Socrate ne fait rien d'autre que déstabiliser ses interlocuteurs et les provoquer à changer leur vie ; il ne peut pas se substituer à eux pour l'accomplissement de cette opération et donc pas davantage être responsable à leur place.

3. Les Belles Lettres disent en note que *katechomai* s'emploie pour toute forme de « possession ».

4. Traduction Robin.

5. Au sens indiqué plus haut : « "Le divin" n'est pas quelque chose de spécifique parmi les choses divines, quelque chose qu'on pourrait prétendre connaître : si par exemple telle chose est bonne ou telle autre mauvaise, si ce dieu est bienveillant à notre égard ou s'il nous est hostile. "Le divin" est autre chose, une donnée insaisissable dont l'existence nous est connue comme omniprésente,

comme une présence indéterminée que le neutre sait si bien évoquer. »
H. G. Gadamer, *op. cit.*, p. 166.

6. *Beltiston* dans *beltiston genesthai* est un superlatif, non un comparatif
qui induirait l'idée de progrès. Devenir le meilleur possible, c'est accéder à un
terme, à un achèvement.

7. Agathon voulait la même chose grâce à la proximité physique (*Banquet*,
175 c-e).

8. De nouveau, traduction Belles Lettres, modifiée à la fin.

9. Socrate évite de reprendre les termes de l'expression consacrée (*ti beltiston genesthai*) puisque Alcibiade est en train d'en dévoyer le contenu.

10. Traditionnellement les lecteurs de Platon prennent le discours d'Alcibiade
comme un éloge pur et simple de Socrate. De même, « lorsque Alcibiade reproche
à Socrate le refus de céder à ses tentatives de séduction, aux yeux de la majorité
des lecteurs, ce refus de Socrate démontre sa force et il doit en être gratifié ».
M. Narcy, « Socrate nel discorso di Alcibiade (Platone, *Simposio* 215a-222b) », *in*
L. Rossetti et A. Stavru, *Socratica 2005, Studi sulla letteratura socratica antica pre-
sentati alle Giornate di studio di Senigallia*, Levante Editori, 2008, p. 287.

11. « Zopiro prétendait être un bon physionomiste et, mis en présence
d'un portrait de Socrate, il n'hésita pas à dire, jugeant par les traits, que ce
devait être un libidineux, plus précisément un pédéraste. Les socratiques se
récrièrent avec animosité. Alcibiade aurait même voulu le frapper. Zopiro, de
son côté, en vue de clarifier sa position, voulut rencontrer Socrate, le voir. Ils se
retrouvèrent tous autour du maître, et Zopiro, à peine avait-il vu le philosophe,
confirma sans hésiter son diagnostic. Les socratiques manifestèrent à nouveau
leur indignation. Mais le philosophe serait intervenu par ces mots : *quiescete, o
sodales : etenim sum, sed contineo*. "Mes amis, calmez-vous, cet étranger du nom
de Zopiro a proprement raison. En effet, je suis le type d'homme qu'il dit, à ceci
près que je me contiens. Et c'est pour ce motif que vous ne vous apercevez pas
des pulsions que je réprime systématiquement." » (L. Rossetti, *Socrate ha
segnato un' epoca ?* per Festschrift Placido.) Mais, avec Socrate, il faut toujours
se méfier. Cette façon d'accepter l'injure sans répliquer et même de renchérir est
la meilleure manière de désarmer l'adversaire et d'annuler le propos. Peu
importe alors que ce qu'il a dit soit vrai ou faux.

12. Aristote, qui parle de l'indifférence de Socrate, utilise le mot *adiaphoros* (*Seconds Analytiques*, B, 13, 97 b), ce qui rend mieux compte de ce qu'il en
est pour Socrate.

13. « Notes complémentaires », *Mémorables* I, Les Belles Lettres, p. 72.

14. C'est la traduction de L. Robin. Les Belles Lettres traduisent : « Il restait debout à la poursuite d'une idée » (*ti eistèkei skopôn*), ce qui revient au
même.

15. *Cf.* p. 8-10 du manuscrit.

16. *Cf.* la position de Socrate face à Protagoras : il est facile d'être vertueux, s'il est difficile de le devenir.

17. Voir les citations des *Grandes Morales* au chapitre 1.

18. L. Strauss, *Socrate et Aristophane*, L'Éclat, 1993, p. 6.

19. *Le Renversement platonicien, op. cit.*, p. 67.

TABLE

AVANT-PROPOS - De Socrate, personne ne veut 7

CHAPITRE PREMIER - Les excentricités de Socrate 19

CHAPITRE 2 - Un mode de vie 43

CHAPITRE 3 - L'homme de Thrace 67

CHAPITRE 4 - Le « connais-toi toi-même »
n'est pas de Socrate 87

CHAPITRE 5 - Socrate croit-il aux dieux ? 95

CHAPITRE 6 - La rhétorique n'est pas un art 111

CHAPITRE 7 - La vertu ne s'enseigne pas 127

CHAPITRE 8 - Le narcotique 143

CHAPITRE 9 - Xénophon 165

CHAPITRE 10 - Le procès 189

CHAPITRE 11 - La transe 205

NOTES 221

Cet ouvrage a été transcodé et mis en pages
chez Nord Compo

Impression réalisée par CPI
en février 2018

N° d'impression : 2034937
N° d'édition : 7381-2693-1
Dépôt légal : septembre 2011
Imprimé en France.